【編】長谷川凜
丹野健
内田花
田川美桜
中村海人
神山結衣
小林未來
牧野かれん
仲島ひとみ

高校に古典は本当に必要なのか

高校生が高校生のために考えたシンポジウムのまとめ

文学通信

こちらは、当初2020年3月10日に開催予定で進めていたときのポスター。3月10日に開催を予定していた時には、日程の都合上、渡部泰明氏は参加できなかったが、実際は新型コロナ感染拡大の影響を受け、渡部氏も参加の上、6月6日にZoomにてオンライン開催した。

デザイン・イラスト：神山結衣

はじめに

2019年1月、「古典は本当に必要なのか」と題したシンポジウムが明星大学で開かれた。そこでは高校の古典の授業が俎上に上げられていた。高校で国語を教える者としてまったく他人事ではなかったが、わたしは自分の考えをSNS上で書いたくらいで、すぐにアクションを起こそうとしたわけではなかった。

明星大学のシンポジウムを受けて「シンポジウムを開きたい」と言ってきたのは生徒たちである。その熱意に押され、コロナ禍の休校も乗り越えて、2020年6月6日にオンラインシンポジウムを開催するに至った。この本はその記録である。

二つのシンポジウムと参加者の熱意は、国語教育のあり方についての議論を広げ、少しずつ前に進めてきた。手前味噌のようだが、生徒たちの働きは力を持ち、単なるお題目ではない「主体的・対話的で深い学び」が成り立っているように見えた。そんな彼らとともに歩めたことを誇らしく思う。

本書の構成は、第1部「議論の土台を整える―「高校に古典は本当に必要なのか」を考えるまえに」、第2部「高校に古典は本当に必要なのか」にて当日の様子を報告し、第3部「アンケート集計」にて当日参加した方々のアンケート・感想を掲げる。第4部は「シンポジウムに至るまで―こてほんプロジェクト一同（長谷川・丹野・内田・田川・中村・神山・小林・牧野）」と題し、生徒自身がねらいや意志決定の過程を記している。これは今後高校生たちがイベントを企画する際のマニュアルとしても役に立つであろう。最後の第5部でまとめと展望として「共に社会を作る仲間として後進を育てようとするなら」を掲げた。高校生からのパスを受け取り、次につなげるべく、個人として考えたことも記す。

高校に古典は本当に必要なのか。それは何のためか。どのように可能なのか。ご一緒に考えていただければ幸甚である。

仲島ひとみ

目次

第2部　高校に古典は本当に必要なのか

第3部　アンケート集計

第4部　シンポジウムに至るまで

――こてほんプロジェクト一同（長谷川・丹野・内田・田川・中村・神山・小林・牧野）

第5部　共に社会を作る仲間として後進を育てようとするのなら

（仲島ひとみ）

［凡例］

- 本書中の「こてほん 2019」との表記は、明星大学で 2019 年 1 月に開催されたシンポジウム「古典は本当に必要なのか」を示す（動画はこちら https://www.youtube.com/watch?v=_P6Yx5rp9IU）。また『こてほん 2019』は、そのシンポジウムの書籍版、勝又基編『古典は本当に必要なのか、否定論者と議論して本気で考えてみた。』（文学通信、2019 年）を示す。
- 「こてほん 2020」は、本書の元となった 2020 年 6 月 6 日開催のオンラインシンポジウム「高校に古典は本当に必要なのか」を示す。
- 本書第 1 部、第 2 部は、当日の発表を元に文字起こしを行い、文学通信編集部が適宜修正を加えたものです。掲載は全発言ではなく、一部抜粋であったり、省略をしたり、要旨をまとめたところもあります。ご了承ください。
- 第 3 部「アンケート集計」は、当日グーグルフォームにて募ったものを、個人を特定できないように一部削除、伏せ字などして掲出しました。ご了承ください。また、アンケート中の文章に、当日の Zoom でのチャットに言及しているものがありますが、本書において、チャットのやりとりは収録しておりません。ご了承ください。
- 第 4 部「シンポジウムに至るまで」は、高校生による書き下ろしです。
- 第 5 部は、仲島ひとみによる書き下ろしです。

メンバー紹介

（学年はシンポジウム開催時のものです）

［パネリスト］

長谷川 凜　Hasegawa Rin

2002年生まれ。ICU高校3年生（41期）。シンポジウム発起人。ディベートでは肯定派。中学では学長賞。高校では先生と伊勢物語の講読。人生初の論文を執筆（パスカルの三角形について）。山月記ゼミを勝手に開催。一方、数学オリンピックは2年連続予選敗退。飽くなき好奇心との折り合いの付け方を模索中。

牧野かれん　Makino Karen

ICU高校3年生（41期）。ディベートでは否定派として参加しましたが、別に古典が滅べばよいとか思ってるわけじゃないです。好きな食べ物はフロランタンといも類､特技は現実逃避です。夢は井の中の蛙なりに空の青さを知ることです。

小林未來　Kobayashi Mirai

2003年生まれ。ICU高校3年生(41期)。ディベートでは肯定派。中国に3年、アメリカに4年在住経験があり、日本語より英語の方が得意。アメリカ在住中に源氏物語に出会い、魅了される。英文学も好き。趣味は京都に行くこと。嫌いな言葉は連帯保証人。

田川美桜　Tagawa Mio

ICU高校（40期）卒業後、ICUに進学（1年生）。ディベートには否定派として参加。大学では心理学と経済学を専攻予定。日本文化にも興味があります。趣味は部屋の模様替えと歌うこと。

[司会]

内田 花 Uchida Hana

2002年生まれ。ICU高校3年生（41期）。シンポジウムでは司会を担当。趣味は漢字を覚えること。好きな食べ物はみすゞ飴。大学では法学と心理学を学びたいです。

丹野 健 Tanno Ken

2002年生まれ。ICU高校3年生（41期）。アメリカとのダブルなのでChrisという名前もあります。当日の役割は司会。ことばの教育に興味関心があります。教員の働き方問題について悩んだり、入試改革・新指導要領などの教育政策に首を突っ込んでみたり。アロハシャツが好き。自由奔放に生きていたい。

[スタッフ]

中村海人 Nakamura Kaito

2003年生まれ。ICU高校2年生（42期）。ディベートには事前準備に参加。高校から硬式野球を始める。趣味は近所の散歩とカラオケ。こてほんを契機に古典への向き合い方が変わり、古典の勉強が好きになる。

神山結衣 Kamiyama Yui

ICU高校3年生（41期）。ポスターを担当。鎖国中の家庭で育つ。海外で働きたいと小5から英語を学び中3で英検準一級。小6でICU高校入学を決意し、某私塾全国模試で三連続1位も、念願の高校入学後は挫折挫折の無限ループ禍。令和維新で開国予定。

[運営]

仲島ひとみ Nakajima Hitomi

1980年生まれ。ICU高校国語科教諭。東京大学大学院人文社会系研究科修士課程修了（日本語学）。ロンドン大学Institute of EducationにてMA in Effective Learning and Teaching取得。趣味はマンガを読むことと描くこと。国語教科書の編集にも関わる。2021年現在、筑摩書房教科書編集委員。

第1部

議論の土台を整える

――「高校に古典は本当に必要なのか」を考えるまえに

1. 「高校に古典は本当に必要なのか」のコンセプト
2. 前回のシンポジウム「古典は本当に必要なのか」論点まとめ
   ――近藤泰弘先生、ツベタナ・クリステワ先生の主張も加えて
3. 現役高校生の視点――高校生に実施したアンケート結果発表
4. ディスカッション――否定派・肯定派の認識を問いただす

1.「高校に古典は本当に必要なのか」のコンセプト

内田（司会）：それでは、ただいまよりシンポジウム「高校に古典は本当に必要なのか」を開催いたします。司会の内田です。まず、今回のシンポジウムのコンセプトを動画にてご紹介したいと思います。（コンセプト動画はこちらでご覧いただけます→ https://www.youtube.com/watch?v=uRyWTeqVoMg&feature=youtu.be）

2019 年、明星大学でシンポジウム「古典は本当に必要なのか」、通称こてほんが開催されました。「古典」「必要」「論理」「思考」など、言葉の定義が人によって違っていて、論点のベクトルがあらゆる方向へと交差していました。議論はかみ合わず、それは確かに、混沌（こんとん）としていました。

ならば、やりなおすまで。そういう思いで「こてほんプロジェクト」を立ち上げ、「こてほん 2020」を企画しました。

一つは、前回のこてほんの問題点を解消するために。一つは、当事者である高校生の声を届けるために。そして何よりも、古典教育が衰退している現状への興味を広げるために。

わたしたち高校生を主催に、

●肯定派

近藤泰弘先生（青山学院大学教授）

ツベタナ・クリステワ先生（国際基督教大学名誉教授）

福田安典先生（日本女子大学教授）

渡部泰明先生（東京大学教授）

●否定派

猿倉信彦先生（某指定国立大学教授）

前田賢一先生（メーカー OB・コンサルタント）

が、ゲストパネリストとして参加してくださいます。

プログラムは、

〜第１部〜

①「こてほん 2019」の論点整理

②高校生に実施したアンケートの結果発表

③高校生パネリストとゲストパネリストによるディスカッション

〜第２部〜

④高校生パネリストによるディベート

⑤フロアとパネリストによるディスカッション

第１部では、「こてほん 2019」における論点を整理したあと、そこにアンケートによって高校生の視点を加えます。さらに、実際に高校生からゲストパネリストに疑問を投げかける形で「こてほん 2019」の問題点を指摘していきます。

第２部では、まず高校生パネリストが「高校の授業で古典を学ぶことに意義はあるか」という論題でディベートを行います。ディベートを受けて、高校生パネリスト・ゲストパネリスト・フロアの全員でディスカッションを行い、共通了解を見いだしていきたいと思います。
本日参加してくださった皆さま、心より感謝いたします。長時間のシンポジウムですが、どうか最後までお付き合いください。古典教育のあるべき姿を求めて、いざ、参りましょう。

2. 前回のシンポジウム「古典は本当に必要なのか」論点まとめ
――近藤泰弘先生、ツベタナ・クリステワ先生の主張も加えて

内田（司会）：まず、前回のシンポジウム「古典は本当に必要なのか」に参加された先生方の論点を整理します。前回の議論を踏まえて、本日のシンポジウムでさらに議論を進めていくためです。また、今回新たに参戦してくださった近藤泰弘先生、ツベタナ・クリステワ先生の論点も加えてご紹介します。

①猿倉先生の論点

猿倉先生は主に三つの観点から古典に否定的な意見を述べました。

一つ目が、高校生はほかに学ぶべきことがあるということです。教育というのは出資者である国と家族に還元されるものだとし、国への還元はGDPや競争力、個人への還元は収入と自己実現だとしました。

そして、日本の産業的競争力の低下を止めるためには、アメリカにおけるGAFAのような新たな企業を作れる人材が必要だと主張しています。そのためには企画書の書き方や発表・議論などのスキルを身につけさせることがより重要であり、古典の相対的な優先度は低いとしました。

次の観点は、古典が社会的な弊害を生んでいるということです。古典教育によって年功序列や男女差別が固定化し、出る釘をたたくような文化を刷り込んでいるとしています。教科書が権威化されることによる偏ったコンテンツの排除を求めました。

三つ目は、古典は世界標準の知識への接続が少ないということです。国際標準の知識に追いつくためには、より科学技術との接点がある西洋哲学を学ぶべきであるということです。

では、これからの古典をどうするべきか、猿倉先生は主に以下の四つの提案をしました。

①諸行無常などの哲学的な内容は現代語訳をして現代社会の科目で教える。②情緒的な古典は選択の芸術科目にし、副読本を与える。③大学では経営状況が悪化している傾向にある中で、コスパのよい学問として倒産防止に活用する。そして④コンテンツビジネスとしての古典の海外へのディスプレイの方法を強化していくべきだとしました。

猿倉先生

日本の学術的・産業的競争力の低下により、
高校生は他に学ぶべきことあり

・教育＝出資者（国、家族などの個人）に還元されるべき
・新産業を作る人が必要
・企画書、発表、議論の方が社会ニーズが高い

➡古典は優先度が低い！

猿倉先生

古典は社会的な弊害を生んでいる

・年功序列
・男女差別
・出る釘をたたく文化

※教科書は権威化されるため、偏ったコンテンツは排除するべき。

猿倉先生

世界標準の知識への接続が少ない

・西洋古典を学ぶべき

・日本の古典は西洋古典と違い、科学技術との接点がない

猿倉先生　これからの古典をどうするべき？

高校生以下には 選択の芸術科目として 副読本を与える。	古典に含まれる 哲学の部分 → 現代語訳、社会科へ
コスパの良い学問として 大学の倒産防止に活用	日本の伝統美として 海外へのディスプレーを強化

②前田先生の論点

前田先生は古典を「過去に表現された立派な内容」としました。これには源氏物語などのほかに、『プリンキピア』や音楽、絵画なども含みます。また一方で、古文を「古典が書かれた言語」としています。漢文やギリシャ語・ラテン語などのことです。

前田先生の主張の一つ目は、内容というのは古い言葉で言い表せなくても十分伝わる現代語訳でよいというものです。古文・漢文が必要だとすれば、それを必要としているのは誰か。全員が原文にあたる必要があるのでしょうか。原文が本当に必要ならば、英語やギリシャ語、ラテン語などで書かれた古典も、そのままの言語であたらなければいけなくなります。ノーベル文学賞をさまざまな言語使用者が取得できているという時点で、素晴らしい内容は翻訳語でもしっかり通じていることの証明になっていると言えないでしょうか。

古語を習うことで、現代語の理解につながるという意見もあります。しかし、それならばそのまま正しい現代語を教えるほうが効率的です。また、中には原文で読まないと細かいニュアンスなどは伝わらないという意見もあります。ただ、言葉を聞いたときに当人が感じるニュアンスはおのおので違いますし、それを検証する方法もありません。これを言い出したらキリがないのです。高校生の時間は有限です。

二つ目の主張は、古文・漢文は高校以降、選択制にするべきだというものです。古典は教養であり、なければ恥ずかしいものとして扱われがちです。しかし、教養と言われるものはこの世にあふれ返っています。そこから、教養というものは強制されるべきものではないし、限られた時間の中で選べるようにしたほうがよいのです。

また、国語には文学などの芸術的な要素と、読み書きや理解のためのリテラシーの要素があります。先生はこのリテラシーの方を優先して教えるべきだということを主張しました。

前田先生

Def.

古典：過去に表現された立派な内容

古文：古典が書かれた言語

前田先生

・内容というのは古い言葉で表さなくても現代語訳にすれば十分

・現代語を正しく使うことが目的なら古典文法より「正しい現代語」を

・「原文も読まないと...」との指摘もあるが、伝わるものもあれば伝わらないものもある

➡際限がない。高校生に与えられた時間は有限。

前田先生

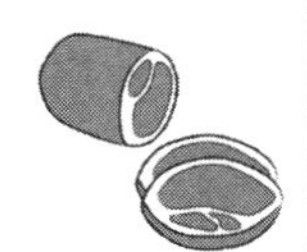

・古典は教養。強制的に学ぶものではない。

・高校国語はリテラシー分野の学習を増やすべき

➡高校以降の古文・漢文は選択制に！

③渡部先生の論点

肯定派の渡部先生は､古典の定義を｢第二次世界大戦くらいまでの小説を含めた文学作品」としました。しかし、これは単に古い文書のことではなく、「共生」を感じさせる素晴らしい内容のものを言います。

また、古典の意義とは「主体的に幸せに生きるための知恵を授けること」だと定義しています。主体的に幸せに生きるとは、生活に潤いをもたらすことだけではなく、良い仕事を責任ある立場でなすことです。

つまり、古典には個人を満足させる以上に個人が社会に働きかける力を与える効果があるのです。いい仕事を責任ある立場でなすためには、指導力と優れた着想が必要となりますが、古典はこれらをもたらすだけでなく、さらに、自由で優れた着想や発想を与えてくれるのです。

また、渡部先生の主張として、高校では実用的な能力より、広い教養を身につけるべきというものがあります。実用的なものの目的は非常に限定されているため、変化していく現実に対応できず、古びていってしまうためです。また、実用的なものを教えてもすぐに役立てることはできません。役立てるためには、それらの能力を内面化する必要があります。古典の「心を預ける／切り離す」という作業を通じて、内面化の作業を学ぶことができるのです。

現代語訳は授業で大いに使うべきですが、物事は言葉に即して考えられているので、原文を知る必要もあります。また、和歌のように言葉の調べに触れる機会は持ってほしいと述べています。

文法については、言葉にきれいな法則があることを知る喜びは教えてほしいが、「文法のための文法」はやめるべきであると主張しました。

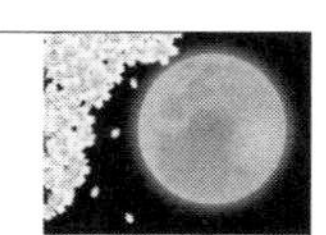

渡部先生

古典：第二次世界大戦ごろまでの小説も含む文学作品。

特に「共生」を感じさせるもの。

渡部先生

古典の意義

主体的に幸せに生きる智恵を授ける

指導力
優れた着想 が必要！

生活への潤い

良い仕事を責任ある立場で成す

↪ **個人が社会に働きかける**

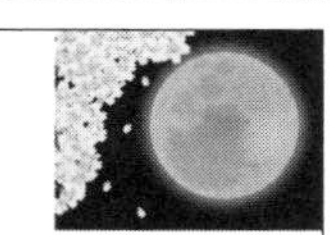

渡部先生

実用的な能力より広い教養

高校では広い教養を身につけるべき

実用的なものは古くなるのも早い

能力の内面化に古典を学ぶことは有効

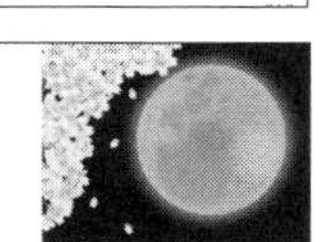

渡部先生

現代語訳・文法

・現代語訳：授業で大いに使うべき
しかし原文を知る必要もある。例）和歌

・文法：言葉にきれいな規則があることを知る喜び
「文法のための文法」はやめるべきである。

④福田先生の論点

福田先生は、「それなりに豊かな国の納税者には、自国の文化を知る権利がある」と規定しました。近代以前には文系理系の区別がなかったことを述べ、現在でも近世の医学書などの古典を読むといった横断型の学習ができるのは文学部しかないと主張しました。

また、高校教育に古文・漢文が必要な理由を二つ述べています。

一つは、いつ誰が「古典を発信する」という天命に目覚めるかわからないからという点です。文学部で古い医学書などを読むためには、高校までの学習内容で培われたスキルが必要なのです。さらに、自国の文化でもある古典を読み解く能力を得ることは、国民の権利に含まれることです。

また、日本の古典芸能がフィリピンとの国際親善を深めたという事例もあります。フィリピンでは自国の伝統芸能に関心がない人が多くいました。2000年代に、フィリピンでは日本に第二次世界大戦の賠償を求めるデモが起きました。しかし、フィリピン大学の「いまこそ日本の伝統芸能を学ぼう」という動きが、反日デモを縮小し、能や歌舞伎がフィリピンで上映されました。

この大学のねらいは日本の姿勢を学び、自国の伝統文化への関心を高めるというものだったのです。このことから、伝統芸能を守るという日本の姿勢は諸外国に影響を与え、海外からの評価も高いと言えます。

福田先生

「それなりに豊かな国の納税者」には

自国の文化を識る権利がある

福田先生

文理の分離（ぶんりのぶんり）

近代以前にはなかった文理の分断

文学部なら近世の医学書や農学書も読み解ける

これこそが多分野を横断する知の営み

➡人間らしく、価値のある学問

福田先生

高校教育に古文・漢文は必要

・古典を読み解くトレーニングは必要

・国民の権利

福田先生

日本の古典には影響力がある

・フィリピンとの関係修復

日本の姿勢を見習い、自国の文化への関心を高める

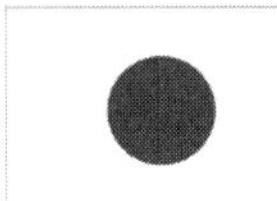

⑤近藤先生の論点

近藤先生は、公教育の目的を「産業の発展ではなく、人間が人間らしく生きていくための基礎的な知識や学力をつけること」と定義しました。近藤先生によると、人文科学や社会科学にあって自然科学にない知識構造は、空間の多様性や歴史的変化の構造です。

生きていく上で世界の広がりや歴史の流れについての洞察をすることはとても重要であり、古典語の教育は、日本語およびそれによる文学の歴史を学ぶために欠かせません。このような人間としての根幹をつくる基礎的な教育は、人類普遍的なものの見方を育てることにつながっていきます。

スライド3枚目に示すように、英語とラテン語は別系統の言語ですが、日本語と古典語は同じ系統の言語です。よって、英語圏でラテン語を必修にしないことは、日本で古典を必修にしないことの理由にはなりません。

また、中国では、中学高校において、古典中国語の学習が日本以上に重要視されています。これは、古典語から現代語まで通じる、文化の流れを学ぶことができるからです。

日本でも同様に、日本文化の理解には古典語への理解が欠かせません。日本に移住してきた外国人への教育などを考えても、古典の学習は必要であると言えます。

いまの古典文学の教育には、教科書の工夫や入試で問うべき内容など、改善できる点がたくさんあります。漢文の取り扱い方についても、日本漢文をより多く入れるなど工夫の余地はあると言えるでしょう。

人間の感情や心情を探ることは、今後経済活動の非常に重要なテーマになっていきます。古典語研究は、テキストを分析して過去の人間の心情のあり方を研究するものなので、21世紀型の新しい経済を切り開いていく可能性があります。長い歴史を持つ日本は、世界に発信できるものがたくさんある有利な立場です。日本からそのように発信していくための基礎として、高校生が古典を学ぶことは非常に重要であると言えます。

近藤先生

【公教育の目的】

産業の発展ではなく、人間が人間らしく生きていくための基礎的な知識や学力をつけること。

近藤先生

自然科学と人文科学

人文科学や社会科学にだけある知識構造は空間の多様性や歴史的変化の構造

生きていく上で重要

「古典」語の教育：日本語及びそれによる文学の歴史を学ぶ
人類普遍的なものの見方を育てる

近藤先生

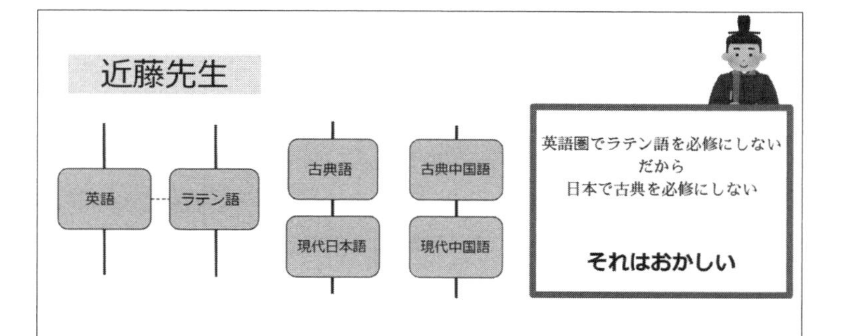

・古典語から現代語まで通じる文化の流れを学ぶことができる

近藤先生

これからの古典

・古典教育の改善（教科書の工夫、入試で問う内容など）

・古典は人間の感情や心情を含むテキスト

↪分析して新しい経済を切り開ける

⑥ツベタナ先生の論点

ツベタナ先生は、レヴィ＝ストロースの言葉を根拠に、社会における文学の役割は文化や時代によって異なると述べ、前回のシンポジウムで文学の役割を現代の理解に絞った否定派を批判しました。古代日本では、和歌が最も活発な知的活動かつ主要なメディアでした。よって、古典を知ることは日本の重要な知的遺産を知ることなのです。

ツベタナ先生は、美意識も文学と同じように、文化や時代によって異なる役割を果たすと述べています。古代ギリシア人が未知の世界をロゴスによって整理し、説明しようとしたのに対し、古代日本人は最大の美を通してそれを解釈しようとしました。つまり、古代の日本においては美意識は世の中を見る視線であり主要な認知手段だったのです。

古典は日本人の文化的アイデンティティーの源という視点は、前回のシンポジウムではほとんど強調されませんでした。しかし日本人の文化的自信を支えているのは古典です。古代日本語は現代日本語の原型であり、その言葉は文学を通して発展していきました。そのためその文学を知ることは、現代日本語を知ることにつながるのです。

ツベタナ先生は、現代語訳で古典を読むことは、出発点にすぎないと主張しました。古典を読むとは内容を把握し、注釈を参考にしつつ、自分なりに文章を再解釈していくことだからです。

また、古典の再解釈が必要な理由として、完璧な現代語訳は存在せず、かつ、ほとんどの訳は男性によって行われたものであること、オリジナルを読むことで読者の想像力と創造力が刺激されることをあげ、こうした自分の視点から再解釈する能力は人文科学のみならず、自然科学でも極めて重要だと述べました。

前回のシンポジウムで、ラテン語を例にして、漢文を習う必要がないと主張した前田先生への反論として、ツベタナ先生は次のように述べました。西洋ではラテン語は教養の言語として扱われ、この地における文学はラテン語の延長、または対象として成り立ちました。日本でも真名は教養の言語でしたが、仮名文字の発明によって漢文と和文は共存し、その結果できた和語化された古代中国語文は日本の重要な知的遺産となりました。これは異なる文化の受容のモデルとして、現代でも参考になる事例です。

古典文学の知識は、日本文化にルーツを持つ現代の国際社会に生きていて人類の発展に貢献することができます。これこそが古典文学が現代でも必要な理由なのです。

ツベタナ先生

古典を知ることは、日本の重要な知的遺産を知ること

社会における文学の役割は
文化や時代によって異なり、
古代日本では文学、とりわけ和歌が
メディアであり知の形態

ツベタナ先生

古代日本の美意識は世の中を見る「**視線**」

古代ギリシャ

古代日本

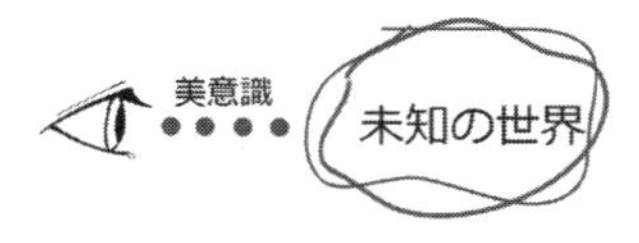

ツベタナ先生

古典は日本人の文化的アイデンティティの源

古代日本語は現代日本語の原型

日本語は文学を通して発展した

古典文学を学ぶことによって文化的な自信がつく

ツベタナ先生

内容の把握
※現代語訳でも良い

気になる箇所を
丁寧に読む

自分なりに
解釈する

読みの過程

- **どの現代語訳も「完璧」ではない**
- **この過程こそが、読者の想像力と創造力を刺激する**

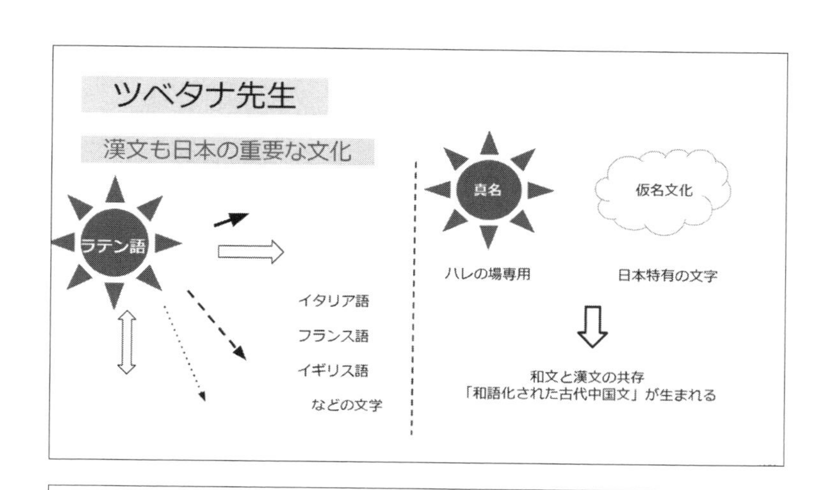

ツベタナ先生

古典文学の知識は日本文化にルーツを持つ現代の国際社会に生きていて、人類の発展に貢献できる

3. 現役高校生の視点——高校生に実施したアンケート結果発表

内田（司会）：続いて、高校生に実施したアンケートの結果発表です。前回のシンポジウムでは、古典教育を受けている当事者であるはずの、高校生の意見が取り入れられていませんでした。そこで、高校生に古典についてのアンケート調査を行いました。その結果を発表します。（アンケートの結果はこちらでもご覧いただけます→ https://www.youtube.com/watch?v=ysBQunIIGHo）

（1）アンケートの性質

アンケートの性質についてです。アンケートを依頼した高校は 10 校、合計 1652 人から回答をいただきました。

	高校別人数	割合	
都立高校　4 校	①	1014	61%
私立高校　3 校	②	43	3%
国立高校　2 校	③	39	2%
県立高校　1 校	④	0	0%
	⑤	59	4%
	⑥	0	0%
	⑦	229	14%
	⑧	23	1%
	⑨	59	4%
	⑩	186	11%

回答状況（学年・選択分野・シンポジウムへの関心度）は以下の通りです。

学年　割合

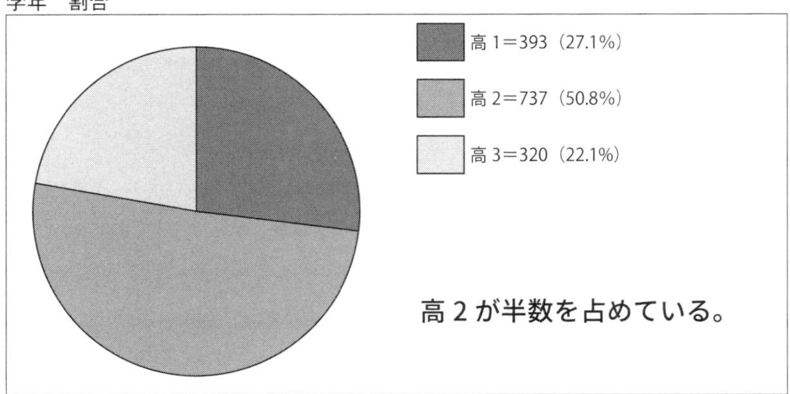
高 1＝393（27.1%）
高 2＝737（50.8%）
高 3＝320（22.1%）
高 2 が半数を占めている。

選択分野　割合

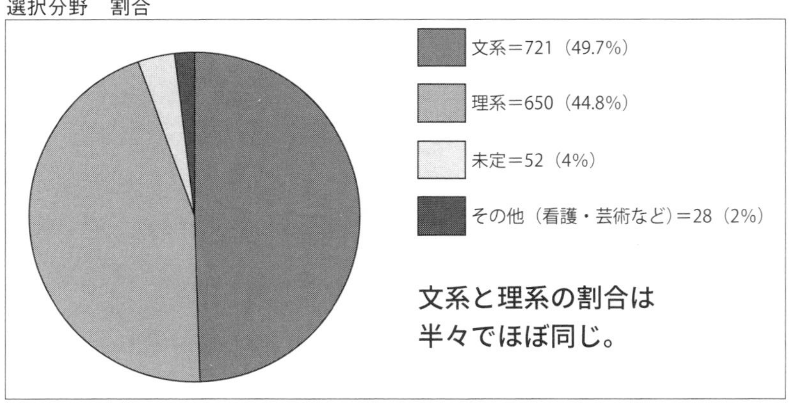
文系＝721（49.7%）
理系＝650（44.8%）
未定＝52（4%）
その他（看護・芸術など）＝28（2%）
文系と理系の割合は
半々でほぼ同じ。

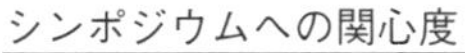
シンポジウムへの関心度

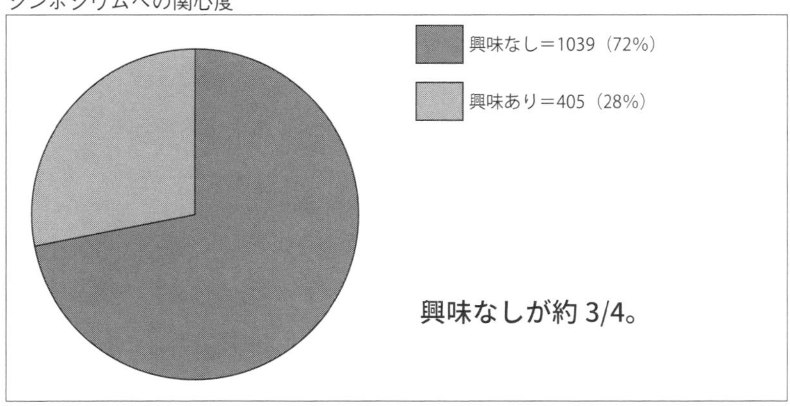
興味なし＝1039（72%）
興味あり＝405（28%）
興味なしが約 3/4。

（2）アンケートの質問と回答結果

問題番号	問題文	回答方法	掲載ページ
問1	「古典」は好きですか？それとも嫌いですか？（ここでの「古典」は教科ではなく「古典」の文章自体のことです）	1（嫌い）～5（好き）	p.39
問2	「古典の授業」は好きですか？それとも嫌いですか？	1（嫌い）～5（好き）	p.39
問3	「古典の授業」は簡単ですか？それとも難しいですか？	1（難しい）～5（簡単）	p.39
問4	古典の授業について、好きなところを教えてください。	記述	p.40
問5	古典の授業について、嫌いなところを教えてください。	記述	p.40
問6	古典の試験（学校の試験・模試・入試などすべて）について、「授業で取り扱ったことのある文章の問題」は、解けますか？	1（解けない）～5（解ける）	p.40
問7	古典の試験（学校の試験・模試・入試などすべて）について、「初見の文章の問題」は、解けますか？	1（解けない）～5（解ける）	p.41
問8	あなたの「古典を読む力」について、感じることを教えてください。	1（ないと思う）～5（あると思う）	p.41
問9	高校で、古典を必修科目にするべきだと思いますか？	選択式（1/3）	p.41
問10	上記のように答えた理由を教えてください。	記述	p.42
問11	現在、古典の授業でやっていないことで、あなたがやってみたいことはありますか？	選択式（1/4）	p.42
問12	以下の四つの新しい科目のうち、あなたが習いたいと思う国語の科目を二つ選んでください。(印象で選んでも構いません！)	選択式（2/4）	p.42

問 13	シンポジウム「高校に古典は本当に必要なのか」に興味はありますか？	興味あり / 興味なし	p36
問 14	当シンポジウムに聴衆として参加してみたいですか？（参加者のだいたいの人数を把握するためです。開催予定日は 3/10 です。）	参加してみたい / 特に参加希望はない	−
問 15	学年を教えてください。	高 1/ 高 2/ 高 3	p.36
問 16	文系ですか？理系ですか？（文理をまだ選択していない場合、現時点での意思でお答えください）	文系 / 理系 / 未定 / その他（芸術・看護など）	p.36

次に、各問いの回答結果です。

問 1 からと問 3 まではネガティブな回答が優位でした。

問 4 では「物語が面白い」、問 5 では「そもそも古典を勉強する必要性がわからない」などとありました。

問 6 〜問 8 について、授業で取り扱ったことのある文章の問題に比べて、初見の文章の問題を解けないと感じている人の割合が大幅に多く、古典を読む力について、半数以上がないと感じていることが表されました。

また、問 9、問 10 では、将来や興味に基づいて個人が受講を決定すべきだという理由から、高校での古典は選択科目でよいと考えている人が約 6 割を占めることがわかりました。

そのほか二つの解答について、必修科目にすべきと答える人たちは、「受験のため点数の取れる科目だから」などを理由としており、そもそも学ぶ必要がないと答えた人は「将来古典の知識を使うことはないから」を根拠に回答していることがわかります。

問 11 と問 12 により、高校生はタブレットなどを利用し、当時の体験をするバーチャル体験型の授業に最も興味を持っており、新学習指導要領に基づく古典探究は四つの科目のうち最も人気がないという結果になりました。

問１　「古典」は好きですか？それとも嫌いですか？
（ここでの「古典」は教科ではなく「古典」の文章自体のことです）

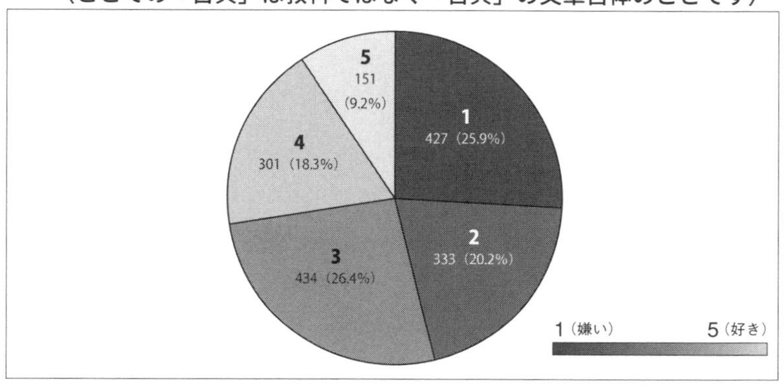

問２　「古典の授業」は好きですか？それとも嫌いですか？

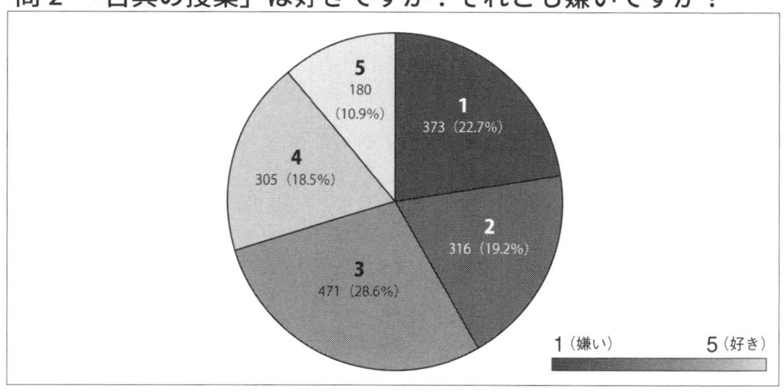

問３　「古典の授業」は簡単ですか？それとも難しいですか？

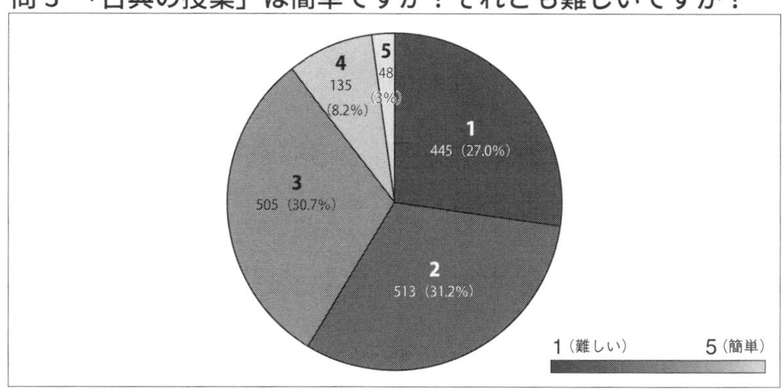

問４　古典の授業について、好きなところを教えてください。

代表例（抜粋）

・物語がおもしろい
（物語への評価
・先生の教え方等が好き
（先生への評価
・古い言葉に触れながら昔の物語などを読めるところ
（昔の文化に触れられる点への評価
・コツを掴めばー気にわかる所
（文法事項などを覚えれば点がとりやすい点への評価

問５　古典の授業について、嫌いなところを教えてください。

代表例（抜粋）

・そもそも古典を勉強する必要性がわからない。
・将来使うことがないし、役に立たない。
・文法とか単語覚えるのがめんどくさい。
・とにかく読めない。覚えることが多い。(単語、文法)
・現代と同じ読み方をするのに違う意味でややこしい。
文法が異なっているのに説明が少ない。

問６　古典の試験（学校の試験・模試・入試などすべて）について、「授業で取り扱ったことのある文章の問題」は、解けますか？

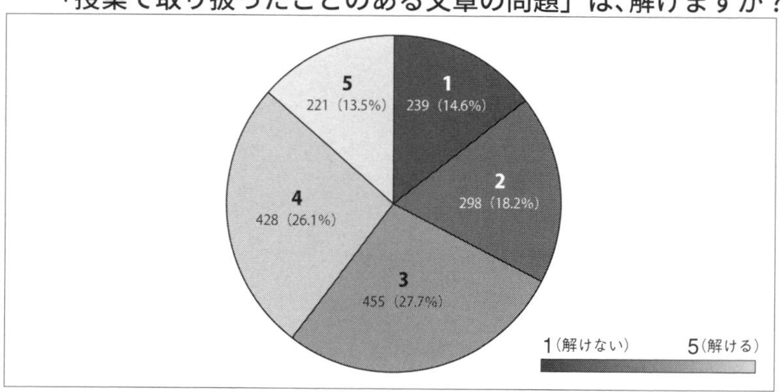

問７　古典の試験（学校の試験・模試・入試などすべて）について、「初見の文章の問題」は、解けますか？

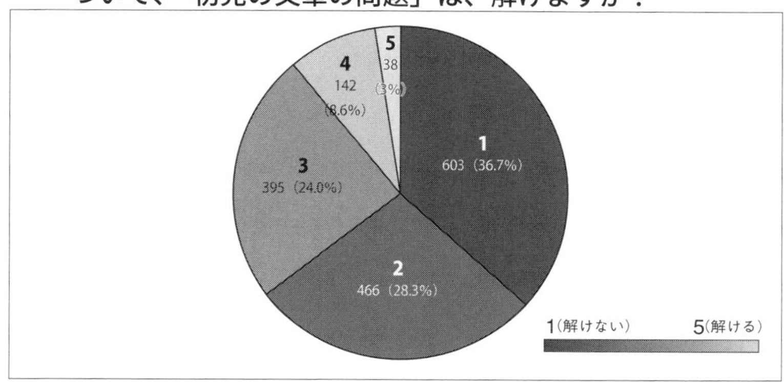

問８　あなたの「古典を読む力」について、感じることを教えてください。

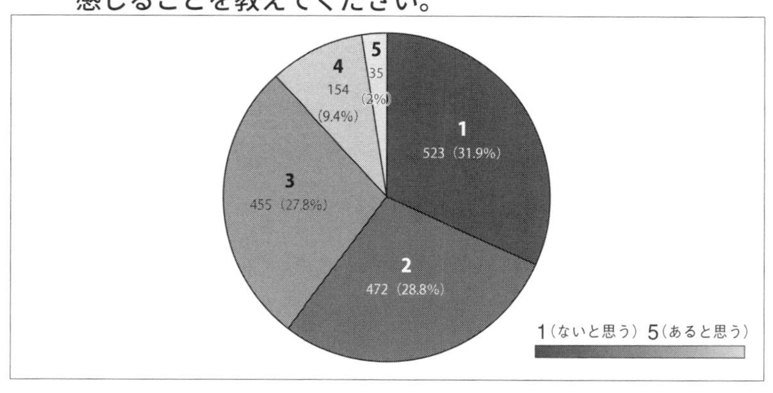

問９　高校で、古典を必修科目にするべきだと思いますか？

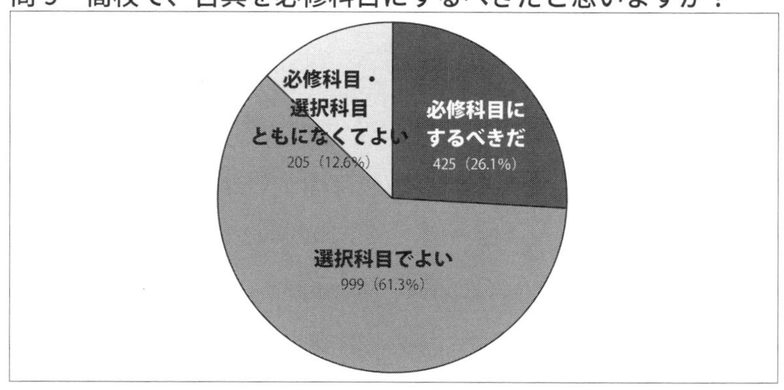

問 10　上記のように答えた理由を教えてください。

代表例

・必須科目にするべきだ
-受験のため/点数の取れる科目だから。
-日本人として、自国の歴史、文化について知っておいた方が良いと思うから。
-楽しいから。

・選択科目でよい
-将来必要になる人だけやればいいから。
-個人それぞれの好き嫌い感覚で決まると思ったから。

・必須科目・選択科目ともに無くてよい
-将来古典の知識を使うことはないから。
-昔の言葉を覚えても日常生活で使わないから。

問 11　現在、古典の授業でやっていないことで、あなたがやってみたいことはありますか？

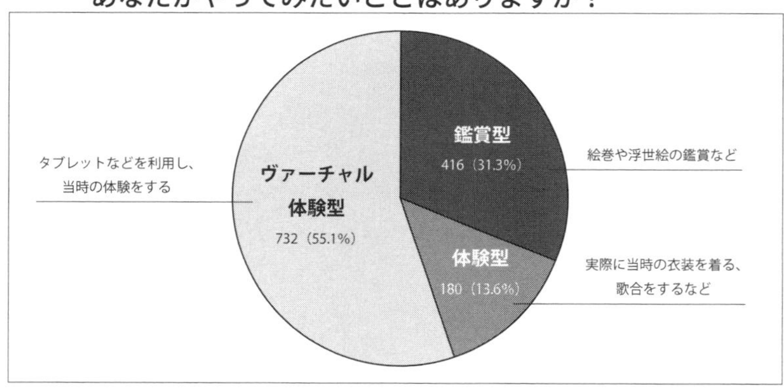

問 12　以下の四つの新しい科目のうち、あなたが習いたいと思う国語の科目を二つ選んでください。（印象で選んでも構いません！）

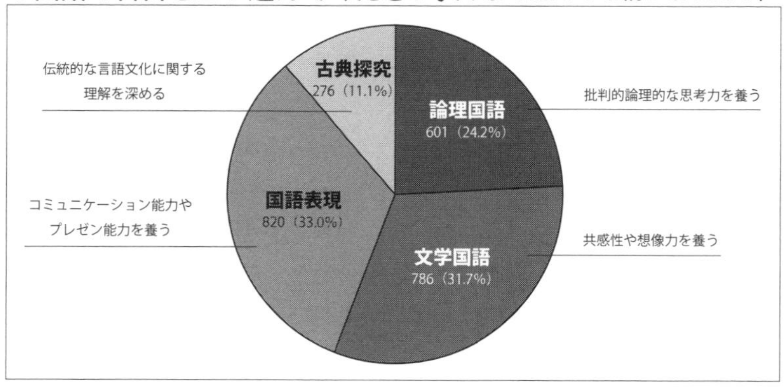

（3）各問の相関関係

続いて各問がどのような関係にあるのかについて見ていきます。

まず、「問1と問2」のように、相関がありそうな二つの設問に注目します。問1と問2の回答の組み合わせは全部で25通りあるので、問1と問2の回答の組み合わせを（問1、問2）として、（1,1）は10個、（1,2）は30個……のように数えていきます。数えた結果、その個数がすべての回答数に対して占める割合を、バブルの大きさで表現したものがこちらのグラフになります。この操作を、相関があることが予想される問いのすべて組み合わせに対して行い、分析しました。

以下のグラフを見ていただきますと、強さに違いはありますが、さまざまな問いの組み合わせに関して、正の相関関係があることがわかりました。特に問1と問3の関係から、古典の文章が好きなことと、古典の授業が簡単だと思うことに、正の相関があることがわかりました。

問1、問2（相関係数＝0.6995）

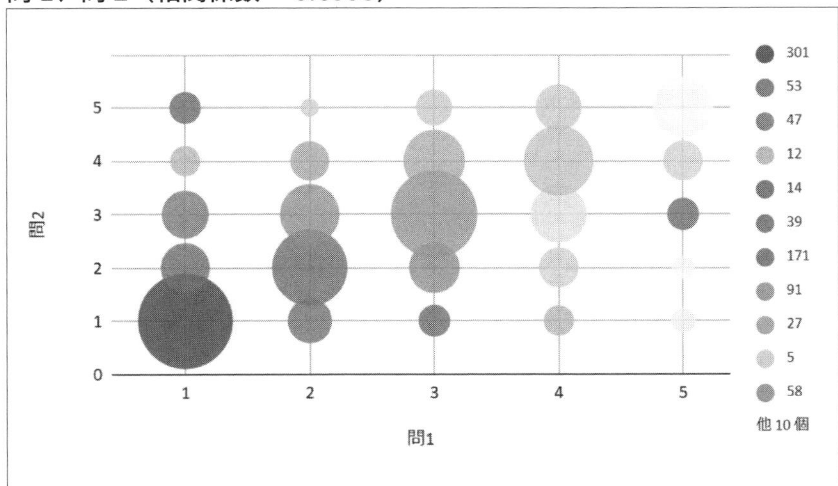

問1と問2の相関関係から、古典自体が好きな人は古典の授業も好きな傾向があると言える。

問 1、問 3（相関係数＝ 0.4941）

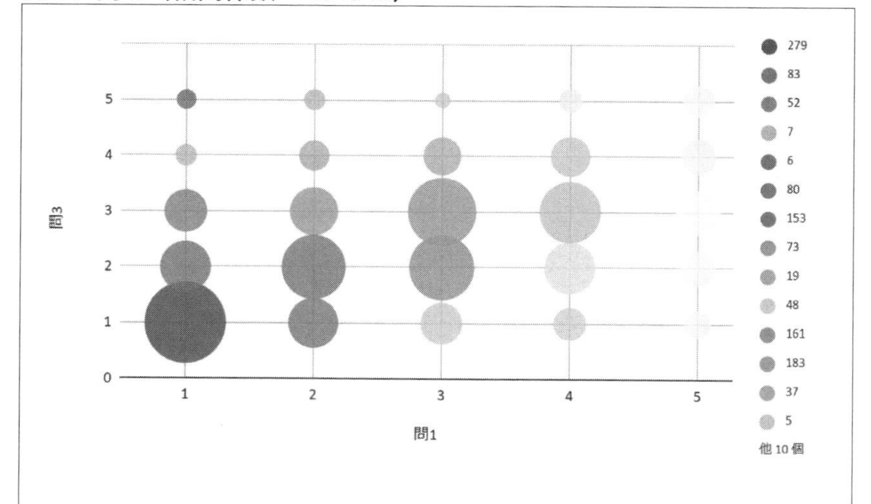

問 1 と問 3 の関係から、古典の文章が好きなことと、古典の授業が簡単だと思うことに弱い相関があることがわかる。

問 2、問 3（相関係数＝ 0.43361）

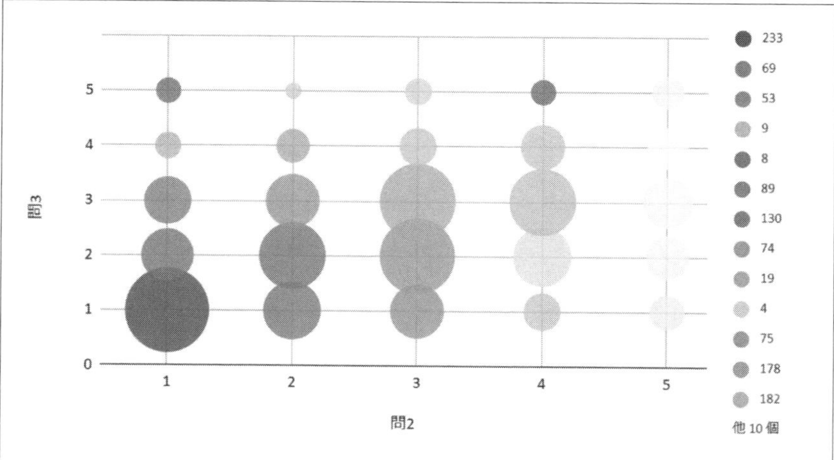

問 2 と問 3 の関係から、古典の授業が好きなことと、古典の授業が簡単だと思うことに弱い相関関係があることがわかる。

問 3、問 6（相関係数＝ 0.50439）

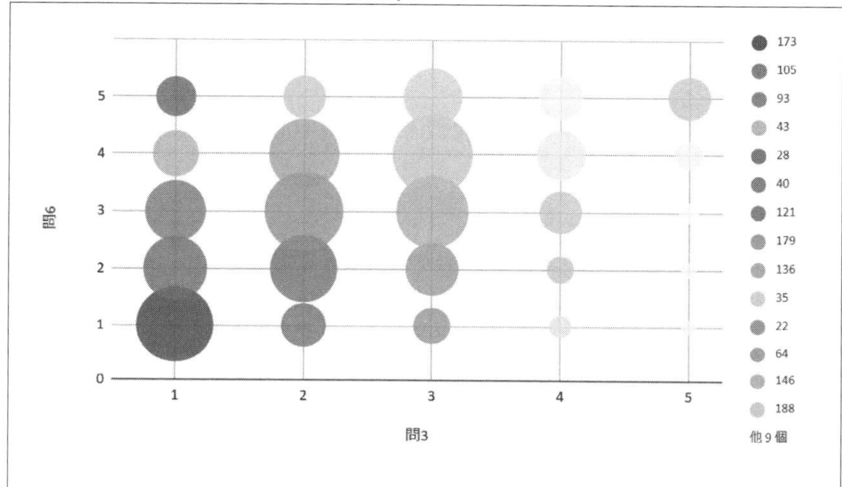

古典の授業が難しいと感じている人は、「授業で取り扱ったことのある文章の問題」を解けないと感じている人が多い。

問 6、問 7（相関係数＝ 0.6366）

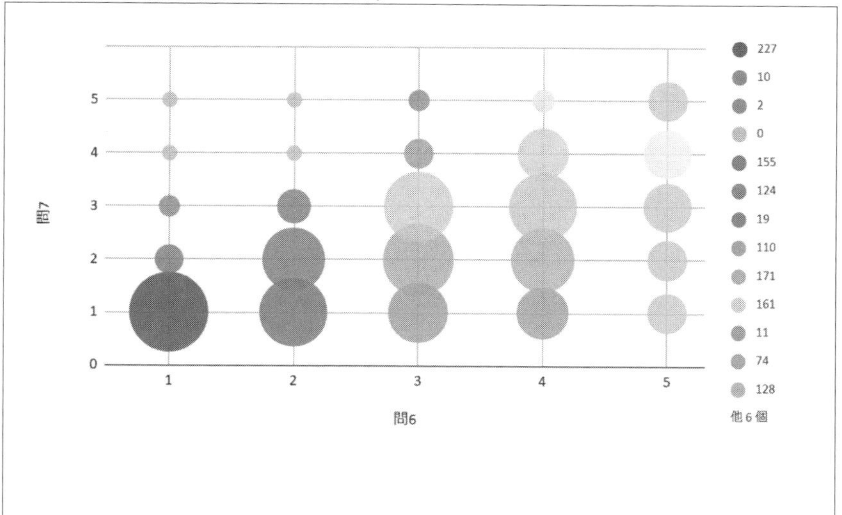

「授業で取り扱ったことのある文章の問題」を解ける人は、
「初見の文章の問題」も解ける傾向にある。

問 6、問 8（相関係数＝ 0.5894）

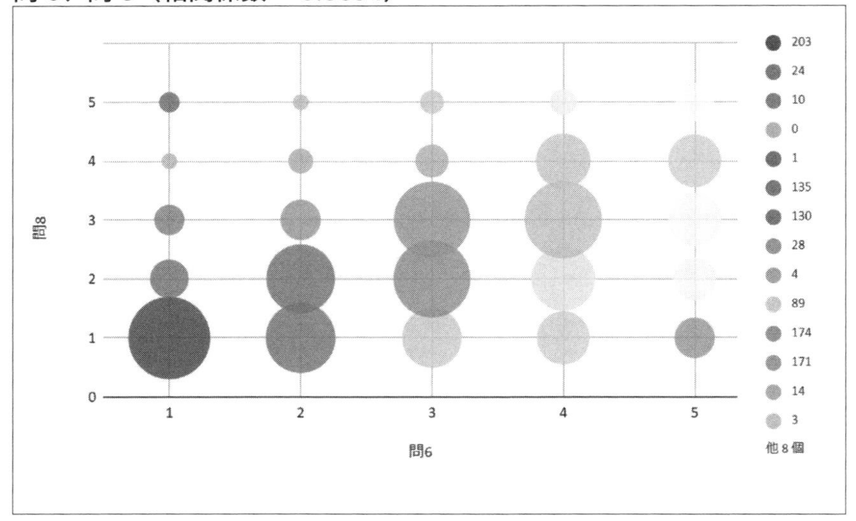

問 7、問 8（相関係数＝ 0.60266）

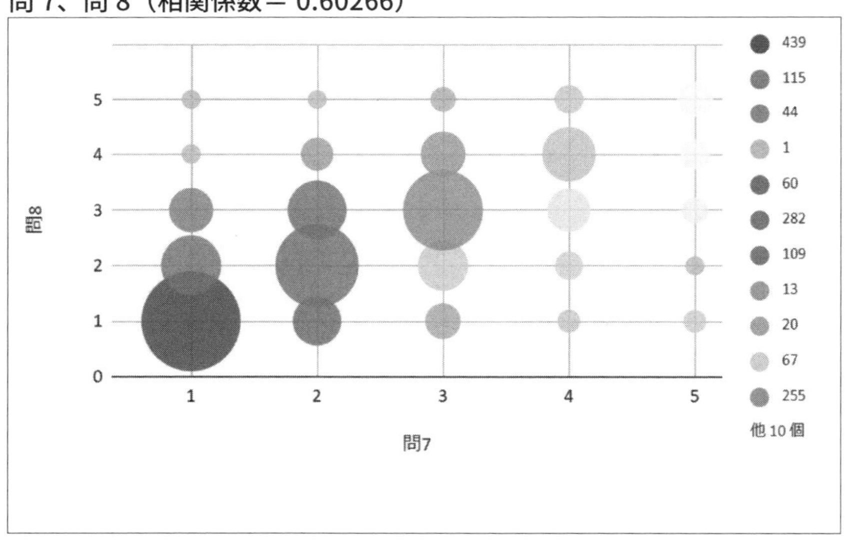

「古典を読む力」に対する自己評価は、「授業で取り扱ったことのある文章の問題」を解けると感じている人より「初見の文章の問題」も解けると感じている人と強く相関した。

（4）学年、選択科目と各問への回答傾向

最後に、学年・選択科目が各問への回答にどのような傾向を与えたのかについて見ていきます。以下の表は各学年・各選択科目についてのそれぞれの問いの回答数を分子とし、その各問への回答数を分母としたときのパーセンテージを表したものです。

ピックアップしてお伝えすると、学年と問9の関係について高3になると大幅に必修科目・選択科目ともになくてよいの回答数が減り、必修科目にすべきだという回答が大幅に増えることがわかりました。

選択分野と各問の回答傾向について未定と答えている人には高校1年生が多く、古典に対してネガティブなイメージを持っている人が多いことがわかりました。

加えて、文系理系という二つの大きなくくりで比較すると、文系のほうが理系に比べて各問いにポジティブな回答する割合が高いという結果になりました。以上でこてほんアンケートに関する結果発表を終わります。

以上が高校生からの視点になります。

■学年と各問への回答傾向

問1

・学年が上がるほど、古典を好きだと答える人の割合は減少する。

・嫌いだと考える人はどの学年にも安定して存在する。

問1	高1	高2	高3
1	26.22%	26.63%	26.56%
2	14.14%	22.01%	22.19%
3	29.56%	25.27%	28.44%
4	18.51%	19.29%	16.25%
5	11.57%	6.79%	6.56%

問2

・学年が上がるごとに、大幅に、古典の授業を好きだと答える人の割合は減少していく。

問2	高1	高2	高3
1	19.54%	24.05%	22.88%
2	11.83%	21.33%	24.45%
3	28.28%	27.85%	33.54%
4	23.14%	18.07%	14.42%
5	17.22%	8.70%	4.70%

問3

・高1から高2にかけて古典の授業が簡単だと答える人は、3.97%減少するが、高2から高3にかけて、7.04%上昇する。

問3	高1	高2	高3
1	26.48%	29.08%	25.00%
2	32.90%	35.33%	24.69%
3	29.31%	28.26%	35.94%
4	7.97%	5.98%	9.69%
5	3.34%	1.36%	4.69%

問6

・あまり有意な差は見られない。

問6	高1	高2	高3
1	12.14%	15.92%	17.55%
2	18.60%	19.86%	16.30%
3	29.97%	26.12%	30.41%
4	25.84%	27.07%	22.88%
5	13.44%	11.02%	12.85%

問7

・高3になると、初見の問題が解けると感じる人が増える。

・しかし、安定して、解けないと感じる人は多い。

問7	高1	高2	高3
1	31.11%	44.91%	26.73%
2	31.11%	28.09%	26.42%
3	25.19%	19.81%	32.70%
4	10.28%	6.38%	9.43%
5	2.31%	0.81%	4.72%

問8

・高3になると「古典を読む力」があると考える人が高1、高2と比べて増える。

問8	高1	高2	高3
1	25.77%	36.87%	25.95%
2	31.96%	31.16%	22.78%
3	29.64%	23.81%	37.03%
4	11.08%	6.94%	9.18%
5	1.55%	1.22%	5.06%

問9

・各学年を通して、『選択科目でよい』と考える人が最も多い。

・高3になると、大幅に『必修科目・選択科目ともに無くてよい』の回答数が減り、『必修科目にするべきだ』という回答が大幅に増える。

問9	高1	高2	高3
必修科目にするべきだ	26.79%	26.16%	42.08%
選択科目でよい	59.95%	66.28%	56.83%
必修科目・選択科目ともに無くてよい	13.27%	7.56%	1.09%

■選択分野と各問への回答傾向

高1	文系	173
	理系	163
	未定	50
	その他（芸術・看護など）	6
高2	文系	380
	理系	338
	未定	1
	その他（芸術・看護など）	17
高3	文系	168
	理系	146
	未定	1
	その他（芸術・看護など）	5

問1

・理系より文系の方が、「古典」が好きだと感じている。

問1	文系	理系	未定	その他（芸術・看護など）
1	22.11%	29.98%	40.38%	39.29%
2	19.47%	21.02%	17.31%	7.14%
3	28.93%	25.81%	25.00%	10.71%
4	20.45%	16.54%	9.62%	28.57%
5	9.04%	6.65%	7.69%	14.29%

問2

・「古典の授業」を嫌いだと答える人の割合は、文系より理系に多い。

問2	文系	理系	未定	その他（芸術・看護など）
1	19.05%	25.70%	30.77%	32.14%
2	18.92%	20.43%	19.23%	10.71%
3	31.43%	27.40%	26.92%	10.71%
4	19.75%	17.65%	13.46%	25.00%
5	10.85%	8.82%	9.62%	21.43%

問3

・「古典の授業」が簡単だと答えている人は文系よりも理系に多い。一方で、難しいと感じている人も理系が多い。

問3	文系	理系	未定	その他（芸術・看護など）
1	25.17%	29.37%	40.38%	25.00%
2	32.13%	33.38%	25.00%	21.43%
3	32.96%	26.89%	30.77%	32.14%
4	7.37%	7.88%	3.85%	3.57%
5	2.36%	2.47%	0.00%	17.86%

問6

・「授業で取り扱ったことのある文章の問題」を解けると答えた人の割合は、理系より、文系が多い。(73人差)

問6	文系	理系	未定	その他（芸術・看護など）
1	12.55%	18.14%	17.31%	14.29%
2	15.76%	22.33%	21.15%	3.57%
3	30.68%	25.27%	25.00%	32.14%
4	27.75%	23.41%	30.77%	21.43%
5	13.25%	10.85%	5.77%	28.57%

問8

・「古典を読む力」については、力があると感じている人の割合は理系、文系で大きな差はないが、力がないと回答している人の割合は理系が大幅に多い。

問8	文系	理系	未定	その他（芸術・看護など）
1	25.98%	37.58%	34.62%	32.14%
2	31.15%	26.86%	46.15%	14.29%
3	31.56%	25.62%	13.46%	32.14%
4	9.36%	8.07%	3.85%	7.14%
5	1.96%	1.86%	1.92%	14.29%

問9

・どの分野を選択している人も、「選択科目でよい」と回答している人の割合がもっとも多い。

・文系はほかに比べて、「必修科目にするべきだ」と考えている人が多い。

問9	文系	理系	未定	その他（芸術・看護など）
必修科目にするべきだ	27.12%	21.05%	23.08%	14.29%
選択科目でよい	59.25%	65.02%	53.85%	71.43%
必修科目・選択科目ともに無くてよい	13.63%	13.93%	23.08%	14.29%

4. ディスカッション——否定派・肯定派の認識を問いただす

内田（司会）：これより前回のシンポジウムのまとめとアンケート結果を踏まえて、高校生パネリストと先生方によるディスカッションを行います。

このディスカッションの目的は、肯定派の先生に前回のシンポジウム「古典は本当に必要なのか」であまり言及されなかった内容について追及すること。また、否定派の先生に前回のシンポジウムにおける発言について追及すること。これらを通して前回のシンポジウム「古典は本当に必要なのか」における、肯定派と否定派の間の認識のずれを見つけていきたいと思います。肯定派の先生は3分、否定派の先生は4分でご回答お願いします。

では、生徒パネリストの牧野さんからお願いします。

（1）古典でしか学べないものは何か

牧野（高校生）：牧野です。まず最初に、福田先生に質問があります。古典でしか学べないものは何でしょうか。お願いします。

福田：福田です。前回とは違う形で、古典でしか学べないということで、いくつか資料をあげたいと思います。

これは江戸時代の黄表紙です**【資料1】**。サブカルなんですよね。現在の日本もそうですが、サブカルが日本の産業を強く引っ張っているし、ひょっとしたら我々にとってみると、そういうものがあるということが、心の安らぎになっているかもしれません。それが江戸時代にはかなりの形で発達してきて、世界的にも人気がある。この図の横に書かれているふにゃふにゃとした文字は「くずし字」というんですけど、これを大学で学ぶわけなんですが、高校時代に勉強している学力があれば、スムーズに入っていけます。

ところが、そういうものをやったことがないとなると、「くずし字」は単なる記号の羅列になってしまいます。「くずし字」の代わりに現代語訳で全部載せてしまうという形になると、せっかく我々が世界に発信でき、興味を持っ

資料１（日本女子大学蔵）

てもらえるものを持っているのに、自ら否定してしまうことになるんではないかということを、恐れています。

牧野（高校生）：文字自体に文化的な素晴らしさがあるという感じでしょうか。わたしたちが絵画を見るときのような感覚で、文字を見ることに。

福田：そうですね。あと、出したかったのが、これです【資料２】。

これは江戸時代の瓦版です。今回このお話をいただいて、本来は３月にお話しするはずでした。いまわたしたちはいわゆるコロナ禍で自粛の中にいますよね。日本だけでなく世界において、何度もそういうことを経験してきたわけです。そのたびに、『方丈記』などがその代表ですけれど、人々はいかに自然の中で向き合ってきて、立ち上がろうとしたのかというのが、こういうような形のもので古典にたくさん出ています。ですがまだ翻刻されていないものがたくさんあるわけです。

先ほど言いましたように、高校時代に古典や漢文を習っていれば、ちょっとした努力でその人たちの生の声、生の活動を読むことができるわけです。そういったものから我々が何を得るのかというのは、本当にいま、コロナ禍で自粛生活している中で考えてください。

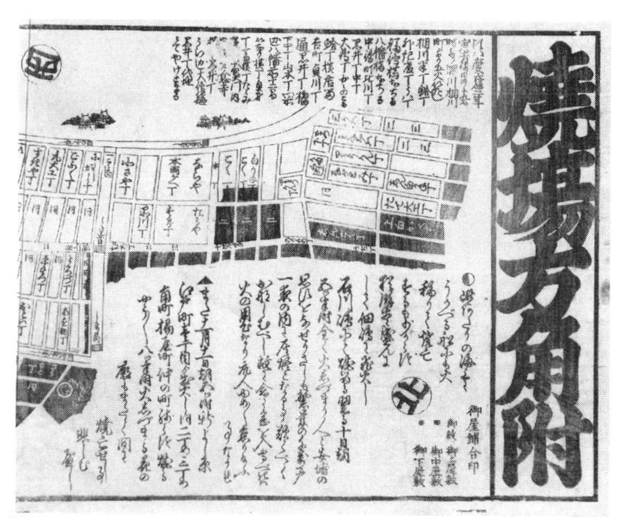

資料２

どうしてもあらがえない自然の中で、人々はいかに文化をつくるために、支え合うために暮らしてきたかということが、生の言葉で出てきています。それは現代語訳で読んでわかるというのではなくて、古典の力でちょっとでもわかってくるというのが、我々にとっての生きる力と言うと簡単な言い方になってしまうけれど、そういうものにつながるんではないかということがあります。これがわたしの今回の問いに対する回答です。

古典にしかできないことを二つ。①サブカルをそのままの形で発信することができる。そして、②災害などに向かいあった日本人たちの心の動きだとか、努力の跡に近づくことができる。これは古典にしかできないことです。ここではそういう回答にさせてもらいたいと思います。

内田（司会）：次に田川さん、お願いします。

（2）古典の授業は将来どのように役に立つのか

田川（高校生）：渡部先生に質問させていただきます。古典の授業は将来どのように役に立つのですか。

渡部：渡部です。それでは簡単にお答えさせていただきます。2点、観点を定めたいと思うんですが、一つは、古典というのはリテラシーを育てる科目だということなんですね。これ前田賢一さんがもっとリテラシーを勉強すべき、大事にすべきだとおっしゃった、まさしくそのリテラシーを育てるのこそ古典であるということです。

古典というのはほどよく知っていて、ほどよく知らない日本語なんです。まったく知らないとすれば、完全な異なる言語で、完全な異文化ということです。半分は知っている、半分は知らない、そういう半分知っているようなものを、異文化として学んでいく、そういう学びを鍛えていくというんですかね。そうすることで、自分とは何なのか、自分の文化というのはどういうものなのかということも学んでいく。そういった異文化を学ぶときの糧になるということです。これが一点。

それからもう一点は、日本語というのは物事に関わっていく主体までも表現に含まれる、そういう言語であるということです。日本語とか日本文化というのは参加型だと思うんです。つまり完全に自分にから切れたところに客観的に成立するのではなく、むしろ自分との関わりの中で述べていく、表現していく、そういう傾向があると思うんです。古典には特にその傾向が強いと思います。

これを別の言葉でいうと、古典というのは成長が見込まれている、と言い換えられると思います。成長する前と成長したあとと、その両方をいっぺんに融合して表そうとする。一見論理的ではないように見える部分もあるんですけど、そうではなくて、古典はその中に参加して自分が成長していくことを求めているんです。ですから、主体的に関わることによって、成長する科目であるということです。この科目を学ぶことは、まさしく成長するのにふさわしい科目であろうとわたしは思っています。

もちろん、どんなことでもきちんと一生懸命、誠実に学べば、それは成長する糧になるわけですけれども、まさしく古典という科目そのものが成長のための科目であると、そういう文化であることを知ることによって、先ほども海外の話が福田さんから出てきましたが、大いに自信を持って海外で自分を発信していくこと、あるいは人を調整していくこと、あるいは人を指導していく、そういうふうにどんどん活躍していってもらいたい。また、活躍するための糧になる科目であろうというふうに考えております。以上です。

牧野（高校生）：質問してもいいですか。先ほど古典はリテラシーが育てられるっておっしゃっていたんですけれども、古典で育つリテラシーと、たとえば、わたしたちが歴史とかを学ぶことによって育てられるリテラシーとは、何か違いがあると思いますか。

渡部：やはりそれは過去のものとして、もうすでに自分たちと関係ないものとして学ぶのではなく、常に現在の自分との関わりの中で学ぶというところ、まさしくいま自分が使っている言語、そこに関わっているんだということが、まったく違う、一番肝心なところではないかなと思います。

田川（高校生）：なるほど。わたしからも質問させてください。先ほどの高校生に対するアンケートの中で、将来に役に立たないから古典があまり好きではないという意見も多くありました。この現状についてどうお考えですか。

渡部：はっきり言います。現在、古典は非常に役に立ってるんです。なぜ役に立ってるかというと、一つは入試です。これは入試で国語というものを問題に出すときに、客観的に答えが出るように、客観的に採点できるようにするためには、現代文よりも古典のほうが出しやすいというところがあります。つまり、国語教育の中で試験のためにも必要です。そのために古典という科目が育てられてきたという面があると思います。

田川（高校生）：ありがとうございます。

内田（司会）：ありがとうございました。次に近藤泰弘先生、いまの質問についてよろしいでしょうか。古典の授業でしか学べないものを、古典は将来どのように役立つか、に対するご回答をお願いします。

近藤：ありがとうございます。わたしは前回のシンポジウムには参加しておらず、今回新しく加えていただきました。新たな視点をということなんですが、否定派の先生方は、日本の古典の重要性を、あまり理解されていないのではないかという気がしています。ですので、古典でしか学べないことが見えてこないのではないかと思います。一つ面白いものを持ってきたんでお見せしたいと思います【資料3】。

これはアストンという人の書いた『Japanese Literature』という、日本文学史の一番古い、1899（明治32）年に出版された英語で書かれたものです。有名なものなので、文学史の時間には、最初に大学で必ず学ぶものです。中身は日本文学史なんですが、これが表紙なんですが、注目したいのはその裏側です（資料3右ページ）。この本は実はシリーズものになっておりまして、古代ギリシャ語文学、フランス文学から現代英語文学からイタリアン文学、スパニッシュ文学、Japanese Literature、この6個は最初に出たものなんです。つまり、明治32年の段階で、日本古典文学は世界六代文学の一つなんです。イギリスの古典というのシリーズの中で。

日本は辺境・極東の小さな国で、その文学なんてマイナーなものと思われているかもしれないですが、全然そんなことはないんです。ですから、たとえば、仮にエジプトで、ピラミッドは昔の王様の墓だし、潰して新しい立派なホテルでも建てましょうという話になったら、世界中の人が悲しみます。日本の古典もそれぐらいのものなんです。要するに世界的遺産です。日本人が日本で、ほとんど義務教育といえる高校の段階でみんなが古典を学んでいく、そして世界に伝えていくという義務があるのです。ですから学ばないで

A History of

JAPANESE LITERATURE

BY

W. G. ASTON, C.M.G., D.Lit.

LATE JAPANESE SECRETARY TO H.M. LEGATION, TOKIO

London

WILLIAM HEINEMANN

MDCCCXCIX

Short Histories of the

Literatures of the World

Edited by EDMUND GOSSE

Large Crown 8vo, cloth, 6s. each Volume

ANCIENT GREEK LITERATURE
By Prof. Gilbert Murray, M.A.

FRENCH LITERATURE
By Prof. Edward Dowden, D.C.L., LL.D.

MODERN ENGLISH LITERATURE
By the Editor

ITALIAN LITERATURE
By Richard Garnett, C.B., LL.D.

SPANISH LITERATURE
By James Fitzmaurice-Kelly

JAPANESE LITERATURE
By William George Aston, C.M.G., D.Lit.

In preparation

BOHEMIAN LITERATURE
By Francis, Count Lützow [*Shortly*

SANSKRIT LITERATURE
By Prof. A. A. Macdonell, M.A.

MODERN SCANDINAVIAN LITERATURE
By Dr. Georg Brandes

HUNGARIAN LITERATURE
By Dr. Zoltán Beöthy

AMERICAN LITERATURE
By Professor Moses Coit Tyler, LL.D.

LATIN LITERATURE
By Dr. A. W. Verrall

RUSSIAN LITERATURE
By K. Waliszewski

Other volumes will follow

LONDON: WILLIAM HEINEMANN

資料3

いいとか、どう役に立つというのは、そもそも論外です。そういうことは論じるまでもないとわたしは思っています。以上のことを答えとしておきたいと思います。

内田（司会）：ありがとうございます。続いてツベタナ・クリステワ先生、いまの二つの質問に対するご回答をお願いします。

ツベタナ：皆さん、どうぞよろしくお願いします。日本古典文学の大好きなツベタナです、と最初からはっきり言わなければならないでしょう。今回のシンポジウムは、最後にメンバーに加わったので、言いたいことが多くて、すべてが伝わらないかもしれません。

まず一つ、そもそも必要でしょうか、という問題設定自体に関しては、非常に戸惑っています。正直に言えば、ヨーロッパ人だからでしょうか、わからないことがいっぱいです。自分たちの文化的アイデンティティーを勉強しない国は存在していないはずですよ。何を考えているんでしょうか。一体なぜ日本ではこうして、自分の文化に対してのニヒリズムができたかということを、考えるべきだと思います。

古典教育の問題はやはりアイデンティティーの問題ですよね。言い換えれば、日本文化的な遺伝子かも知れません。それを外してしまうことは、自分の体の一部、心の一部を外すこと、切り捨てることになります。生きていく上で大きなハンディキャップをつくることになると思います。ただ、アンケート調査などからも見えてくるように、現代の教育に大きな問題があることには間違いはないでしょう。これら二つの問題を明確に区別する必要があると思います。古典教育を必須科目から外すのではなく、内容を変えて、モティベーションを高めるべきです。日本人としての文化的アイデンティティーのルーツ、現代でも使っている日本語の土台など、こうしたアプローチを導入すべきだと思います。

さらに、考え方、自然観や世界観の問題も関わってきます。いまのコロナ禍の視点から特に注目したいのは、自然とのハーモニーのことです。詳しく取り上げませんが、ご存じのように、平安時代においては、古今集（905年）の中で公認された仮名文字は、「真名」すなわち漢字と同時に使われていたんですが、あらゆるタブーによって使用が制限されていました。たとえば、仮名文字は、「ハレ」の場から削除されていたので、許されたテーマはそれ以外のもの、「自然」と人間関係、「心」に縛られてきたんですね。また、女性は真名を使ってはいけなかった結果、仮名文字は、「女手」と呼ばれるようになったんですが、男性も女性も使用していたので、あらゆるコミュニケーションの文字体系として定着してきたんです。それは、和歌や和歌を基にした平安文学における「自然」と「心」という二つの主要なテーマの重要性を一層高めたんですね。「存在」のエッセンスですね、和歌の意味作用は。自然と心のハーモニーなのです。ハーモニーを表しているのは「掛詞」という基本的技法です。自然と心の世界を比較し、重ね合わせることによって、共通点と相違点を見分けて、ハーモニーを追求していくのです。もっとわかりやすくなるため、歌を一つ挙げさせていただきます。「我が袖にまだき時雨の降りぬるは君が心にあきや来ぬらむ」という古今集の歌があります。「よみ人知らず」になっているので、誰が作ったかわかりませんが、誰にも通用するものでしょう。わたしたち現代人にも。掛詞は、季節の「秋」と飽きることの「飽き」を重ね合わせた「あき」という言葉です。現代語訳は「まだ秋ではないのに、わたしの袖にこんなに早くから、あらゆる「暮」を知らせてくれる時雨(しくれ)が降ってきたのは、その時雨は「涙」であるからですが、涙が流れ溢れたのは、君の心に「飽き」が訪れてきたからでしょう」という長い説明になるので、インパクトが全然違いますね。オリジナルではなければダメですね。この歌は、自然と心、二つのパラレール・ワードを見事に描き出しているんですね。心にも「秋」があるんです。相手が自分に飽きてしまう、あるいは自分が相手に飽きてしまう、という寂しい季節です。

ちょっと長くなりましたが、古典教育が将来に役に立つかという問いは、無意味だと示したかったです。古典文学は、老子など古代中国の思想に根を持つ存在論なので、過去においても、現代においても、将来においても役に立つに決まっているんでしょう。「生きる」ための知恵ですもの。個人としても、集団としても。現代は、社会と自然との間に大きなギャップ、溝ができてしまったので、コロナのような恐ろしいカタストロフィがわたしたちを襲ってくるんですね。

何回も繰り返していますが、古典教育を無意味にしているのは、教育の古いフレームだと思います。文法はもちろんとても大事ですが、文法のため古典のメッセージが伝わらなくなると、日本の大事な知的遺産を無視することになると思います。また、学生にルールを覚えさせるだけでなく、積極的に「参加させる」ことも大事です。感じさせること、考えさせることです。

内田（司会）：ありがとうございました。続いて、高校生パネリストから否定派のゲストへの質問に移りたいと思います。それでは最初に小林さん、質問お願いします。

（3）その後のディスカッション

※このあとは文学通信編集部がディスカッションの概略を記します。

1. 古典は優先順位が低いと考えるのはなぜか／文学的教養は必要とされていないのか

このあと、小林（高校生）は「前回古典は優先順位が低いとおっしゃってましたが、そのように考えるのはなぜですか。あとどのような基準で決めてらっしゃるんですか」と質問した。猿倉氏は、前回の主張、教育は出資者に還元されるべき、高校生の時間は有限、すべてを学べているように思えないから優先順位をつけてほしい（『こてほん2019』p. 23 図6）といったことに新しい視点を加え回答された。

2. 国語を教える際のリテラシーと芸術をどういう基準で区別するか

次に前田氏へ、長谷川（高校生）が「前田先生は前回のこてほんのシンポジウムで、国語にはリテラシーと芸術があり、リテラシーのほうが重要であるとおっしゃっていましたが、リテラシーと芸術はどういう基準で区別していますか」と質問。前田氏は**【資料4】**を提示し、「言語が専門の皆さまにこういうことを言うのはおかしいような気もするんですけれども、リテラシーというのは、文字通り読み書きの能力のことです。ということは、読んだ内容を正しく理解し、自分の言いたいことを正しく表現できる能力、これはある意味ベースラインという見方ができると思います。別の言い方をすると、言語の使い方。日本語であれば日本語の使い方というのがリテラシーという言葉でわたしが表現したことです。

一方、芸術というのは、美しさとか感情とかそういうものを対象にした活動でして、それはもうリテラシーがなければやはりうまくいかない。リテラシーが十分にあって可能となる。ということは、先ほどのリテラシーの上に積み上げられるべきもっと高度な能力というふうにとらえることができると思います。

皆さん、ピカソの絵はご覧になったことがあると思うんですけども、何だ子供の絵みたいじゃないかと言う人もいますよね。でも、ピカソはその裏側にもすごいテクニックを持ってるわけでして、そういうものがないとあの絵は描けないということになります。

実はこの話題が登場したのは、新井紀子『AI vs. 教科書が読めない子供たち』(東洋経済新報社)という本がありまして、これがそのきっかけなんですけれども、いまの子供たちの中には、実は教科書を読んで、そこに書かれていることがわからない子がいる。そういう子供たちに先に芸術ということを

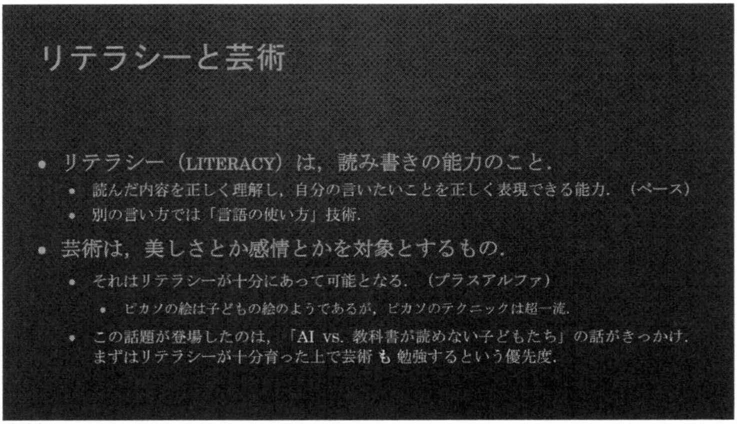

資料 4

言うのは実はおかしな話で、先にちゃんと読めるという能力を加えて、その上で芸術をやるならやる、ということだというふうに思います。それがわたしの答えになります」と回答した。

長谷川（高校生）は重ねて「芸術のほうが高度で、リテラシーのほうが全員に必要といったお話だったと思うんですけれども、芸術のほうが上だと考えるのはどうしてでしょうか」と質問した。前田氏は「さっきピカソの絵の話をしましたけど、子供もピカソも似たような絵が描けるかも知れません。だけど、子供は自分の能力を全部使ってそこまでやっと書けたわけですよね。ピカソはいろんな可能性を探り、いろいろな表現を自分はできるんだけれども、その中からこれを選ぶというふうにして選択をしたわけです。そういうことですね。やはりそのベースになる能力がないのに芸術だけというのはちょっと考えられない。

もちろん世の中にはすごい天才という人がいて、たとえば、言葉をしゃべらないのにすごい音楽がつくれる人がいるかもしれない。ただそれはマイナーですよね。世の中大部分の人にとっては、表現をできるための基礎的なブロックがあって、初めてその上に何かモノを積み上げることができるんだと思います」と回答した。

3. 論理、論理的思考とは何か／「芸術・哲学・文学・古典・情緒的」のとらえ方

次に小林（高校生）が「論理的思考とは何か」「前回のこてほんで否定派は芸術・哲学・文学・古典・情緒的をひとくくりにまとめていた感じだったが、本当にまとめていたか。もしまとめていたなら、何をもってまとめていたか。肯定派の先生方はそれをどうとらえているか」と質問した。

前田氏は【資料5】を提示しつつ、「論理というのは、これもある意味ベースラインなわけでして、論理が正しいということは、これ全世界で誰も反対ができない正しい正論ということになります。

価値観があって、Aがいいか B がいいかとかいうことは、論理ではありま

論理，論理的思考とは何か

- 全世界で誰もが反対できない正しい推論.
  - 論理が正しい場合には，100% 正しい.
    - 例外がある場合には，その例外も含めて論理にしなくてはならない.
  - 「人間は動物である」と言われて，「人間でなければ動物ではない」と考えるのは論理的ではない（逆必ずしも真ならず）が，そういう推論はしばしば行われている.
    - 例：「37.5℃以上が4日続いたら相談する」と聞いて，「37.5℃が3日だから相談してはいけない」と思うのは論理的ではないが，そう思う人が多い．（「通常は相談してはいけない」という仮定があれば，後者は論理的に正しい．）
  - 書かれていない文化的な背景や一部の人たちだけに通用する習慣が，全世界で万人に通用するとは限らない．（論理は世界の人が理解できるための最低線．）

資料 5

せん。論理が正しい場合には 100% 正しいということが保証される。例外があるとしたら、その例外も全部含めて論理にしなきゃいけないということがあります。

これだけではわからないので、例題もその下に載せましたけれども、たとえば、人間は動物であるというふうな言い方を仮に一つします。で、人間でなければ動物でないね、と考えればこれは論理的ではないんですね。「逆必ずしも真ならず」という言い方がありますけれども。ただそういう推論はですね、論理的ではないんだけれどもしばしば行われています。

コロナの話題が出てきたんでそれに関連した話で、たとえば、37.5℃以上が 4 日続いたら相談すると聞いて、37.5℃が 3 日だから相談してはいけないと思う、これ論理的じゃないんですよね。だけど実際にはそういうふうに思う人が多い。もし仮にですね、通常は相談してはいけませんよという前提条件、仮定があれば、後者も論理的に正しくなる。なのでその論理というのは、そういう裏側にある背景みたいなものをちゃんと書かないといけないということになります。

もし書かれていない文化的な背景であるとか、一部の人だけに通用する習慣があるとして、それをもって何かを表現して、全世界に、万人に通用するかって言われると、そんなことはないんですよね。なので論理は世界の人が理解できるための最低線であるという言い方ができると思います」と回答。牧野（高校生）が「それでは古典には論理ってないんですか」と問うたところ、前田氏は「古典の中にも論理はあります。その中で論理的な記述もあれば、非論理的な記述もあります」と回答。加えて「思考が古典から学べるか」ということについて「学べる」とした。

続いて前田氏は「芸術・哲学・文学・古典・情緒的とひとくくりにまとめていたと言いましたけども、わたしはまとめていません。関係でいうとですね、文学というのは芸術の一分野に含まれています。それから、哲学というのは物事の考え方のことですから、これは新旧両方あって、たとえば、高校生の皆さんは倫理社会の中でそういうものの一端を教わっているんではないかというふうに思います。それから古典はというのは、これは冒頭のわたしの紹介のところで言っていただきましたけれども、古い時代に表現された立派な内容ということなので、これは内容のことですね。

それから情緒は、いまのところというカッコ付きなんですけれども、芸術が対象とする範疇に含まれています。いまのところがカッコつきなのは、たとえば最近の人工知能みたいなものは、情緒も実は相手にしはじめているんですね。なので、いまのところというカッコ付きで芸術の対象とする範疇に含まれるということで、わたしはまとめていませんでした、というのがお答えになります」とした。

肯定派のクリステワ氏は、「論理的なものは100%正しいはそうなんですが、時代によってその正しさは変わっていく、知識は前提が変わると変わっていくということを強調したいと思います。そもそも論理性というものは、すでに持っている共通の知識を踏まえて、いろんな結論をしていくということです。ですので共通の知識は時代や文化によって違うので、一般的ではありません。

こうした視点から見ると、もちろん古代日本には論理性があります。もちろんどの文化にも、どの時代にもあります。

一方、違うのは内容なんですが、二つ目の質問と関連付けていきます。前田先生が紹介した文理の分け方は、あくまでも現代の文化、現在の社会における考え方なんです。先ほどの「論点まとめ」では紹介された方が、レヴィ=ストロースを踏まえて紹介してくださいましたが、やはり文化によって、時代によって、知識の内容は異なるのです。古代日本には哲学はないんですけれども、世界各国と同じように形而上学的な議論はもちろん多く行われています。いろんな理由があって、根源があって、前提があって、日本で哲学の場になったのは古典文学、とりわけ和歌です。

神話のレベルで見てみると、言霊（ことだま）信仰など『日本書紀』において「草木咸（くさきみな）能（よ）く言語（ものいふこと）有り」（神代下）、つまり古代日本は言葉の力に言葉に重要性を置いておいた文化なので、それをちゃんと学ばなければ駄目だと思います」と回答した。また最後に「海外で日本の一番競争力のある製品は車でもなく、俳句なんですよ。こういう視点から見たらいかがでしょうか」と締めくくった。

肯定派の渡部氏は以下のように回答した。

「要するに問題は、論理と情緒を分けてしまうというところなんです。それは芸術と理系的な学問とを分けてしまっているところにも表れていると言っていいと思うんです。これら両方は身につけていかなければならないし、非常に深く関わるということを知っていかなければならないものだとわたしは考えています。

古典というのはまさしくそういうものだと思います。もちろん、古典の中には漢文があって、漢文は歴史と文学をかなりの程度含んでいますので、そのことも考えなければいけないということは一つ訴えておきたいなと思います」。

続いて渡部氏は「これは文科省もそうなんですけれど、文学と論理を分けて考えるということが行われているんですね。当然のように出てきてるんですがそれはいけない。論理と文学はむしろ深く関わるものっていうふうに考えるべきだろうと思います」。

福田氏は「今日こういう形でシンポジウムを楽しみにしてきていて、実は楽しみにしてきた一番のところはここなんです。そして否定派の人たちからこの論理、論理的思考についてどのような回答をいただくのかということを楽しみしていたんですが、はっきりいってがっかりしました。

我々が思っていたのは、古典をやると、古典からは論理とか論理的思考とか論理的文章が学べないんじゃないかというご批判が正面から来ると思っていたんです。それなのに論理的文章とは何なのかとか、思考とは何なのかという一般論ばかりで、古典には論理的な思考とか文章がないというようなところに直接にこないんですね。

今回はせっかく高校生が頑張ってここまでやってくれたので、前回の我々のやったシンポジウムが議論がかみ合っていないという高校生の指摘を、我々大人が大事に受け止めて、そしてそこからかみ合うようにしていくのが今回の使命だと思っていたんですが、はっきり言ってがっかりしました。

そしてわたしの考える論理というのは、現代の論理とは違う論理が当然古典にはあるということです。古典の世界の人々は近代以降のことは知らないし、自然なんかとても怖かったし、そして病のことも怖かった。そんな中で人々が向き合っていたということから、いまの我々とは違う形の論理の根っこと、論理の発展性があって、それを我々が古典から学ぶということができるのです。ひょっとしたら我々は考え方自体を、古典を学ぶことによって、論理という一面においても広げられる価値があるんじゃないかと思います。古典には、古典を学ぶからこそ得られる論理的思考があるということだけは明言しておきます。

二つ目の問題です。教育の発達段階で考えてください。小学校のときにきれいに漢字を書くように習いますね。それは書写といって義務教育です。それを筆を持って、達筆なものを書くとなると芸術になってしまう。つまり中学校まで習う書道は義務教育で、当たり前のさっきの反対派の言うリテラシーが、その後書道で人を感動させるものをつくる段階に進めば芸術ということになるのでしょうか。

中学と高校で今度は違ってくるのか。古典もそうです。義務教育課程で習ってくる古典というのと、高校の過程における古典というのが、絶対違うんです。それを一緒にしていくというのは、非常にものの考え方を雑に割っていて、文理を妙に分けたみたいなところがあり、司会の方へ頼むのもおかしいと思うんですが、そこは肯定派と否定派が一度きちんとぶつかって話し合うというような形の進行を求めたいと思います。これはフロアにも同じような意見の方、またわたしの意見にまったく逆のことをおっしゃる方もいらっしゃると思いますが、そのあたりを含めての議論ですね、多数決で決まるものではないと思いますが、幅広い議論をぜひした上で、どこかで落ち着かせたいと思います」とした。

最後に長谷川（高校生）は「古典には現代とは違う論理があるということでしたが、おそらく否定派が論理を100パーセント正しいというのは、現代の論理のことだけを指しているのではないかと思います。福田先生は論理について、現代ではない古典の論理も学ぶことに意味があると思いますか」と質問。

福田氏は「他者理解をどこまで考えるかです。たとえば、自分がとても自信があって、海外に行ってその土地の研究者と出会いますよね。30年間向こうの研究者とたとえば1万人会ったけど誰とも古典の話をしたことがないというのは客観的なデータになるのかどうか。そこにも問題があります。自分たちがいま作り上げた論理だけではなく、全然違う考え方をする人間、古典の人間は現代と全然違う考えを持つわけですから、そこも含めて他者を理解するということに意味があるのか、それとも他者はもう自分たちと考え方が合わない人間は理解しなくていいのかっていう問題です。

そこで自分たちの理解できない世界の論理というのを論理として認めないという排他的な考え方をもし是とするのであれば、わたしは違う形で戦いたいなと思うところではあります」と回答。

長谷川（高校生）は続けて前田氏に「いまの福田先生の論理というのを聞いて、前田先生に古典の論理を学ぶべきかをぜひお聞きしたいです。論理は時代によって変わるものなのに、現代の論理だけを学ぶべきとお考えですか」と質問。

前田氏は「論理は、現在も未来も過去もなくて、論理は論理です。福田先生が論理とおっしゃっていたのは、実は論理ではなくて価値観だとわたしは思います。それからツベタナ先生も論理だとおっしゃっていたのは、前提条件ということを言われましたけど、前提条件を書き出して初めて論理といえるものだと思います」と回答した。

最後に近藤氏は「肯定派の意見を両方うかがっていてですね、どの点からわたしの観点を申し上げたらいいか考えてたんですけれど、わたしは言語を研究しているので、言葉という観点から現代の論理と古典の論理ということについて合わせて何かお話しできないかと思っていました。一つ思いついたことがあるので、申し上げたいと思います。

語学のほうではいま、認知言語学っていうのが盛んなんですけれども、その中で非常に重要な概念として「概念メタファー」という言葉があるんです。概念メタファーは、言葉だけ言うとわかりにくいんですけど、たとえば「人生は旅である」と、こういうような考え方がありますよね。「人生はまるで旅のようだ」、これもう割と世界的にあることなんですが、日本人も皆考えている一つの概念です。それが概念であって、それからまた感情でもあるし、それから一種の哲学であるということもできますよね。

文学の中に含まれる論理、広い意味での論理ってのはこういうものだろうと思っているんです。こういうものはものすごくたくさんあります。たとえば「花の命は短くて……」とかですね。いろいろな文学の中の、特に古今集なんかが中心ですけれど、そういった古典の作品の中に含まれた概念メタファーはものすごい量があります。

「人生は旅である」という概念メタファーは一番端的な例で、いろんなところに出てくるんですが、一番代表的なものが芭蕉です。「月日は百代(はくたい)の過客にして行きかふ年もまた旅人なり。舟の上に生涯をうかべ馬の口とらえて老をむかふるものは、日々旅にして、旅と栖(すみ)かとす」。こんなふうに、月日はそれ自身が旅人であるという、そういう考え方です。これはその文学作品の情緒であると同時に哲学でもあるんです。

こういうふうに、古典の論理は我々が知っているいわゆる三段論法の論理とはちょっと違うんです。比喩というものを媒介にして、その中に論理や哲学やそれから感情までも含み込んだ、そういう複合的なものなんです。それが古典の論理だとわたしは思っています。いわゆる三段論法式なものは、もちろんあります。それは世界、万国共通なものだと思いますが、日本語の哲学とか論理はそういう形で出てくるのではなくて、和歌の一首の中にフッと込められた形で入っている、そういうものだと思います。

ですから古典語として、こういうふうに読んでいけば「そうか、月日は旅人なんだ」というふうに、そこから、年月、どんどん過ぎていく日、このタイムというものに対してまた新たな考えが湧いて出てくるという、そういうものじゃないかなと思うんです。

ですので論理というものを、三段論法的な論理というふうにとらえずに、演繹と、それから帰納と、総合的に見たもの、あるいは知識の集積をどのように活用していくかというように考えていけば、必ずしも古典語の論理と現代語の論理は、違うものであるかのように考える必要はなくなっていくと思っています。

古典を、古典語として学んでいくというのは、そういうさまざまな論点の上に見えるものから、現在我々が持っている概念メタファー的なものを再発見していくとか、そういった行為によって、よりわたしたち現代人の持っている概念あるいは考え方といったものを再発見することで強化する、あるいはその使い方を学んでいくとか、そのようなものではないかなと思っております」とした。

最後にクリステワ氏は「先ほど、昔は論理があったか、現代のものだけが論理か、という意見がありましたけれども、もし論理性が100% の真実であれば、わたしたちにとっての100% の真実は、たとえば、物理学などの新発見などで、結果として日々論理性が変わっていくのではないでしょうか。つまり現在の論理性も絶対的なものではありません。そうであれば現代以前の時代と文化の論理性も認めるべきなのではないかと思います。最後にちょっとだけ意見を言わせていただきました」とした。

以上でディスカッションが終了した。

第2部

高校に古典は本当に必要なのか

1. ディベート——高校の授業で古典を学ぶことに意義はあるか
2. ディスカッション——自由討議
3. 閉会のあいさつ

1. ディベート――高校の授業で古典を学ぶことに意義はあるか

ディベートを始めるにあたって

丹野（司会）：定刻になりましたので、第2部のほうを始めさせていただきます。司会代わりまして丹野が担当いたします。よろしくお願いいたします。

第2部の最初のプログラムとして、高校生パネリストによるディベートを行います。このディベートでは、論点を洗い出して議論をかみ合わせ、合意形成の土台を作ることを目指します。高校生パネリストは「肯定派」「否定派」に分かれて意見を戦わせますが、これらは必ずしも個人の意見と一致するわけではありません。以下がタイムテーブルです。

①肯定派 第一立論（4分）
②否定派 第一立論（4分）
③肯定派 第二立論（4分）
④否定派 第二立論（4分）
⑤否定派→肯定側 反対尋問（5分）
⑥肯定派→否定側 反対尋問（5分）
⑦肯定派 最終弁論（2分）
⑧否定派 最終弁論（2分）
⑨審査・判定
⑩感想戦

続いて、この議論にあたっての前提についてお話ししていきます。これが論題と肯定派否定派の立場とルールです。

ルール■論題と肯定派否定派の立場ついて

論題：「高校の授業で古典を学ぶことに意義はあるか」
●肯定派：高校の授業で古典を学ぶことには意義がある
●否定派：高校の授業で古典を学ぶことには意義がない

ルール■「古典」とは何か

「古典」とは何か。「日本で古くから読み継がれてきた作品」とします。これには漢文も含みますし、文学や随筆などの文書のジャンルは問いません。ただし海外の古典作品や、絵画や音楽など文章以外の作品は考えないこととします。

ルール■「授業」とは

「授業」とは、「古典を原文で読むもの」とします。原文で、というのが重要となります。さらに言うと、教室という場所で高校生という年齢の人が、大部分が同い年ぐらいの人たちと一緒に先生の指導のもとに古典を原文で読むというものとします。

次に、肯定派は「原文で読む」ということを絶対とします。授業で原文を読まなくてよい、現代語訳だけでよいというのは肯定派にはなりません。

否定派は「原文を読むことには絶対に反対」という立場を取ります。原文を読むことに反対していれば現代語訳を読むことはよい、現代語訳も原文も読まなくてよいというのはどちらも否定派の主張として成り立ちます。

ルール■「意義」と「論理」

「意義がある」ということについてですが、「当人や社会に対してポジティブな効果があること」とします。程度は問いません。

続いて、先ほどのディスカッションでも盛り上がりを見せたテーマなんですが、こちらでは「論理」とは、「与えられた前提から結論を導き出す推論の過程」と規定します。

ルール■「必修・選択」という言葉は使わない

続いて、こちらが大事な前提となります。「「必修・選択」という言葉は使わない」ようにお願いします。「必修・選択」を考えると、どうしてもほかの科目との優先度の話になってしまうので、そうではなく、古典の授業そのものについて、そもそもどんなに意義があるのか、どんな古典の授業なら意義があるのかなどということを問うてまいります。

いままで列挙した前提や、肯定派・否定派の立場は、こちらにまとめてありますのでご覧ください。

<table>
<tr><td colspan="6">論題:高校の授業で古典を学ぶことに意義はあるか</td></tr>
<tr><td colspan="2">「古典」とは？
→日本で古くから読み継がれてきた作品。</td><td colspan="2">「授業」とは？
→古典を原文で読むもの。</td><td colspan="2">「必修・選択」
という言葉は
使わない。</td></tr>
<tr><td colspan="3">「意義がある」とは？
→当人や社会に対して
ポジティブな効果があること。</td><td colspan="3">「論理」とは？
→与えられた前提から結論を
導き出す推論の過程。</td></tr>
<tr><td colspan="6">肯定派は「原文で読む」ことを絶対とする
否定派は「原文を読む」ことには確実に反対</td></tr>
</table>

パネリストと聴衆の皆さまにお伝えしたいのですが、スケジュールを時間通りに進めるために、設けられている制限時間を超えての発言はご遠慮ください。また、話し終えるときは、「以上です」と発言してくださるとわかりやすいので助かります。それではさっそく肯定派は第一立論から始めてください。時間は4分です。

①肯定派　第一立論

1. 現代日本語の能力向上
2. 古典を読む過程で、論理的思考を学べる
3. 先人の知恵に学ぶ
4. 国際社会を生きていくには自国の文化を知るべき

長谷川（肯定派）: 古典の授業には意義があります。第一に、古典を読むことで、現代日本語をより適切に使うことができます。たとえば「何々せざるを

得ない」を、「何々せざる終えない」などと書いてしまう場合があります。これは古典の授業で学ぶ知識を使えば、何々せ・ざる・を・得・ない、が正しいと判断できます。このように現代日本語を適切に使えることは、周囲のその人への評価に直結します。

第二に古典を読む過程で論理的思考を学ぶことができます。本来古典を読むときには、単語や文法の意味、文脈、時代背景など、さまざまな要素を考慮して、どのように解釈するかを考えます。つまり、古典を読むときは感覚だけではなく、根拠に基づいて論理的に思考することが必要不可欠なのです。

では、こうした論理的思考は、どういうときに役に立つでしょうか。たとえば、現代文を読んでいて理解していない語句があっても、なんとなくで読み流してしまうことはありませんか。日常的に使う日本語だから読めている気がするけれど、実は理解できていないことも多いです。

しかし、古典の授業で学ぶ論理的思考を身につければ、一度そこで立ち止まることができます。このように原文に基づいて論理的思考を学べるのは、古典の授業の特徴です。

小林（肯定派）：第三に先人の知恵を借りるとはよく言ったもので、古典には現代のわたしたちも学ぶべきことがたくさんあります。孫子は現在も経営戦略として読まれますし、『徒然草』から生き方を学ぶような本もたくさん出版されています。また最近では、江戸時代の疫病退散の妖怪アマビエを絵に描いて、新型コロナウイルスの早期収束を願う人がたくさんいました。現在の人々は古典から、外出自粛を乗り越えるためのヒントを得ていたのです。

そして、これらは原文で読んでこそ理解ができます。人は言葉で物事を認識しているので、日本文化の理解には、古典語の理解が必要不可欠です。たとえば、いまわたしたちにとって紫であるものも、古典の世界では二藍（ふたあい）、葡萄染（えびぞめ）、茄子紺（なすこん）などと見分けられてきました。原文のこれらの色に出会うことで、この和の色の美しさを感じることができます。

また、古典のリズムはいまの日本にも生きています。俳句は「おーいお茶」に書かれているくらい身近なものですし、「プレバト」（毎日放送〈MBS〉）というテレビ番組での、俳句の添削も人気ですよね。古典の授業で習う知識があるだけでこれらがより一層楽しくなるのです。

第四に、この国際社会に生きていくわたしたちの世代が、自国の文化を知るのは当人にとって必要だと言えます。たとえば、16世紀にウィリアム・シェイクスピアが残した数々の名作は、必ずと言えるほどアメリカやイギリスの高校で教材として学びます。また、中国の学生が勉学の基本として古典の勉強するのは有名な話です。古典というものは他国でもこよなく愛され、次の世代に受け継がれてきたのです。

また、わたしたちが他国の文化に興味を持つ、知りたいと思うように、日本の文化を知りたいと思っている人はたくさんいます。その代表的な例として、アメリカの学校では俳句を一つの詩の形態として習います。つまり、これらは世界的に認められている文化的価値があることを示しているのです。それなのに、わたしたちが日本の古典を知らない状態であると、自国の文化すら知らないのかという印象を残すことになります。以上です。

丹野（司会）：ありがとうございました。次に、否定派は第一立論をお願いいたします。時間は同じく4分です。

②否定派　第一立論

1. 古典語を言語として使うことはない
2. 古典文学は現代語訳でも読める
3. 古典には高校教育に不適切な内容あり
4. ナショナリズムの助長

田川（否定派）：否定派の第一立論を始めます。まず第一に、古典は現代の接続が薄いのでわたしたちにとって役に立つとは言いにくいでしょう。研究者、教員など、文学を専門にする方々をのぞいたとして、その残りの大多数であるわたしたちは、日常生活で古典語そのものを使うといったことはあるのでしょうか。

たとえば、駅のホームの表示も、教科書を読む言語、友達に送るLINEだってどれも現代語です。古典は昔の言語であり、言語が変化していくものである限り、わたしたちに必要なのはいまここにある現代の言語です。

高校生を対象にしたアンケートでも、「覚えることが多い」や「将来役に立たない」という意見が多数ありました。よって言語としての古典の必要性はほとんどないでしょう。

牧野（否定派）：では、言語としての必要性がないのであれば、古典を学ぶ目的は何でしょう。まずは昔の文学を読むためですよね。古典を学べば先人の知恵があふれる文学作品は無限大に読めるようになります。確かにその通りです。

しかし、それはわざわざ原文で読まなくても、高校の授業では現代語訳で十分だと思いませんか。現代語訳だと細かいニュアンスが伝わらないかもしれませんが、たとえば、ノーベル文学賞を取る作品を考えると、どの言語の作品も英訳で審査されていますよね。原文で読まなくても、その内容の素晴らしさは翻訳版で十分に伝わると言える証拠です。よって文学を読むにあたっても、古典を学ぶ必要はまったくありません。

田川（否定派）：第三に、言語として古典を学ぶ意義、文学として古典を原文で学ぶ意義がないのならば、残るのは社会的役割としての古典です。さまざまな思想や戦略が含まれる古典は、社会において役立つかもしれません。しかし、同時に社会に危険性を及ぼす可能性も拭いきれません。

たとえば、古典の中には男尊女卑や身分制社会の肯定、地域的な差別の助長など、思想の偏りを植え付ける可能性のある表現が含まれているものがあります。『伊勢物語』第15段に見られる、えびす心を持つ女の話や、『古今集』仮名序に見られるえびす歌は、心が伝わりにくいものとして、またコミュニケーションが取りづらいものとして、「えびす」を比喩的に使うことで、まさに当時の東北地方差別を象徴していると言えます。

これは一つの例ですが、ほかにも頻繁にこういった内容が見られます。このような差別的な表現を含む古典を高校教育に組み込むことは好ましくありません。

牧野（否定派）：さらに、古典はナショナリズムを助長をしてしまう可能性もあります。突然ですが皆さんは桜と聞いて何を思い浮かべますか。本居宣長の詠んだ歌「敷島のやまとごころを人とはば朝日ににほふやまざくら花」というものが有名ですが、それが政府によって悪用された例があります。

時はさかのぼって第二次世界大戦、アジア太平洋戦争中戦争に協力的な国民を育成するために桜を国の教育に取り入れたり、末期に誕生した特攻隊の部隊の名前が、敷島、大和隊、朝日隊、山桜隊と命名されることもあって、先ほどの本居宣長の歌から引用されたものになります。

このようにして、古典は国家的な権力によって教育や流行に取り入れられて、ナショナリズムの助長に使われる可能性あります。よって、古典は言語的側面、文化・文学的側面、社会的側面のすべてにおいて学ぶ意義がないと考えます。

丹野（司会）：ありがとうございました。それでは肯定派は第二立論を始めてください。時間は4分です。

③肯定派　第二立論

5. 文語文に自らアクセスできる
6. 現在の価値観の相対化
7. 古典は日本人の文化的アイデンティティー
8. 古典を批判的に読む

長谷川（肯定派）：古典の授業では、文語文に自らアクセスできるリテラシーが身につきます。否定派は原文で読む必要のある人はほぼいないと言いますが、日本ではたった70年ほど前まで文語文が使われていました。どんな分野においても70年前のことを知ろうとすれば、文語文を読まなければならない状況に直面するのです。

現代語訳でよいではないかという意見もあるかもしれませんが、現代語訳には訳者の解釈が含まれています。現代語訳しか読めないということは、訳者の考えの土台に乗ることしかできないということです。万が一事実が書き換えられていたとしても気づけません。それに対し、原文を読み、本当はどうなのかを自分で調べることができれば、自分で自分の考えの土台を築けるのです。原文に自らアクセスできることは、当人にとっても社会にとっても必要な能力です。

また、古典は確かに現代にそぐわない内容を含みますが、そういう内容こそ隠さずに教えるべきです。日本は長い間、身分制社会で、男尊女卑といった価値観が根付いているというのは事実です。排除するのではなく、その事実に向き合うべきです。古典の授業で現代と違う価値化に出会ってこそ、なぜそうした価値観があったのか、なぜそれは現代にそぐわないのか、現在はどういう価値観なのかと考えることができます。現代をそのように相対化できれば、社会が変わっても対応できるアイデアを得られます。

ただ、そのとき、教員が何もリードしなければ、それらも教科書だからと権威化されてしまう恐れはあります。そのため、そうした内容について体系的に学ぶ授業が必要だと考えます。たとえば、『古事記』、『源氏物語』、『とりかへばや』、江戸の世話物といった恋愛の場面を少しずつピックアップして読み、いろいろな恋愛の形を知ることで、現代の価値観を相対化させていく、そんな授業が必要です。

小林（肯定派）：さらに、古典は日本人に根付いているアイデンティティーです。現在の日本語や日本の文化は古典から来ています。そのため古典を学ぶことによって、現代の日本語や日本の文化を知ることとなり、同時にいまのわたしたち自身を知ることができるのです。古典を学ぶことによって、日本語という言語の魅力を知り、文化的自信を実感します。

また、古典を読んでいると、昔の人もいまと似たような考え方をしていることに気づきます。たとえば、『方丈記』は、災害や疫病が起こるたびに注目され、人々に繰り返し読み直されてきました。これは『方丈記』に描かれた人間の弱さや情熱といった感情が、800年の間が経とうとも変わることなく、生き続けているからです。いまとは全然違う800年前の社会に生きる人々に、わたしたちは共感することができるのです。

古典を読むと人間の感情は時代を越えて普遍的なんだという発見がありま

す。そして、このように昔の人々に共感するからこそ、古典を題材にした作品は多く存在するのです。

近現代で言えば芥川龍之介や三島由紀夫の作品、最近では『君の名は』などが例です。

最後に、古典は確かにナショナリズムの高揚に利用される可能性があります。しかし、そのように利用されたときに気づくためにも、高校の授業で古典を学ぶべきです。戦時中に宣長の歌が利用された事実なども含めて学びましょう。そうすれば、現代において古典がそのように使われても、その危険にいち早く気づくことができます。

また、さまざまな時代の古典を読むことで、言葉が流動的なものだとわかります。古典を通じていまわたしたちが話している日本語を絶対視しないようになることは、公用語としての日本語をアイデンティティーとするナショナリズムへの対抗手段となります。以上です。

丹野(司会): ありがとうございました。次に否定派は第二立論お願いします。同じく4分です。

④否定派　第二立論

5. 現代日本語の向上にはつながらない
6. 古典で論理的思考は学べない
7. 貴重な時間はもっと実用的なものに
8. 情理は現代語訳でも可
9. 規定された自国の範囲

田川（否定派）: まず、古典を知ることは肯定派が言うように、現代日本語の能力の向上にはなるかもしれません。しかし、それは圧倒的に効率が悪いです。考えてみてください。皆さんが現代語の能力を向上させようと思っているとします。そのときにわざわざ古典からその文法を学ぶことはあるでしょうか。現代語を向上させたいのならダイレクトに現代語の文法を学ぶほうが、確実でかつ早いのは当然のことです。

例として、「少しずつ」という言葉を歴史的仮名遣いを学ぶと混乱してしまって、ひらがなの「す」に濁点ではなく、ひがらがなの「つ」に濁点で「少しづつ」と書いてしまうこともあります。

どの古典文法が現代日本語に通ずるのか、どの古典文法が通じないのか、それを判断するプロセスを必要とするため、直接現代日本語を学んだほうが早いということです。また、そのプロセスにおいて先述のように間違えてしまうリスクを考えたら、直接現代日本語を学ぶほうが確実に思われます。

牧野（否定派）：続いて、肯定派は古典を論拠によって客観的に読み解くことで論理的思考を学べると言いますが、古典を読み解くことだけでは論理的思考は学べません。なぜなら、古典の論理、すなわち与えられた前提から結果を導き出すプロセスというのは、常に同じ型にはめるだけのプロセスであって、文法とか単語の意味とかは、多少例外はあれど、常に一定ですよね。現代語訳という結果を導き出す過程は、決まり事を暗記しているだけで、思考力を鍛えることにはなっていません。数学のように多くの公式が存在するわけでもなく、つくれる問題も限られています。極めて応用性や発展性が低いのも難点だと思います。

田川（否定派）：さらに、古典の授業では先人の知恵を学べるかもしれませんが、それ以上に現代の高校生に必要なのは実社会で役に立つスキルです。企画書の書き方や議論の方法といったコミュニケーションやコラボレーションのスキルは、職業分野を問わず通用する普遍的なものです。高校生の限られた時間の中では、そうした実用的なスキルを直接学ぶことをより重視すべきです。

牧野（否定派）：それに、古典から情理を尽くす心を学ぶというのなら、現代語訳で十分なはずです。情理の心は古典の文字自体に含まれてるんじゃなくて、そのストーリーだったり内容に含まれています。繰り返しになりますが原文で読む必要はありません。すなわちわたしたちが定義する原文を読むという授業も必要がないということです。

田川（否定派）：最後に、肯定派は古典の授業を通じて自国の文化を知ると言いますが、そもそも現在古典とされている作品から除外され周縁化されているものが数多くあるのをご存じでしょうか。

わたしたちが普段使っている教科書を開いてみましょう。数研出版の場合、実にページの約6割が平安時代、約2割が鎌倉時代、残り3割がそのほかの文学でした。このような平安文学への偏りを見ても、古典とされる作品からのぞかれたものが多いことが見て取れます。アイヌや琉球などの作品がその代表例です。わたしたちはすでに教育の段階で自国の範囲を規定されているのです。限られた自国の範囲の中で、本当に自国の文化というものを知れるのでしょうか。

牧野（否定派）：以上で否定派の第二立論は終わりになります。

丹野（司会）：ありがとうございました。ただいまから反対人尋問に備えて、高校生と先生方のパネリストで、それぞれ3分間の作戦タイムに入ります。

作戦タイム中

■司会によるおさらい

丹野（司会）：作戦タイム中時間がありますので、司会の二人で、先ほどの立論などのおさらいをしていこうと思います。よろしくお願いします。

内田（司会）：まず、①肯定派の第一立論からお願いします。

丹野（司会）：先ほど、①肯定派は第一立論で四つの観点ですね。古典は言葉への理解、言語能力の向上に役立つ、次に、読む過程で論理的思考を学べるとしました。論理というのは、第1部のディスカッションの内容ではなくて、このディベートの前提に沿った論理的思考ということですね

内田（司会）：これはたぶん、前回のシンポジウムで古典に論理性を認めなかった否定派の反撃に出るみたいな。

丹野（司会）：そこのところをねらったというのは否めないですね（笑）。あとは先人の知恵についてなんですが、これも結果論になってしまうところはあるんですが、役立ったと感じたときだけそれを知恵として使うみたいなこともできてしまうので、この観点はディスカッションのほうや事後アンケート

でも聞きたい観点でもあります。皆さんも考えておいてください。次に、国際社会で生きていく上で、自国の文化を知っておく必要があるっていう観点でしたね。

内田（司会）：確かに自国の文化を知らなかったら、他国の文化を教えてもらったときも比較ができないですよね。

丹野（司会）：海外に行ったときっていうのは、「I'm a Japanese」と自己紹介すると、日本のカルチャーについて聞かれたり、そういったこともあると思うので、その国の代表としていくという場合には、やはり少しぐらいは知っておかないといけないと思います。否定派ってどんな立論をしていましたっけ。

内田（司会）：否定派はまず②第一立論で四つの論点があって、一つ目が古典は昔の言語で現代の言葉として使うものではないという観点です。次に、古典の内容は現代語訳でも読めることを挙げています。これどうですか？

丹野（司会）：確かに海外文学とかを原典にあたるかと言われれば、英語とか、それなりに習っている言語であればどうにかできるかもしれないけど、たとえば、ドイツ語とかロシア語とか、全部読めるわけではないので、現代語訳に頼るというのはあります。

内田（司会）：そうですね。

丹野（司会）：内容も知っておくべきだし、肯定派は③第二立論で内容プラス、リテラシーも大事だということ、文語文にアクセスできる力もやはり必要だと指摘していましたよね。

内田（司会）：あと、否定派の②第一立論の三つ目は適切でない内容があること。四つ目がナショナリズムの助長に使われるということでしたね。

丹野（司会）：これは前回の「こてほん」ではあまり触れられていなかった内容で、日本の文化の素晴らしさを言うこととナショナリズムというのはやはり紙一重だし、それが本当に悪用されるかどうかっていうのは、時と場合によるところもあると思うので、この観点はやっぱり古典を語っていく上では、必要不可欠かなと思います。表面的にしか知らない場合はそれに乗せられてしまうかもしれないし、たとえば、新しい元号の令和であるとか、そのときも日本の原典から取ったものだということで盛り上がりを見せていました。

内田（司会）：肯定派の③第二立論、四つだけ挙げてもらっていいですか。

丹野（司会）：先ほど言った通り、第一立論では文語文へのアクセスということを強調していますし、昔にあった価値観を学ぶことでいまの価値観と相対化することができる。あと、ナショナリズムとかアイデンティティーに関することを強調していました。あと、ただ内容を素晴らしいと言うだけではなくて批判的に古典を読むべきだという感じです。

内田（司会）：わかりました。

⑤否定派→肯定派 反対尋問

丹野（司会）：作戦タイム終了ということで、否定派から反対尋問をお願いいたします。時間はたっぷりと５分使ってください。よろしくお願いします。

田川（否定派）：質問させていただきます。まず肯定派の主張についての質問なんですけど、さまざまな時代の古典を読むことで日本語を絶対視しなくなると立論でおっしゃっていましたが、それはどういう意味ですか。

小林（肯定派）：答えます。まずいまの認識でナショナリズムというものを学んでしまうと、日本語を話す人＝その国と人種、となってしまいます。それは間違った認識だと思っているんですけど、いまの認識だと、話しているからこの国にアイデンティティーがあるとか、自分が所属しているとか、そういう認識になってしまいます。だから、ちゃんとその言語を話せない人は「あなたは日本人じゃない」とか言われてしまうんです。それはよくなくて、古典を学ぶことによって、言葉は変化してきたものという認識になります。

牧野（否定派）：すいません。その古典っていうのはその変化してきたものであるけど、わたしたちが日本語を絶対視しなくなるというのは、さっき言っていた日本語をしゃべるから日本人とか、そういうアイデンティティーの話だったら、たぶん比べるものは英語とかいう話になるんじゃないですか。

次の質問にいかせていただきます。肯定派は古典を学ぶことによって文化的自信を実感できるとしています。ですが、わたしたちのアンケート結果でも、現在の古典の授業ではそういった自分自身とのつながりがわからないとか、役に立たないという意見が多かったんですよね。ですので、そういった文化的自信を実感できることがまったくといっていいほど、いまの古典の授業だと伝わっていないんです。こういった状態でも文化的自信に気づくことができるというんですか。

小林（肯定派）：まず、肯定派として主張したいのが、わたしたちはいまの授業に賛成はしていないんですね。むしろ疑問に思っていて、何らかの改革をしないといけないと思っています。まずそこだけ正させてください。

牧野（否定派）：わかりました。では授業を改善すればいいという主張ですね。

小林（肯定派）：そうですね。

牧野（否定派）：そうなるとわたしたちは現在不十分な授業を受けてきたと。わたしたちだったりそのほかの多くの大人たちは、文化的自信やアイデンティティーを持っていないという主張になりますね。

長谷川（肯定派）：いいえ、文化的アイデンティティーというものは授業で得られるものに限定されるものではありません。

牧野（否定派）：ですが、わたしたちが学ぶのって古典の授業での古典ですよね。……じゃあ、次にいかせていただきます。肯定派が言っていたナショナリズムの対抗に古典を読むべきだという主張に対してなんですけれども、わたしたちの世界がだんだんと良い方向に、そういう差別とか、まだまだありますけれど、少しずつ減ってきているのは、そういった作品とかそういった考え方に規制がかかってきているからこそなんですよね。そういう作品が減ってきているからこそ、どんどん世の中は進歩していけている。そういうところでわざわざ昔の差別の原因となっていた内容が含まれているものを掘り起こす必要性があるのでしょうか。

小林（肯定派）：まず、差別が減ってきているというのは違うと思います。

牧野（否定派）：あー、違う、それは違う！

小林（肯定派）：いまはアメリカすごい大変なことになっていますよね[*1]。

牧野（否定派）：なってます、なってます。昔よりは、何だろう、特に、日本とかだったら、部落差別はまだまだあるけど、そういったことは減ってきていると信じたい。

長谷川（肯定派）：差別的な内容を教えるのはよくないといった話だと思うのですけど、それを隠すのはよくないと思います。あったことが事実なので、それをちゃんと認識して教えて、教えることによっていまも差別は続いていないかとか、そういうように視点を変えていくのが必要だと思います。

牧野（否定派）：わかりました。じゃあ別のものを聞こう。

田川（否定派）：いまの授業は限られた時代を重点的に深く学ぶ、これはわたしたちも立論のほうでも挙げたことなんですが、それは肯定派が言うようにさまざまな作品をピックアップして少しずつ読むということになったとしたら、それは読んだことにはなるんですか。

長谷川（肯定派）：確かにそのピックアップしたものを読んだだけだと読んだことにならないのではないかというのは、そうだと思います。ただ、ここは現代語訳との兼ね合いが必要だと思います。もちろん古典の原文でないとわからないことはたくさんあるので、原文に触れることが必要なんですが、いろいろな価値観があることをわたしたちが理解するために、現代語訳を使う必要はあります。なので、現代語訳と合わせて原文に触れつつ、現代語訳と合わせて理解を深めるといったこと、そして現代を相対化させていくということが必要だと思います。

牧野（否定派）：最後の質問です。肯定派が第一立論で述べていた原文で先人の知恵を借りるという具体例は、どれも日常的な例ばかりで、言ってしまえば豆知識にすぎないと思うんです。こういった知識が果たして社会に出たわたしたちの役に立つのでしょうか。

長谷川（肯定派）：古典の授業によって社会で役に立つのは、まず文語文リテラシーを身につけられること、また、現在の日本語力の向上につながるということです。特に現在の文法は古典語文法をもとにできたものなので、古典語文法を学ぶことで、現在のわたしたちが使っている日本語をより正しく使

---

*1　2020年6月当時、アメリカでは黒人男性が白人警察官に拘束され死亡させられた事件などを発端に、黒人に対する暴力や人種差別の撤廃を訴えるBlack Lives Matter運動が活発化し、全土でデモや暴動が相次いでいた。

うことができるようになります。

牧野（否定派）：それを古典で学ぶ必要性はあるんでしょうか。現代文法だと駄目なんですか。

丹野（司会）：時間です。ありがとうございました。今度は肯定派からの反対尋問に備えて、両者ともに３分間の作戦タイムに入ります。

作戦タイム中

■司会によるおさらい

丹野（司会）：先ほどの反対尋問で聞かれていた質問について、話していきましょう。

内田（司会）：否定派から、いまの時代に差別などが減っていってるのは世の中をだんだん正していっているからなのに、男女差別など問題がある古典をなぜいまほじくり返して学ぶのかという質問でした。

丹野（司会）：なるほどなるほど。そういえば、前田先生がリハーサルで、差別的な題名の作品が日本で規制された例として『ちびくろサンボ』を挙げていらっしゃいましたよね。

内田（司会）：絵本ですね。

丹野（司会）：絵本が、海外で差別を助長しているということで、書店や図書館からなくなってしまい、その流れで日本でも出版されていましたが、それが絶版に追い込まれたりしました。たぶんそういった差別が減っているというのは、ポリコレ的な規制をちゃんとしているからだという主張のもとに質問しているのだと思うんですけれども。

内田（司会）：それに対して、肯定派は逆に隠すほうがよくないだろうという意見でした。

丹野（司会）：ただいまの授業には賛成していないところが、どちらとも同じ意見になったところですね。

内田（司会）：そこの面では合意が進むんじゃないかなと。

丹野（司会）：後ほどのディスカッションのときに、先生たちが実際どう思っているか、学校の先生で参加されている方がいたら、追加して加えていただけますと助かります。

このディベートのときに触れられていたテーマについては、さらにフロアの方々と一緒に話していきたいと思うので、気になるところがあればメモしながら聞いていただけると助かります。

内田（司会）：原文で得られるのは豆知識にすぎない。より役立つ知識は何だという。肯定派は、文語文リテラシーのアップと、あと現代語の力が向上するということでした。

丹野（司会）：そこはやはり学問的な知識とか知見も知りたいところないので、あとで近藤先生などにそのあたりも聞いてみたいです。

⑥肯定派→否定派 反対尋問

丹野（司会）：作戦タイム終了ということで、今度は肯定派から反対尋問をお願いします。時間は同じく５分でお願いします。

長谷川（肯定派）：否定派に聞きます。実用的なものをより重視すべきだと言っていましたが、それはなぜですか。

田川（否定派）：答えます。実用的なものを学ぶほうがより効率的で、結果が実感しやすいので、モチベーションが保たれやすい。その２点が挙げられると思います。

長谷川（肯定派）：実用的なものというのは、現代において実用的だと思うんですけど、それはこの先役立つと言えるんですか。

田川（否定派）：はい。わたしたちはそう考えています。なぜならわたしたちの挙げた実用的なスキルというのは、たとえばコミュニケーションやコラボレーションのスキルですが、それらはとても普遍的なものです。

長谷川（肯定派）：わかりました。

小林（肯定派）：じゃあ次の質問します。否定派は国家などの権力によってナショナリズムの高揚に使われる恐れがあるって言っていましたが、日本は過去に古典をナショナリズムに利用したのが事実です。それは認めます。ですが、それを学校で教えないとすると、ニヒリズムになってしまうのではないでしょうか。

牧野（否定派）：ニヒリズムってどういう意味ですか。

小林（肯定派）：ニヒリズムは、いま生きている世界、特に過去および現在における人間の存在や意義に意味がないということを示しています。

牧野（否定派）：確かに古典を学ばないことは、過去の無視になるかもしれないですけれども、そもそもわたしたちがすべての過去を洗いざらい学校で教えられている、教えることっていうのは不可能なんじゃないでしょうか。無視されてしまう過去が出てくるっていうのは、当然のことじゃありませんか。

小林（肯定派）：次にいきます。高校教育に不適切な内容を教えるべきではないとありましたが、高校教育に不適切な内容を教えないということは、悪いことはすべて隠すべきっていうことですよね。

牧野（否定派）：まず、その隠すっていう言い方もちょっと気になるし、選ばれなかったって言い方のほうがふさわしい気もします。では、わたしたちの社会でよく発禁（絶版）になるものってあるじゃないですか。『ちびくろサンボ』だったり、差別的な内容が含まれるものなど、いろいろありますけど、何で古典だけそういう差別的な内容が含まれるものが許されるんですか。古典だけに許されるっていうことが、変だなと思います。

長谷川（肯定派）：次いきます。言葉は変化していくものであるとありましたが、変化していくものなのに、わたしたちに必要なのが、いまここにある現代語だけというのはどうしてですか。

田川（否定派）：まず、わたしたちの立論の中で用いた現代の言葉という意味について。現代の言葉なので、移り変わっていく言語であるのはその通りです。高校生は現代の言語の変化に合わせて学んでいく、そういうことを想定しています。

長谷川（肯定派）：わかりました。次いきます。原文を読む必要がある人はほぼいないということで、ノーベル賞の例を挙げられていたんですが、それは日本語が英語に訳されてもオリジナルの価値が保存されるという話で、それは古典語が日本語において価値がそのように保存されていくことになりますか。根拠はありますか。

田川（否定派）：まったくもってそのまま同じというわけでありませんが、ノーベル賞も日本語から英語だけじゃなくって、その世界のいろいろな言語から翻訳されたそういったものが審査対象になっていると思います。

そのような、いろいろな言語のオリジナルを持っている、そういう本が受賞するようなことが起きるということは、その受賞する内容をしっかり伝えきれるということですよね。古典でも十分価値を保ったまま現代語訳できるはずです。

長谷川（肯定派）：次いきます。論理について、古典では論理は学べないってあったんですけど、その理由として、文法を調べることとかが、同じことの繰り返しっておっしゃったんですけど、行為は一つかもしれないけど、毎回出会う言葉やテキストは違うから、それぞれによってわたしたちのやる思考は違うんですけど、それは論理的なプロセスを学べているとは言えないんですか。

牧野（否定派）：わたしたちがいうプロセスと言うそもそもの意味は過程とか方法を意味するので、最初に言ってくれた行為、調べるという行為の方法は一つなんじゃないですか。思考力とかはプロセスの中に含まれて……。

小林（肯定派）：現代語の能力向上は現代語を学んだほうが確実で早いとありますが、現代日本語を学んだほうが確実で早いという根拠はありますか。

丹野（司会）：終了となります。ありがとうございました。ディベートの反対尋問って相手の言ってるところは切れるっていうルールがあるので、結構激しいことになっていると思いますが、それもディベートのルールということで、ご了承ください。さて、反対尋問も両者ともに終わったので、肯定派から最終弁論を始めてください。時間は2分です。

⑦肯定派 最終弁論

長谷川（肯定派）：古典の授業には意義があります。まず、リテラシーを身につけられます。読める気がするけど何だか読めない、それが古典の原文です。

それを読むことは現代日本語への深い理解につながり、現代日本語能力向上に非常に有効なのです。しかも根拠に基づいて読んでいくという読みの過程は、まさに論理的思考です。

また、文語文に自らアクセスできるというリテラシーも、古典の授業でしか得られないのです。

次に、ほかのものではなく、古典から学ぶべきことがたくさんあります。古来よりずっと読み継がれてきた古典はいまの生活に役立つ知恵を与えてくれます。それは無味乾燥ではなく、わたしたちはそこに昔の人々の存在を感じて、時代を超えて共感するという体験ができます。

一方で、現代とは違う価値観に出会って衝撃を受けることもあります。そして現代を相対化することで、視野が大きく広がり社会が変化しても新たなアイデアを生み出せるようになります。

最後に、グローバル化が進むいまだからこそ、古典を学ぶべきです。日本の古典は日本人の文化的アイデンティティーです。それを読むことは自分を知ることであり、自信を持つことにつながります。だからこそ、どの国でも古典が愛されて読まれてきたのです。世界に通用する人になるには、自国の文化を知っていることはやはり必要不可欠です。

古典がナショナリズムに利用される危険性があるのも確かです。実際にそのような歴史もあります。ですが、そうした過去の過ちに気づいてこれを学ぶことが、ナショナリズムに対抗できる最大の武器となってわたしたちを導いてくれるのではないでしょうか。

以上より、わたしたちは高校の授業で古典を学ぶことに意義があると主張します。

丹野（司会）：はい、ありがとうございました。次に、否定派は最終弁論を始めてください。同じく時間は２分です。

⑧否定派 最終弁論

田川（否定派）：わたしたちが高校の授業で学ぶものって何でしょうか。日本語を学ぶための現代文、国際的なコミュニケーションのための英語、すべてわたしたち高校生がこの社会を生き抜き、未来をもっとよいものにするために役に立つものばかりです。

わたしたちが高校で古典を学ぶことは、一体何の役に立つのでしょうか。第一に、古典は言語ツールとして現代社会では役に立たない。第二に、古典文学の内容を楽しむことには現代語訳で十分である。第三に、自国の文化を知ろうにも限られた範囲の教材で限定的な文化しか学べない。こんなにも役に立たない古典を、わたしたち高校生が学ぶことに本当に意義あるのでしょうか。

牧野（否定派）：別に役に立つことがすべてだとは思っていなくて、だけど古典において得られるものというのは、すべて現代語訳でも得られるものです。また、古典文学には偏った思想だったり、ナショナリズムの高揚に使用される可能性のある表現が含まれています。危険な思想を植え付けないように配慮しながら、かつ文法も教えながら少ない時間で教える授業というのが、本当に実現可能なのか。わたしたちにはもっと学ぶべきものだったり、学びたいものがいっぱいあります。

結論としては、未来を担っていくわたしたちの限られた時間の中で、高校を古典の授業で学ぶことに意義はありません。以上です。

丹野（司会）：ありがとうございました。これにてディベートを終了いたします。お疲れさまでした。

さて、聴衆の皆さんに、いまから１分間の投票時間を差し上げます。一般的なディベートのルールとして、聴衆はその場での議論を通じて、賛成か反対かを判断し投票することになっています。先ほどの前提など、前提や議論などを踏まえた上でそれを反芻（はんすう）しつつ、１分以内で判定をお願いいたします。いまから１分間を測ります。画面のほうに投票のものが出てくるので、そちらにお答えください。それでは１分間スタートです。

【アンケート集計中】

丹野（司会）：終了です。皆さま、投票していただけましたでしょうか。今回のディベートの結果を発表する前に、事前に取った賛否のアンケート結果を表示いたします。参加申込時にお聞きした古典についての意見ですね。

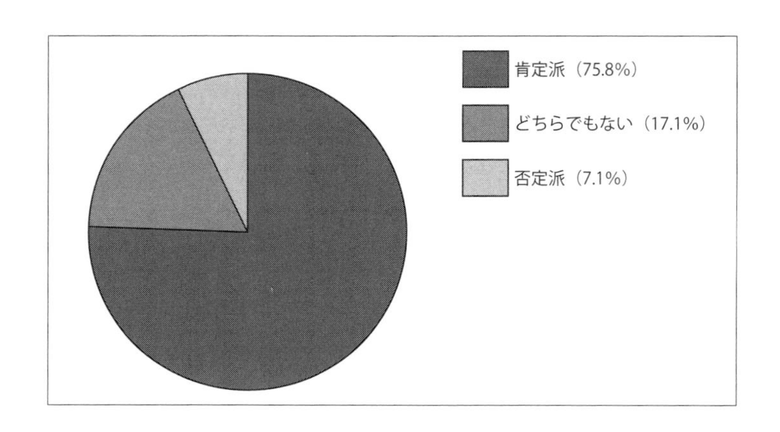

古典に興味がある方の参加者が多かったためか、肯定派が75.8%で大多数となっています。否定派が7.1%で、どちらとも言えないというのが17.1%です。事前アンケートの肯定派・否定派の差分を見ていただくということで、今回のディベートの判定を共有したいと思います。

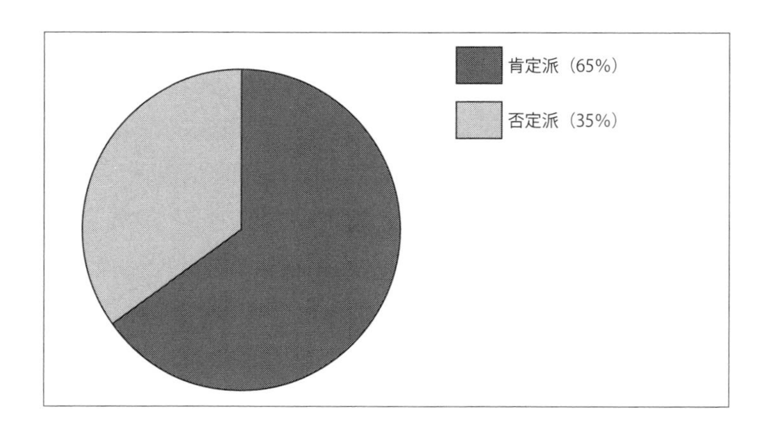

肯定派が65%、否定派が35%でした。ディベートのパネリストの皆さま、聴衆の皆さまありがとうございました。

今回、中立の選択肢がないのは、ディベートにおいての勝敗を決める目的のためなので、事後アンケートのほうでは、どちらかわからないという人のための質問をご用意させていただいているので、ちゃんと推移はみたいと思います。

では結果を踏まえて、生徒パネリストのほうで感想戦を3分ほど自由にお願いしたいと思います。先生方も感想などお持ちだと思いますが、のちのディスカッションのときにシェアしていただければなと思います。ではいまから3分間、生徒のほうで自由にお願いします。

感想戦

牧野（否定派）はーい。でもさ、そういう授業がいいとは思うけど、理想的すぎてみんなに同じように平等に授業ができるのかな。

小林（肯定派）：いますぐにはできないのは、それはしょうがないとするしかないと思って。個人的な意見になるけど、たとえば、新しい入試改革とか、センター試験の見直しとかがない限り、学校の教員は勝手に授業を変えられたりするものではないと思うから。

長谷川（肯定派）：確かに、本来の古典のよさというか、古典の授業の意義のあるところが何かを伝えられない授業だったのが悪いと思うんだけど、その授業がずっと続いてるからそれをどうにかしようじゃなくて、それをなくそうって方向に進みすぎていると思う。このままだとなくなっちゃう気がして怖い。

牧野（否定派）：あと、話が切られちゃったけど、何で古典だから差別的な内容があってもOKっていうふうになるの。ちゃんと聞いてみたかった。

小林（肯定派）：OKとはならないと思うけど。

長谷川（肯定派）：差別的な内容を植え付けるものではないっていうか、差別的な内容を考えを持ちなさいって教えるわけじゃないし。昔の人にとって当たり前だったことが、いまになっては差別的っていうことじゃん。

牧野・田川（否定派）：うん。

長谷川（肯定派）：それは差別的な内容だから排除、じゃなくて、昔こういう考え方があったけどいまは駄目っていうのは何でなのか、考えないと。ただ排除しちゃったら自分の絶対的に何か思ってる偏見とか、そういうのにも気づけないし。

牧野（否定派）：たぶん授業として扱うから平気っていうことだよね。

長谷川（肯定派）：ただ権威化されたらやばいよね。

小林（肯定派）：古典に限った話じゃないし。世界中どこでもそういう差別とかはあったから、古典だけが悪いとかは絶対言えないと思う。それだったら、いまわたしたち世界史とか習ってるけど、世界史にもそういう内容が出てくるけど、それはいいの？　とかになっちゃうじゃん。

丹野（司会）：では、感想戦はこれぐらいにします。いつものテンションで話していて、さっきのディベートとのギャップを感じますけど（笑）。これでディベートとしての時間は終わらせていただきます。

2. ディスカッション――自由討議

丹野（司会）：先ほどの第１部は、2019年１月に明星大学で行われた「古典は本当に必要なのか」というシンポジウムの内容の振り返り、プラス新しいパネリストの先生方の視点も加えて咀嚼（そしゃく）していこう、という試みのもとで行いました。

いま行われた第２部のディベートは、わたしたち高校生がパネリストとなって、古典は高校に必要なのか意義があるのかいうことについて話しました。なので第１部の最後に話題にあがった「論理」に関する話題とは別のものです。冒頭に説明したように議論の前提も違います。

ディベートをただやって終わりということだと、ただの競技になってしまいますので、ここから本番です。これまでの議論を否定しているわけではありません。これからもっと実りのあるものができる時間だと思っています。これからフロアとパネリストとのディスカッションを行っていきます。先ほどのディスカッションやディベートで出てきた観点を踏まえつつ、質問を聴衆の方からうかがっていきたいと思います。

高校生のパネリストの否定派・肯定派というのは、あくまでラベリングでした。ディベートは、意見による立場はあると思うんですけども、次のディスカッションでは、参加者全員が合意形成に向かって議論していけるように意識をしてください。よろしくお願いします。

フロアの皆さんはZoomの手をあげるボタンで挙手をお願いいたします。こちらから指名させていただきます。一人あたりの制限時間は１分以内とさせていただきます。どなたに質問をするかなどあれば、そこで伝えてください。たとえば、誰々先生に質問ですとか、生徒全員に質問ですとか、そういった質問の仕方をお願いします。

ディスカッションは、これから20分ほど行います。先生方も、パネリストも、質問者の方々も、ご了承の上でディスカッションしていきたいと思います。高校生で意見や質問がある方、挙手をお願いできますでしょうか。なかなか勇気がいるかな。はい、井上さん、お願いします。

（1）神話が教えられていないことについてどう思うか／外国の文学者が日本の古典について語ったことが、古典の必要性をサポートするのか

井上（高校生）：ツベタナ先生に質問です。古典は我々にアイデンティティーをもたらすとおっしゃいましたけれど、日本では神話が教えられていないことについてどう思いますか。それから近藤先生に、六大文学の話を取り上げていらっしゃいましたけれど（第１部３の論点まとめ参照）、そもそも外国の文学者が日本語について言ったことが、どうして古典の必要性をサポートする理由として取り上げられるのでしょうか。

丹野（司会）：そちらの二つでよろしいですか。では先にツベタナ先生のほうからお答えいただこうと思います。

ツベタナ：はい、ありがとうございます。ご質問に答える前に、わたしのほうからも、皆さんにお聞きしたいことがあります。近藤先生への質問と関連してきますが、日本人であるということは何を意味しているのでしょうか。決め手は何なのでしょうか。国籍ですか、日本に生まれたことですか。一つには、日本語と日本文化が挙げられるのではないでしょうか。たとえば、日本出身のカズオ・イシグロさんはイギリス人なんですね。イギリス文化を代表して、イギリスの作家として、ノーベル文学賞受賞したんですね。さて、神話の問題に移ります。学校で教えるべきでしょうが、古典ではなく歴史の授業かもしれません。たとえば、古代ギリシャの神話は文学作品の題材になったのとは違って、古事記や日本書紀に記された神話は歴史に移り変わったんですね。わたしは神話にはあまり詳しくありませんが、大和の権力を強調するものとして、否定派が指摘している差別の問題も関わってくるとも言えますが、歴史なので、差別と呼べないでしょう。ついでに付け加えますと、やまと言葉、和語と和文の場合は、なおさら差別にはならないでしょう。現代の日本語とも密接につながっていますし……、「差別」の概念とは程遠いもの

です。先ほどの、否定派による差別に関しての批判は、言い過ぎだったと思います。ところで、文学作品における差別といえば、『風と共に去りぬ』が有名ですが、古典文学のケースはまったく違いますね。

井上（高校生）：差別に関しておっしゃいますけれど、『ちびくろサンボ』が差別の代表例として取り上げられたことについて、自分は少し遺憾に感じています。

ツベタナ：そうですね、おっしゃる通りです。それも違います。

丹野（司会）：ありがとうございます。このテーマなど、皆さんおのおので思うことはストックしていただいて、事後の感想などでも聞けるようにしますので、ぜひ皆さまも。では、もう一つの質問近藤先生に答えいただこうと思います。よろしくお願いします。

近藤：明治32年という早い段階で、あの日本文学が世界の文学の中の多様性を表す一つのものとして認識されていたということは、非常に大きなことだと思います。それは外国人だからということではなく、客観的に見てその当時の学術の中心だったイギリスで、そのようなものとして認識されたというのは大きなことであって、やはりこの多様性の一つの大きなシンボルとしてとらえられたということを、高く評価していいと思います。そのことは我々もよく知っていてよいと思っています。以上です。

井上（高校生）：つまり、当時権力を握っていたイギリスという大国家に認められたからこそ、日本では古典はよいものであり、すなわち教えられるべきであるということですね。

近藤：そういうわけではありません。あくまでもその当時の国民国家的な流れの中で、日本がそういう流れに乗っていたというのは、その事実としてはそうです。ですが現時点から見て、それだけを評価するのではなく、客観的に見て日本文学というものが重要視されていたということは、そのときからいまに至るまで変わらないという、一つの情報としてあげました。もちろんその当時の世界的な流れというのは、その通りだったということは、間違いありません。

井上（高校生）：当時のイギリスと日本の関係を鑑みても、当時のイギリス人の言うことが客観的に完璧だったと言えますか。

近藤：客観的とは申してません。一つの材料として、日本文学というものがその時点でそうとらえられていたことは間違いないです。

井上（高校生）：ありがとうございます。

丹野（司会）：勇気を持って聞いてくださってありがとうございました。先生方の答えもエビデンスをもとにした参考になる意見だと思います。先ほど申し上げたように、合意形成に向かうための質問や意見などあればお願いいたします。大学生の方にも聞いてみましょうか。

仲島（運営）：では最初に挙手してくださった髙村慶太朗さん、どうぞお話しください。

（2）古典のような教養やアイデンティティーと、実用性を、教育においてどう両立させていくのか

髙村慶太朗：ありがとうございます。髙村慶太朗と申します。ツベタナ先生にお聞きしたいんですけれども、僕はどちらかと言うと高校において古典を学ぶことについては賛成です。日本人が現代の教育において、この先の未来を見据えた上で考えると、古典教育のような教養を高校教育として学んでいくのと、日本人としてのアイデンティティーを確立するという側面があると思います。それと両立して、否定派の方々が言われるような、もっと実用的な、社会に出た上で役に立つような科目を学ぶことを同時並行的に両立していくには、どのような教育を実施していくべきか、どのような教育にしていくべきかお答えいただければと思います。

丹野(司会)：なるほどわかりました。ありがとうございます。ツベタナ先生、ではお願いします。

ツベタナ：髙村さん、ご質問ありがとうございました。興味を持っていただいて、また、こうして参加していらっしゃることに、感謝したいと思います。さて、ご質問に移ります。社会における個人の評価を実用性や効果率に絞ることは、とても危ないと思います。社会に貢献できるためには、人間としてで

きてなければだめですからね。とにかく、教育には「人間づくり」という大きな課題や義務があります。古典教育は、それに当たるものだと思います。世界の文学としての日本古典文学を習うことは、プライドや自信につながるんです。また、とても大事なことは、心の教育ですね。人間には、心というものがあります。だから、心を育てて、支えることは、とても重要です。実用性や効果率以前の問題です。心が壊れてしまうと、社会のために貢献できるのでしょうか。わたし自身は、日本人ではないとはいえ日本語人です。何回も古典の「言の葉」の力によって救われたことがあるので、古典文学はわたしの職業ではなく「命の支え」だと思っています。経験者だから、言っていることに自信を持っています。しかし一方、古典教育の具体的な形式と中身には大きな問題があると思います。大学では日本文学を教えているんですが、日本文学科ではありません。さまざまな分野で勉強している学生たちに日本文学の魅力を一生懸命に訴え続けてきたのです。そして、もちろんのこと、現代人にとってのその意味についても論じなければなりません。学生たちと一緒にね。ほとんどの学生は、受験勉強が古典への関心を高めていないどころか、殺してしまっていると言っています。つまり、古典教育には、この上もないほど大きな意味がありますが、教育の内容や方法、目的などを新しい時代に合わせる必要があるに違いないでしょう。

丹野（司会）：すいません、時間が限られておりますので、ほかの先生にもお話をうかがっていきたいので。

ツベタナ：ということを、どうしても言いたかったです。髙村さん、個人的に議論の続きをしましょう！

髙村：ぜひお願いします。ありがとうございます。失礼します。

丹野（司会）：ありがとうございます。普段の会話からこういった話を皆さまでしていただけるようになってほしいと思ってこのシンポジウムを企画したので、いろんな場所で、いろんな先生方と、いろんな方々でお話していただきたいなと思っております。次の質問、ほかの先生でこれについてさっきの話題について意見ある方っていらっしゃいますか。何か意見があれば。大丈夫ですか。

（3）大学入試の問題点

丹野（司会）：次の質問にいきます。先に、当てる方の属性を指定してお聞きしたいと思います。先ほど授業に関していろいろな批判がありました。あくまで授業を受ける側の視点から見るとそういうことになるので、一面的になってしまうと思ったので、逆に高校で古典を教えている方に現状がどうなっているのかということや、もうちょっとこうしたいんだけど、どうしてもこれが困っているからそうなっちゃってるとか、高校で古典を教えている先生から、意見または質問ある先生があればお願いしたいです。どなたかいらっしゃいますでしょうか。では、河相徹さんお願いします。

河相徹：ありがとうございます。中学校・高校で教員をしております、河相と申します。意見というか、まさに国語教育に問題があるということで、ちょっとお聞きしたいんです。入試に問題を絞ったとき、具体的にどのような問題があるとお考えになっているのかを、特にやはり肯定派の先生方におうかがいしたいと思います。

特に、渡部先生が最初のほうの議論で、確か高校生からの質問への返答で、入試のことを挙げていらっしゃったと思うんですが、途中で音が切れてしまって渡部先生の趣旨がちょっとわからなかったので、その辺も含めてぜひ現状の入試に対する具体的な問題点をどのようにお考えになっているのかお聞きできればと思っています。

司会：ありがとうございます。では、渡部先生よろしいでしょうか。

渡部：ありがとうございます。まさしくそれを少し話したかったところなので、簡単に述べます。

物事を理解するというのは、置き換えていく、Aという次元のものBという次元に置き換えていくことによって、主体をくぐらせて理解が深まり、他者との関係性も深まるというものだと思っています。だから古典を訳していくことは、非常に大事なことだとわたしは思っているんです。なのでそれを文法できちっと品詞分解しながら、単なる言葉の置き換えをしていくような訳であったり、知識だけ問うものであったりすると、興味も湧かなくなってくると思います。それから、やはり古典の文はレベルが高いですから、面白さにたどり着くまであまりにも遠く、嫌になってしまうところもあると思います。こういったことを含め、もう少し古典は基礎科目だということを理解して、もう少し物事の応用が利くような形で理解を深めるようにしていければと思います。たとえば、この解釈はいろいろな幅があったり、つながりが生まれていくんだということがわかるような、あるいはそのことを問うような問題にしていきたい、するべきだというふうに、わたしは考えています。以上です。

丹野（司会）：ありがとうございます。よろしいでしょうか。

河相：はい。ぜひほかの先生方のご意見もいただきたいです。

丹野（司会）：そうですね。先生方、ご意見ある方いらっしゃいますでしょうか。

福田：わたしは必ずこの手の質問が中学校・高校の先生から出るだろうと思って楽しみにしてきました。大学教員と中高の教員との大きな考え方の違いは、中高の先生からすると大学入試の古典というのは出口なのかもしれない、ということです。ところが我々大学教員からすると、それは入り口なんです。

たとえば入試において、学生たちがとてもまじめに、嫌でもこのことをやったということが測れるというような考え方が一つあるし、もう一つ、勉強する過程において、多少嫌なことがあったとしても、何とかその世界を理解しようとしているというようなことが測れるという問題があったりする。

なので好き嫌いだけでやっているものだけで人を選抜するのではないことを考えていくという意味で、古典というのは入試にあっていいと思うんですが、そこまで考えずに、よりレベルの高い大学に行きたいときに、自分にとって古典というハードルがなければもう一ランク上の大学にいけるかもしれないというようなことを考えてしまえば、高校現場において古典というのはどこまで必要なんだという話になってくるわけです。

教科書の問題も、否定派の方がおっしゃっておられたけど、確かに教科書に載った作品が名作なのか。しかし入試問題に出てきた作品が名作になってくるので、いま古典の名作は教科書や入試問題でつくられているという、我々が本来望んでいる入り口としての古典が、違う形になっているというのは事実なので、そこのところは考えないといけない。わたしは高校で古典を教えるべきだというのはあるんだけど、それが現状の古典教育、現状の入試をそのままを肯定してるわけではないということだけ伝えたいです。

ツベタナ：一言でいいですか。どうしても付け加えたいことがあります。実用性のみを強調すると、古典には実用性がないと批判されることには、無理はないかも知れません。ただ、こうした批判の裏にはもっと大きな問題が見えてくると思います。そもそも「実用性」は教育の最大の目的ですか。「実用性」にはいろんなレベルもありますし……。どんな人を育てたいか、今日の日本、明日の日本のために。古典教育の問題を通して、こうした前提を明確にしなければならないでしょう。それは、教育の内容とも、入試とも密接につながってくると思います。先ほど渡部先生が解釈力に着目したのですが、それはキーワードの一つですね。だって、文法的にさえ「正しい答え」が存在しない場合は多いです。「解釈する」という形に試験を変えていくと、おそらく古典教育の内容も変わるのではないかと期待したいと思います。そして、テクスト解釈から社会などの問題解釈へ、と解釈力アップという「実用的な」結果すら期待できるでしょう。以上です。

丹野（司会）：ありがとうございます。そろそろ時間が迫ってまいりましたので、残り一人とさせていただきます。肯定派の方には意見は聞いてきたので、否定派の方にも意見や質問がありませんでしょうか。

（4）未来を生きるための「無用の用」

蓮井洋城：蓮井と申します、こんにちは。

丹野（司会）：蓮井さんの質問で最後とさせていただきます。

蓮井：先ほどのツベタナ先生の話を受けてチャットに「無用の用」っていうキーワードを書かせていただいたんですが、見えていますでしょうか。老子はご存じですよね。

ツベタナ：もちろんです。さっきもちらっと触れたんですけど……。

蓮井：ツベタナ先生のいまの話はおそらく漢文、老子の「無用の用」の考え方に近いんじゃないかと受け止めながら、この話を聞いてたんですが、肯定派の方から老子の話を出してるのを見たことがなくて、思い当たることがあれば教えていただけたらなと思います。

ツベタナ：ありがとうございます。ご質問をうれしく思っています。老子の思想は、古典教育の必要性をめぐる議論だけでなく、古典文学の理解の問題とも密接につながっていると思っているからです。簡単にまとめてみますと、「無用の用」もそうですが、「YES」と「NO」の間、「中間領域」を重視するその思想は、古代日本人の自然観や世界観、存在論に大きなインパクトを与えていたと言えます。そして、理由について省略しますが、その受容と再解釈のメディアになったのは、和歌と和歌を基にした古典文学です。老子の「あいまいさの哲学」は古代日本の「あいまいさの詩学（歌学）」として生まれ変わったわけです。だから、わたし自身は、研究においても、授業においても、老子を取り上げています。長谷川さんが紹介してくださった『心づくしの日本語』という本も、例の一つです。ところで、面白いことに、「あいまいさ」の思想はさらに、アインシュタインの相対性理論や量子力学など、二十世紀の物理学の革命的な転換とも響き合っていますね。非常に重要なことです。ごく簡単に説明してみますと、フィジクス（physics、物理学）とメタフィジクス（metaphysics、形而上学）という二つの用語からもわかるように、わたしたちの思考、革新的な思想から一般的な考え方までは、宇宙や自然界に関する物理学の見解に基づいています。「あいまいさ」に重点を合わせた二十世紀の物理学を基にして、わたしたちの考え方もいずれ変わるだろうと想像できます。その結果、老子の思想や古代日本文学も、重要視され、身近なものとなるでしょう。こうした視点から、古典教育は、現代人にとって必要であるだけでなく、将来への「投資」にもなると言えます。蓮井さん、ありがたい質問でしたね。大事なことを見逃すところでした。

蓮井：わたしがもしここで質問させていただくならば、肯定派の方々がなぜこの引用をあまりされないのかについてお聞かせいただけたらありがたいです。

ツベタナ：なるほど。言いたいことを言えるきっかけになったので、うれしかったです。ほかの先生たちはいかがでしょうか。

福田：古典の魅力とか、このテーマにおいて古典をお話しする内容はたくさんあって、その中で老荘思想というのはメインになっていません。日本には道教というものが入りながら、定着していないという問題があります。しかしながらこの無用の用、わたしが最近出した本では（『伊予俳人　栗田樗堂全集』和泉書院、2020）、栗田樗堂（くりたちょどう）は「無用の樗」というのを自分の俳号にしてるんです。かなり有能な町人です。それでありながら、一方で自分を無用ものとして例えるとか、そういう二面性を持つことによって現実生活を生きてきたという例はたくさんあります。今回議題にはあがらなかったですが、一度そのテーマで、文学は無用のものとして未来にも生きる人間たちにとって有用だというところで、ぜひまた高校生たちにシンポジウムを企画していただければ。

丹野（司会）：ありがとうございます（笑）。渡部先生、何かありますか。

渡部：一つだけよろしいですか。老荘の考え方というのは、本当に日本にとって大きな影響を与えたわけなんですけれども、たとえば『徒然草』などは非常に深く老荘を理解して、そしてそれを生かしています。

目の前の実用的なこと、あるいは結果を予想して計画を立てたり、そんなようなことが、かえって足をすくう結果になるんだよ、ということをいろんな角度から言っています。そういったように中国の考え方を生かして、これを大和魂と言ったりするわけですけど。現実の知恵として生かす、そういうところが日本の古典にもあるということを、むしろ漢文の指摘が大変大事なことであると同時に、それを生かしてきた日本の歴史もぜひ強調したいというふうに思っております。ありがとうございました。

丹野（司会）：ありがとうございます。こちらで質疑応答をご終了させていただきます。何か質問や意見などある方はたくさんいらっしゃると思います。そちらは事後アンケートの自由記述のところで答えられるので、存分につづっていただいたり、先生方にも質問とか、そういったこともお目通しして、できれば答えお答えいただけるように調整いたします。では、こちらから司会が変わります。

内田（司会）：最後に肯定派、否定派の先生方からお一人ずつコメントをいただきたいと思います。まずツベタナ先生、よろしくお願いいたします。

ツベタナ：ありがとうございます。このようなシンポジウムが開催されたこと自体に大きな意味があると思います。本当に素晴らしいことです。考えてみたら否定派からも、肯定派からも、さまざまな意見が出されて、勉強になりました。古典教育の条件の一つは、参加することである、という前提が証明されたような気がしています。わたしは最初に、ラベールを付けないでくださいとお願いした理由は、みんなが揺れているからなんですね。とにかく、古典教育の問題が明らかになったことは、一番大事なのではないかと思います。最も大きな成果ですね。一方、教育の問題を確認したものの、解決方法についてはは意見がばらばらです。それにしても、問題があるので、古典教育を廃止するという方法は、最も無力で、無意味なのではないかと思います。効率ばかりを考える世の中になってしまったら、怖いです。ところで、芥川龍之介の『河童』をご存じでしょうか。およそ百年前に書かれた作品ですが、とてもオススメです。効率優先の河童の社会においては、失業者はいない。しかも問題解決はとてもユニークです。失業者を缶詰にして食べてしまうのです。きれいさっぱりで、失業者のない社会をつくるんですね…。古典教育をこのまま削除することは、同じような解決方法になるのではないでしょうか。いかにしてベターにするか、古典教育改善について考えるチャンスを与えていただいて、肯定派・否定派ともによく頑張ったと思います。特に学生たちは素晴らしかったです。こんな学生たちがいる限り、日本の古典は大丈夫だと思いました。ありがとうございます。

内田（司会）：ありがとうございます。前田先生、よろしくお願いします。

前田：まず高校生の皆さん、本当に自分たちでこれだけの企画をやったことに敬意を表したいと思います。お疲れさまでした。やはり議論はすれ違っていた面があると思ってまして、価値観の違いというのと、それから議論というのも混同してはいけないと思うんです。わたしはＡがいいと思います、わたしはＢがいいと思います、これは並列ではどちらが勝ちでもないんです。そうではなく、厳密に言葉を定義をした上で、どちらがロジックとして正しいのかということを言わないと、本当は通用しません。それは皆さんよくわかっていると思うんですけれども、若干不満に思ったところでもあります。ということで、いろいろありますけど、高校生の皆さんがこれだけのことができたということに感謝です。最大限の敬意を表したいと思います。お疲れさまでした。以上です。

3. 閉会のあいさつ

(1) 古典の現在(いま)に向き合う――「古典は本当に必要なのか」の衝撃から

長谷川：本日は長時間のシンポジウムにお付き合いくださりありがとうございました。このシンポジウムを企画しました長谷川と申します。

わたしは中学のころから古典が大好きでした。そんなわたしにとって、昨年のシンポジウム「古典は本当に必要なのか」において肯定派が否定派に糾弾されている姿は、衝撃的でした。古典は求められていないのか、役に立たないのか、わたしがやりたいと思っていた古典の研究には何の意味があるのかと、古典教育をこんなに堂々と否定してくる人がいると知り危機を感じました。

危機を感じた理由はそれだけではありません。否定派の主張は現場の高校生の気持ちと、かなり重なっているのです。周囲の友達を見る限り、高校生は古典が結構嫌いです。しかし明星大学のシンポジウムでは、肯定派は否定派を説得すればよいと考えていらっしゃるように見えました。肯定派は高校生の古典嫌いに気づいていないか、気づいていてもそこまで重視していないのではないか、高校生の声を伝えなければならないと思いました。

そのために高校生にアンケートをとりました。案の定、古典を嫌いな人は半数以上、必修科目でなくてよいという人は7割以上、記述の回答では役に立つかわからない、やる意味がわからないという意見が非常に多いのです。この現状をちゃんと受け止めてほしいです。

肯定派の方々、高校の先生方、いまのままの古典の授業を続けていては駄目なんです。肯定派が否定派を説得できても、高校生に受け入れられなければ意味がありません。どうか古典の授業をもっと楽しく意義のあるものにしてください。

また、昨年わたしは六つの大学のオープンキャンパスに行き、国文学科や日本文学科を見てまわりました。そこで学生さんたちに次のように聞きました。

「古典は本当に必要なのかと問われている、この状況をどう思うか」。

古典が好きで大学で学んでいる最中の若い学生さんたちが、どう思っているのか気になったのです。熱心に答えてくださる学生さんも数人いました。しかし多くの場合、答えは次のようなものでした。

「古典が好きかどうかは人それぞれだから、あなたが古典を好きなら周りは気にしないで古典をやればいい」。

この答えはショックでした。否定派を無視できなくなっているのが現状です。それなのに国文学科の学生さんたちは、ただ好きな古典を読んでいるだけなのでしょうか。これでは古典は、否定派が言う通りのマニアックで閉ざされた世界です。どうかもっと学びの深い国文学科になってください。

古典という学問は相当衰退していると思います。わたしが大学で学ぶころには、国文学科や日本文学科がなくなっているのではないかという不安すら感じます。あるとしても、そんな環境で学びたくないです。

高校生の声を伝えて肯定派の目を開きたい。また高校生という新たな視点によって否定派の心を開きたい。これは高校生にしかできないことです。だから３月に予定していたシンポジウムが延期されて、いまは受験生になってしまいましたが、このような形で開催することにしました。

この思いを受け止めてくださったパネリストの先生方、仲島先生をはじめとするICU高校の先生方、一緒に準備してくれたこてほんプロジェクトのメンバー、そして今日ここで議論を深めてくださったフロアの皆さまに心より感謝申し上げます。

今日お伝えした高校生の声を忘れないでください。

明星大学のこてほんを受け継いだこのシンポジウムが、さらなる議論へとつながることを願っています。以上です。

（2）よりよい古典教育へ――生徒からのバトンパス

仲島（運営）：本日は最後までお付き合いくださって本当にありがとうございました。昨年来のこの「こてほん」の議論にはわたし自身も関心を持っていまして、書籍を読んだ上で、一人の現場の高校教員として、また日本語学を学んだものとしても、もどかしさを感じていたりしたんですが、そうした中で生徒たちが自分たちでシンポジウムを開きたいと言ってきたときには正直驚きました。

しかもそれを外部に開いて発信していきたいというのです。彼らの書いてきた企画書を読んでこの情熱は何とか形にしなければならないと思いました。わたし自身は教育を受ける立場である生徒が、カリキュラムの設計をできるとは必ずしも思っていません。しかし彼らなりに当事者として古典教育の意義を考え、前回のシンポジウムですれ違っていた議論をかみ合わせる試みをするということは、とても大きな意味があると思いました。

企画した生徒たち、特に中心となった現3年生は、入試制度改革に翻弄され、現在も新型コロナウイルス感染拡大に伴う混乱の渦中に置かれています。

このシンポジウム自体が3月に企画していたものが一斉休校で流れて、本日の開催となったものです。その中で実現に向けて奔走してきた彼らの行動力には、我が教え子ながら敬意を抱かずにはおれません。

そして彼らの理想を実現するために尽力してくださったパネリストの先生方、アンケートに協力してくださった学校の先生方や生徒の皆さん、また企画に関心を持ち参加してくださったたくさんの方々、皆さんのお力がなくてはこのシンポジウムは成り立ちませんでした。お一人おひとりに心からの感謝を申し上げたいと思います。本当にありがとうございました。

昨年、大学の先生方が始めた議論を受けて、今日は高校生が発言しました。次は我々高校教員の番ではないかと思います。はからずも、高校の授業に問題があるということが、今回形成された合意ということになってしまいました（笑）。今後よりよい古典教育、国語教育、学校教育、そしてひいてはどんな未来の個人や社会をつくっていくかということを、そのことを考えるための議論の場がこれからも続いていくことを願っています。どうもありがとうございました。

第3部

アンケート集計

〔凡例〕

・シンポジウム終了後、グーグルフォームで募ったアンケートをまとめたものである。

・重複を除き回答数は128名である。うちICU高校の生徒は44名である。

問1. シンポジウム終了後、現時点で、あなたは「古典を高校で学習する」ことについて肯定派ですか？　否定派ですか？

肯定派＝101　否定派＝17　どちらともいえない＝10

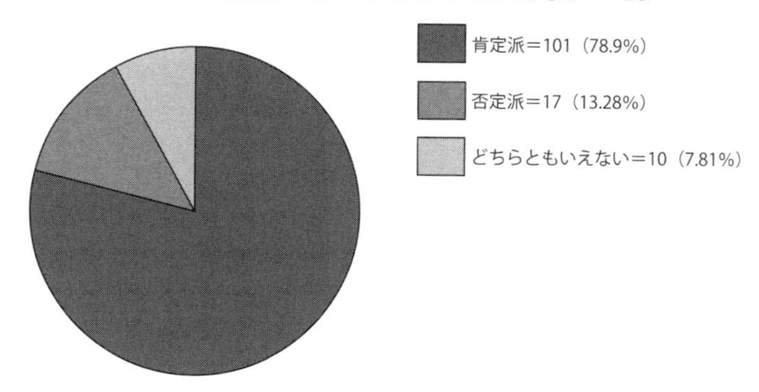

問2. シンポジウムに参加する前と、後で意見は変化しましたか？

変化していない＝95　変化した＝33

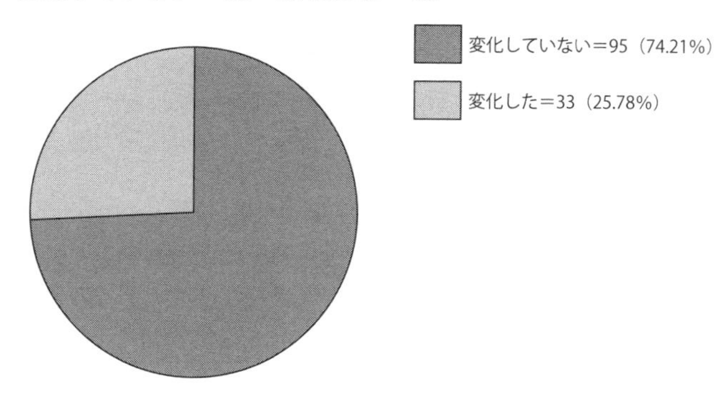

問2-a. 問2の回答理由を教えてください。上記のように答えた理由を教えてください。

【肯定派で「変化した」と答えた人の理由】

- 自分の主観で苦手意識から否定だったが、古典の意味を考えた場合今日ディベートを聞き古典の必要性を感じた。

- ツベタナ先生がおっしゃっていたことにものすごく納得させられたから。
- 肯定否定が変化したわけではないのですが、自分の中で「必要」とは何か考えた時に意見が変化しました。
- 自分が古典についての知識があまりないことがよくわかった。それは、文法とかそういうこと以外にも、教科書に載っていない古典の世界や、古典を取り巻く日本の教育事情について全然知らなかったことに気づいた。議論を見ての自分の意見は二択の中では変わらなかったが、もっと深く学んでから自分で古典やほかの教科についても教育の在り方に意見を言えるようになりたいと思った。
- 自分が浅いところで古典を嫌いに感じていたと思わさせられたから。
- 最近授業で習う古典文法が難しくて、覚えることが多くて「古典なんてなくなってしまえ！」と思っていました。今でも「助動詞の活用や単語をそこまで勉強する必要はあるか？」という気持ちは変わらないとは思いますが（笑）古典を学ぶ意義というものは少しわかった気がします。この気持ちをこれからも大切にしていきたいです。
- 私は国語の授業の一環として古典を学ぶことになんの疑問も持たずに学び、今回この問いを見て『よくよく考えたらいらないかも』と思っていたのですが、『日本人としてのアイデンティティーだ』という主張で意見が変わりました。
- シンポジウムの前はどちらでもなかったけれど、討論の結果、否定派に傾きました。けれど、最後のまとめの話から先生方や ICU 生、またチャットからは zoom 参加者の、古典に対する愛をひしひしと感じて、やっぱり古典はなくしたくないなと思いました。
- 受験に向いている、コスパが良い、一方で古典ならではの差別的な表現がある、など新しい考えに触れることができた。
- 古典を高校生に教えたいという強い気持ちがあります。「では、これから、どんな古典を？」ということをこれから考えるために、このシンポジウムの熱気を思い出すことが、大いに力になっていくと思います。「変化した」というより「変化する」と思います。
- 肯定派であることは変わっていないが、否定派の意見を聞くことで肯定する理由がよりはっきり、強くなった。
- 古典学習の必要性については近藤氏の「ピラミッドを役に立たないから潰してホテルを建てるようなものだ」の言葉のように論をまたないと考えているが、「現状の高校古典教育に問題がある」という指摘、ほかの学習内容との優先順位のあり方、その具体的な改善の方向性については、さらに議論の余地があると考えているため。
- 討論を通して、高校教育における古典を語る際に、問題が混在していると感じたのが理由である。最後にある程度の合意が形成されたように、「授業のあり方」の問題を確立させて考える必要があるだろう。古典文学の存在価値と、それを素材として授業を行う場合の方法・学びによって引き出される気づき・学びの過程で育まれる力を、もっと段階的に考えるべきだと考えさせられた。
- 否定よりだったが、肯定派の実際古典を使う場面に提示によって、古典の有用性がわかってきたから。
- 主張は変わらないが、多様な見解を聞いて、視野の拡張につながったから。
- 肯定派ではあったが、肯定する理由や肯定するための前提条件が明確になったから。
- 否定派と肯定派、学生と教員というさまざまな立場の人の意見それぞれに説得力があり、自分ひとりだけで作られていた考えを改めることができたからです。
- 肯定派という立場は変わらないが前回にはなかった新たな視点を提示されたことで古典の扱い方、授業について考えていく必要があると再確認できたから。
- 肯定派・否定派の意見を俯瞰したことで、議題に対する各々の考えを多角的に把握することができた。
- 高校生の方々がご自身で企画された点、本当に素晴らしく頼もしく感じました。まず今の高校生がここまで考え企画した情熱に、古典についての向き合い方が変わりました。

  また否定派の先生方やディベートの否定側に回った生徒の意見を聞き、「古典好き」の私にとって意外な意見も多くありました。

  今日のシンポジウムの内容だと「古典」よりも古典教育のあり方になるかと思います。両者は一緒くたにされがちですが、また別問題だと思いますし、その点について問い直した方がいいのではとは思いました。

【否定派で「変化した」と答えた人の理由】

- 否定派の鋭い意見によって見方が変わったから。
- やはり主に差別の助長です。
- 否定側の主張の方が説得性があると思ったから。
- シンポジウムの最後に、肯定派のパネリストの先生から「実用性のみを考えると古典は負けてしまう」という言葉があった。これは、否定派から挙げられていた「効率的でない」「ほかに学ぶべきものがある」という主張を覆すだけの反論が不可能であったことを意味していると思われる。私自身も日本文学科の学生として、原文での古典学習は必要だと言いたい気持ちが非常に強いのであるが、やはり３年間という限りある時間を考えた時、「学ぶべきもの」と「学んだ方がいいもの」は明確に区別すべきであると感じた。
- 古典はときには時代錯誤な価値観をもたらすという意見に納得したから。

【どちらともいえないで「変化した」と答えた人の理由】

- 高校の授業で、古典があるのは当たり前だと思っていたが、現代語訳があれば十分、将来役に立つことは少ないというような、必要ではないという考え方もあることに驚き、一部納得できるところがあったから。
- 古典に苦手意識はあるけれど好きだったため今回のシンポジウムに参加した。最初は肯定派だったけれど、否定派の意見も聞いてこういう考えもできるのだなと学んだため、どちらでもないという立場になった。どちらの意見にも共感できた。
- 参加する前は古典を学ぶ必要性がわからなかったけど、シンポジウムを通じて肯定派の意見に納得する部分があったから。
- 個人的な意見としては、やはり原文を読まずとも現代語訳だけで事足りるような気がします。しかし、さまざまな方の肯定派の意見、そして生徒の古典学習についての切実な想いに、『時間の無駄だから』と一概に切り捨ててはいけないのだと強く思いました。
- どちらかと問われると意見は変わっていませんが、「古典」という教科に対する考え方は変わったから。
- 多様な気づきがありました。

【肯定派で「変化していない」と答えた人の理由】

- 肯定派か否定派かという二択で考えた場合には意見は変化していない。しかしそれぞれの意見を聞いて古典への考え方は変わったと思う。自分の知らない考え方に多く触れ、どちらが正しい、正しくないではなく、幅が広がったような気がする。抽象的ではあるが、そんな感じ。
- ディベートの中にも出てきていた、古典の中にある差別的な発言は授業で扱うべきではないと言う意見に対しての、肯定派の反論がとても納得できたから。
- 否定派の意見も確かに、と思うものはすごくたくさんあったのですが、やはり必要か必要でないかと聞かれたら必要だな、と感じる。
- ディベートとしての説得力は否定側のほうがありましたが、結局シンポジウム全体や自分の考えを含めると肯定派です。
- もちろん双方の意見に揺れましたが、やはり古典は日本人として誇るべき文化であるし、古文読解では論理的思考力などが養われるため、古典は高校で学ぶ意義があると私は結論付けました。
- 否定派の意見に気づかされたこともあったが、肯定派の意見に共感したから。
- たくさんの文章に触れることで広がるものは絶対にあると思うから。「直接役に立たない」という観点だけで見てしまえば、ほとんどの学問はそうなってしまうと思う。過去のことを学ぶことはこれからを変えるためのことだと思うから、差別的なものについても同じことを繰り返さないために排除しないべきだと思う。知らなければ変えることも創ることもできないのでは、と思うと過去を知ることは絶対に必要だと感じる。
- 否定派に傾きそうになったけれど、肯定派の主張に共感することの方が多かったため。
- 否定派の生徒パネリストの主張には矛盾点や蛇足が少なく、肯定派の意見よりしっかりしているように見えました。そこで少し意見は揺らぎましたが、最終的には文化的アイデンティティーを保つことが重要で、そのために古典は必要だという結論に至りました。最初はただ楽しいから、好きだから、という理由だったので肯定する理由は変化しました。
- ツベタナ先生が、古典を効率だけで考えてはいけないとおっしゃっていて、この言葉がとても心に残ったから。
- （ゲストより）否定派の根拠となるデータが曖昧であったから。（討論より）質疑応答？の際、肯定派の回答に対して否定派の解釈が極端であったから。自分で情報にアクセスする力が必要だと思ったから。
- ツベタナ先生のそもそも古典を学ぶことに疑いの目を向ける理由がわからない、といった言葉が心に響いた。やはり自国の文化は知っていて当然であると思うし、歴史のあるものはそれだけで学ぶべき価値があると思う。また、海外でも枕草子が英訳されていたりと日本の古典文学の国際的地位は高いと思う。そうしたものを自分のアイデンティティーとすることによる心の支え的な効果をねらえることであったり、生徒が一律に原点に触れ、原典と現代語訳の比較による価値観の違いであったり、古今で変わることのない普遍的な感情をはだで感じることができる、といった強みが古典の授業にはあると思う。一律に学ぶことに関しては、選択制にすればいいといった声もあったが、実際に勉強してみないとわからないこともあるので、猿倉さんのおっしゃった方法では少しもったいない判断を下してしまうことにもつながるのではないかと思った。
- 賛成派の先生方のお話、そしてディベートを聞いて、より自分の意見に自信が持てたし、共感する部分が多かったから。
- 教養は身につけて損するものではないから。
- 否定派の意見に揺らぐほどのものではなかったからです。
- 古典からも学べる人を育てる必要性を感じているから。
- 古典がどのように享受・継承されてきたかに注目することで学びうるものがあり、それは古典だからこそ可能なことであると、個人的には考えております。今回のシンポジウムにおける否定派の方々のご意見をお聞きした限りでは、ひとまずその考えが変わることはありませんでした。
- 高校生は否定派を含め、みな古典を学びたい（けれども授業には不満）ように見えた。

- 私自身が古典を学んだことで人生が変わり、現在、中世文学を講じているから。
- 否定派の立論の致命的な欠陥が解消されていないと感じているからです。
- 古典の要不要を訴えているわけではないように聴こえたから。
- ツベタナ先生のお話、最後の生徒さんの訴えに感動したので。
- 人の暮らしには歴史があり、古典を通じてしか知り得ない情報が歴史を支えているから。
- 否定派の主張の根拠の中にも肯定派の主張の根拠の中にも、特に新しい考えが見当たらなかったため。
- 否定派の意見も聞いて、こういう意見もあるのかと知りました。ですが、古典を学ぶことによってその当時の人々の心情や歴史背景などさまざまな事が学べ、現代人としてみたら独特な言い回しがあり、表現力や発想力が広がると思います。
- 肯定派先生方の意見、「古典からしか学べないことがある（当時の記録を原文で読み、その時代に生きる人々に近づくことができる）」、「自国の文化を学ぶことはアイデンティティーの形成につながる」、「日本語・日本文化とは特に参加型の科目（分野）である」という意見に賛同いたします。また、生徒のディベートでの最終弁論「古典を学び、現代を相対化することで、視野の広がりが見込め、考え方を育てることができる」という点にも納得いたしました。否定派の先生方のおっしゃる「人文は社会的ニーズが少ない」というのは個人の価値観であり、そうは言い切れないと少し不満に思ったこともあります。
- ディベートのテーマにはそぐわないと思います。
- この物事に対する新たな視点は多く得たものの、結論（高校で古典を学ぶことについての肯定）は変わっていないため。
- 否定派の議論の欠陥が非常に多く、むしろより一層肯定したくなった。
- 意見の変化が起こるほど深い議論が行われていたとは思えない。
- 原文で読めるべきか否か、がやはり大きな焦点だと思う。特に生徒さんたちのディベートを通じて、我が国の言語資料に自力でアクセスする手段は、能力の許す可能な限り多くの国民が持つべきだと思う。後期中等教育の段階で門戸を狭めてしまうのは危険である。否定派はノーベル文学賞の例を挙げたが、「訳で価値が保存されるか」という問題において問うべきは、そもそもノーベル文学賞は諸作品を正しく評価できているのか、ということである。ノーベル文学賞に英語以外の作品が選ばれていることを根拠にするのは、「訳でも価値が保存される」ことを前提に「訳でも価値が保存される」ことを述べていることにならないだろうか。
- 私は、古典を学ぶ意義の一つとして、日本人としてのアイデンティティーを学ぶだけではなく、古典学習を通して自分自身のアイデンティティーや考え方を知る、捉えるということだと考えています。否定派のパネリストの皆さんの意見の中には、社会的ニーズがないこと役に立たない事や効率が良くないことなどが挙げられていました。しかし、キャリアの中で使う場面がないとしても自分自身の考え方を知っている、日本という国の文化や考え方、また現在の考え方に行き着いた過程を知っているのは大事なことだと考えます。今回の否定派の皆さんの意見で考えさせられる部分はたくさんありましたが、否定派に意見が変わるところまではいきませんでした。

- さまざまな方の意見を聞くことで、改めて古典を学ぶ大切さを知ることができたから。
- 古典の意義について、改めて考えさせられました。確信が持てました。
- 否定派の議論に納得できなかったから。
- 否定派の主張は特に目新しいものはなく、すでに検討されているものであるから。
- 結果的に変化していませんが、シンポジウムをうかがい、古典を学習することのメリットとデメリットを踏まえた上で、やはり古典は学習するべきだとの結論に至りました。
- 否定派の意見は頷けるものもあったが極端なものが多く、肯定派の意見がより客観的で同意できるものであったため。
- 古典を学ぶことには意義があると考えていたのが強化されたので。
- （参加前参加後変わらず賛成派）もともとぼんやりと思っていた意見が賛成派の意見を聞き新しい視点でのメリットも知ることによって強化されました。高校生の方の否定派の意見を聞いていると、合意形成で至ったように、なくさなくても授業内容を変えればいいのかな、という印象を受けました。しかし、思ってもみない否定派の視点もあり考えさせられました。高校生の方は賛成派反対派同じ人数でしたが、否定派の先生の数や意見が多ければまた違った結論になっていたかもしれません。
- 否定派の論理に説得されなかったので。
- これがディベートという討論形式であることで、両者の違いを際立たせる効果があり、両方共に生徒さんたちはよく頑張っていて、感嘆しました。私は古典を学ぶことは、現在が、なぜこうなっているのかを知ることでもあると考えてきました。古典の表現や内容に、なぜと問いかけることで、懐疑の視点を学ぶことでもあると考えてきました。それは変わりませんでしたので。
- 社会にでる前の 3 年間（4 年間）に国語の古典について学ぶ時間・機会が大切だから。
- 興味を持つ分野が増えることにもつながると思うため。
- 否定派の論拠が弱い部分があった。特に、差別に関する否定派の意見は疑問。歴史的に差別があった事実は知識として知っておくべき問題だと思う。特に人種以外の問題（人種差別については現在も残っているものがあり、歴史的に地続きであるので想像しやすい）、職業差別に関しては、今はない（見えなくなっている）

ものもあり、古典などで歴史的に学ぶことは必要だろうと思う。

- 肯定しているので国語教育に携わっております。
- 古典は差別を受け入れるものというような考えを高校生が出していたが、教える側が昔の価値観であり今は間違っていると教えることが大切であると私は考えております。また、古典を学ばない社会になれば余裕のない社会となると考えます。アイルランドの話にはなりますが、アイルランドでは英語推奨したために自国のアイデンティティーを失いかけたことがあり、それは古典にも言えることだと思います。
- ツベタナ先生がおっしゃるように自国の文化を学ぶ、学ばないというそもそもこの議論があがることがおかしいと思った。世界から見た日本古典のお話を聞き、価値のあるこの教科の大切さを再確認した。最後の発起者の生徒さんの言葉に胸を打たれた。
- 国語科教育の中に古典教育は外せないという根っこの部分は変わらない。
- 古典学習の意義や有用性についての理解を深めた。
- 高校で学ばない理由としての否定派の主張は、傾くような内容とは思わなかったためです。
- 否定派の結論の出し方は推論が短絡的であり、肯定派である自分の考えを覆すものではなかったため。

細かいことから言うと、義務教育と高校教育の違いは何か、普通高校も実業高校と同じなのか、「必要性」とは何か、「将来役立つ」とはなにか、「役立つもののみ学ぶ」なんてことができるのか、ネガティブなものを見せない教育がよいのか、など、奥にあるさまざまな問題への考察をすべてすっ飛ばして論じている。つまり、浅薄な結論の導き方なのに、自分たちでは「論理的だ」と思ってしまっているように思われる。浅いレベルでの「論理的」で満足なのかな、と見えてしまうが、否定派の方が割り切っているだけにはっきりとした意見が言いやすいのだろう。（猿倉先生が、「自分の周りはそうだ」というのをかなり重要なよりどころにしているのは、論理性を主張していながら結局「経験則」なんだ、とちょっと驚いたが。）

その奥にある必要な考察は、それぞれ大きなことなので、肯定派はそのあたりを感覚的に述べており、否定派にあまり通じていないように思われた。そもそも、論点整理と奥にある価値観を次元ごとに切り分け、それぞれに対する考察を否定派に求める必要があるが、肯定派が短いディベートの中ですることはとても大変な作業となる。

この問題については、ある意味さまざまな問題を短絡的に割り切って結論を出している否定派の方が、さまざまな価値観の違いを整理して伝えながら指摘していく必要のある肯定派よりもディベートとして相手に攻め入ることはやりやすいのだろうな、と思った。

合意形成には、この問題の奥にある幾つかの次元の価値観の差違について議論する必要があるのだろう。挙げきれないが大きなものとしては「言語観」「教育観」などがそれだと思う。

現代は古典語を使うことはない、という否定派の考えは、現代語の中にさまざまな古典の言語が生きていることや漢字文化について何も知らなくてよい、というスタンスなのだが、おそらく肯定派とはその言語観自体が違うだろう。また、「教育観」についても異なる。否定派の意見は、他者が定めた普遍性の担保されない「有用性」に盲目的に従う生徒を育てるべきだ、という教育観であり、人間に「必要なもの」を、学校教育では予め「無駄」なくセットして用意しておくことができ、それが有効であるという考え方が土台となっているもののように思われる。広い学びの中で、未知なる自分と出会い、さまざまなことを知りながら「○○観」を持てる生徒を育てたい、またそれを自身で脱構築して生涯学び続けていける生徒を育てたいというスタンスとは完全に異なる。否定派の考えは、このように教育観が根底から違うため、私自身が持つ考えとは相容れない。

- 否定派の意見に、自分の考えを覆すものを見いだせなかったから。
- 古典は基礎であると思ったから。
- 自分の考えを大きく変えるまでの議論ではなかった。
- 肯定派の主張内容におおむね納得でき、否定派の主張内容に自分なりの反論が描けたためです。
- もともと肯定派で、やはり今回の肯定派の意見に同意できるものが多かったから。
- 高校で古典に触れることは必要だと考えているから。
- ディベートにおいて否定派の高校生の立論にあった、教育の段階で多様性の排除された内容（教科書）で学ぶことに意義があるか、という点を聞いたときには、否定派の考えに一理あると思いましたが、根本的に古典を学ぶことで現在の立脚点を知ることは重要で、それは教養として高校までに学ぶべきことだと思うからです。
- 古典を学ぶ意義については、否定しきれないと思います。
- 自身の考えがより一層、パネリストの先生方のお話から強固なものになったため。
- そもそも論ですが、価値のないモノなどこの世にはなく、当然教育はあらゆる学問をカバーしていなければならないからです。
- もともとが肯定派。反対派のパネリストもよく頑張ったと思うが、意見は変わらない。

【否定派で「変化していない」と答えた人の理由】

- 古典から自国の文化を知ったり、歴史を学んだりするということは大切だと思うが、わざわざ古典文法まで学んで時間を使わなくても現代語訳を読めば、それらのことを学ぶことができるのではないかと思ったから。古典の言葉自体を学ばなくても内容を知ることで、学べることが多いと思った。また、すべてが社会にいい影響を与えるわけではないのかなと思った。
- 将来一般社会に出た時に使わないから。
- 猿倉先生の話に納得しました。
- 否定派の「差別を助長しかねない」という意見には反対だったが。それ以外は賛同できる意見だったから。
- 古典を勉強しなきゃいけない意味を理解できなかったから。
- むしろ否定的な意見が強まりました。
- やはり自分の意見と似たような意見が多く､古典には必要性が見いだせないから。
- 肯定派の挙げた根拠、事例がかなり主観的で、共感できなかった。
- 高校生になって、古典勉強の初期段階で、一つ一つの単語の活用と文法を暗記するのではなく、古典の文章自体に慣れ、文章のモラルに触れることが合理的な学びかただと思う。そうしなければ授業がとてもつまらない。古典を学ぶことに疑問を持っているのではなく、勉強の方法に納得がいかない。もし今の古典教育の方針が変わらないなら古典を高校で学ぶ必要もないし学びたくもない。
- 肯定派は論点が少しずれているものや、そもそも高校に古典は必要なのかという問いが起こることがおかしいだというような雰囲気、古典はあって当たり前であり素晴らしいものだ感があり、否定派の意見を上から否定しているように感じたから。また、ディベートとして勝ちに行っている感が否めかった。一方、否定派は大体の場面で的を得た質問、主張をしているように感じ、その態度、主張の内容共に大いに納得、共感したから。
- 私は古典肯定派の古典至上主義と原文主義（→専門分野以外の極端な無関心ないし排他的な傾向）を問題視して否定派に回っている。ディベートでも否定派は学ぶべきものの多さ、現行古典教育の学習効率の悪さを主張していたが、肯定派は反駁の際も効率化そのものに反対していた印象があり見解を変えるに至らなかった。また、ナショナリズムやニヒリズムの議論で、肯定派が「差別主義・軍国主義に至らない古典教育は可能」としながら現状ではできていない点を認めており、あまり現実に根差した主張になっていない印象がある。

【どちらでもないで「変化していない」と答えた人の理由】

- どちらも、なるほどと思える意見がでてたから。否定か肯定かを決められなかった。

- 古典教育の中身しだいで肯定・否定が変わることには変わりないから。
- 古典を学習する必要性はあると考えているが、教科書教材の内容には（この教材でいいのか）疑問を持っているから。
- 大学で近世文学を学んでいるものです。私自身、古典を好み日本文学科に進学したということもあり、古典を学ぶことに対しては肯定派です。ですが、塾講師として、大勢の高校生に対して古典を教えるようになって以来、現在の古典教育では意味がない、役に立たないと思われても仕方がないとも思っております。多くの高校生たちは文法と単語の勉強に圧倒され、文章の内容、先人たちから学ぼうという意識は薄いのが現状でしょう。やはり、古典を学ぶ意義という面で考えていくと、過去から学び、知識を我々がどのように自身のものとして一般化していくのか、このことを学ばなければ意味はないし、面白くはないはずです。現代文の勉強にも言えることではありますが、文章を通して、これから我々はどのように類似の問題に立ち向かっていくべきか、改めなければならないのか、「未来」を踏まえた思考を学んでいく、これこそがあるべき、そしてこれから求められる古典学習のあり方であり、学ぶ意義だと考えます。

問 3. 高校で古典を必修科目にするべきだと思いますか？

必修科目にするべきだ＝ 91　選択科目でよい＝ 35　必修科目・選択科目ともになくてよい＝ 2

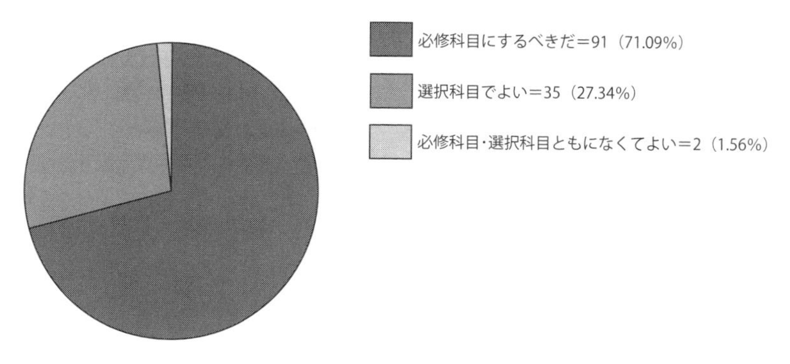

問 3-a. 上記のように答えた理由を教えてください。

【必修科目にするべきだ】の理由

- 必修科目でなければ、興味がない人が、古典を学ぶ機会がまったくなくなってしまうから。今、残っている古典の作品は、素晴らしいものとされており、興味がなくとも、一度触れることに価値はあると思う。選択する時点で興味がなくても、学ぶうちに興味が出てくる可能性もあると思う。

- 非常に難しい問題だと思う。古典の授業を受ける意義はあると思うけど誰に対してでもそうかはわからない。結局はその人の意欲や捉え方に大きく依存していると思う。だからこそ選択科目でもいいのかもしれないが、まったく触れることなく卒業するのももったいないと思うし、古典という日本の大切な文化が廃れていくのもよくないと思う。
- 必修でないと将来古典の仕事につきたいとき出会いがない。大学では遅いと思う。古典は音楽や美術と違い小学校などではやらない。またこれから国際的に日本もなっていく中、日本の文学を知るのは大事。
- やはり、文語を学ぶことによって口語の表現も広がると思うからです。
- 上（問２―編集部注）で述べたのと同じ理由です。ただ授業の内容や体系は変えるべきではないかと思います。
- 否定派だが、現代語訳を読み、古典に触れる授業はあっていいと思うから。
- 中学校での古典はただの暗記、という印象が強く、特にもともと興味のない人はそこで終わってしまうと嫌悪感を残してしまうと思った。また、文法を勉強すること自体がゴールのようになってしまっていて、そもそも「古典を学ぶ」というところには到達していないと思う。
- 古典を学ぶということは文化や思想、理論的思想を学ぶことであり、ただ古典自体を学んでいるわけではない事が理由。また、それ以上に、古典はその人の人生を豊かにするものであると思う。つまり、古典を学ぶことは必要不可欠であると同時に生きることに潤いをもたらしてくれるものだと思う。だからこそ古典は学ぶべきなのではないかと思った。
- 古典によって文化的アイデンティティーを保つことが重要だと思うからです。
- 今自分がしゃべっている言葉の起源を知っていた方が良いし、古典が好きか嫌いかは、基礎を学んでから選べば良いから。初めから「必要がない」といって古典を知る機会を失ってしまうのは片方の考えに偏っていて、古典をやるかやらないかを本人が決めていることにならない。
- 人それぞれに異なるが、古典は表面的な方から見たら主体的に勉強をしたいと思う人は少ないと思うから。
- 海外文学を読むのと同じように感じたからです。英語は現在も使われている言葉で本の世界だけに絞られたようには感じません。一方古典は今は使われていない言葉です。それが必要性を疑う大きなポイントだと思います。けれどもどうして今も読めるのか、残っているのか、それを知ることができるなら私は勉強したいです。そこにはきっと日本という地理的、倫理的、世論的要素が含まれていて、「日本人って何だろう、日本って何」のヒントがあると思うからです。

- 現在の古典教育の良くない部分を排除するために科目自体をなくす必要はなく、生徒には、習う前になぜ古典を学ぶのか、ということを教えたり、高校教員と大学教授が意思疎通をすれば、受験のための暗記中心型の古典にはならないと思う。
- 自身を知ること、自己形成をすることは教育の範疇なため、必要であると思う。しかし、理系の人は古文（文法）は使う機会が少ないと思われるので古典は必要だが、古文は選択で良いと思う。
- 学ばないことは日本人の最低限の文化を知れないのと同義だから。
- 見た目だけで古典を嫌いになりたくないから。ある程度学んだうえでやりたくないと思うならいいけれど、日本人としてやはりある程度の知識は持つべきだと思います！
- 教育というのは将来、なるべく良い大学に入るためではないし、よい仕事についてたくさんお金を稼ぐことでもないと思う。私たちの心を成長させて、豊かにしてくれるものだと思う。そうした意味で古典は人生の幅を広げてくれるし、間違いなく心を豊かにしてくれるものだと思うから。
- 日本で教育をうけることの意義になるのではないか。日本の古典は日本でしか学べない唯一無二のものだから習わないのはもったいない。
- 今の授業体制が変わるなら、私も古典は必修がいいと思う。古典というもの自体は、日本の文化の根本であり、一度は全員学ぶべきだと思うから。ただ、今の、暗記に重点を置く入試のための古典なら、時間が有限な高校生にとってその授業は無駄だと思う。
- 古典の心に一度も触れないのは非常にもったいないことだと強く思ったからです。原文かどうかはあるにせよ、選択科目にしてしまう教科ではないと思います。
- 古典を勉強することでナショナルアイデンティティーに気づく場合が多いと考えるからです。
- 古典を読むことで、文化だけではなく、日本語についても意識的に学ぶことができる機会だと考えているから。
- 問 2-a の回答で述べたことについて、高等学校においても学習すべきことであると考えているからです。
- 3 択なのでそうしました。古文・漢文という枠をはずして必修「国語」の中で教えるのがよい。
- もはや森鷗外や夏目漱石ですら「古典」となりつつある時代。だからこそ、基礎的な教養としての位置付け（英語同様「外国語」としての古典）が必要。古典文法は早い段階できちんと学ばないと、原文を自分で読むことはできない。文法至上主義ではないが、多くの生徒が「外国語」と思っていないから、文法を軽視し、結果、「文法ができない」→「古典、つまらない」→「古典なんていらない」になる。

- 必修科目であった方が、学びの質が維持できると思うからです。しかし日本の古典文学だけ（しかも実質は王朝文学だけ）を必修で教えるのはどうなのだろうとは思っています。10代が高校で学べる古典・教養・芸術の幅は、本当ならばもっと広いものであるべきです。より幅を広げた新しい「古典」が必修科目として高校に残るといいと思いました。
- 誰でも文化資本にアクセスできることがこの国の社会水準を担保しています。これがなくなれば、フランスや帝政ロシアのような分断された社会まであと一歩です。
- 同時代的な関係と歴史的な関係から自分を振り返ることは必要だと思うから。
- 古典を学ぶことで、文化的な素養を身につけるだけでなく、国の歴史観や価値観、自然科学の変遷を学ぶことができる。資料の当たり方、読み解き方といった、学び方、研究の仕方を教材だと感じられ、高校で学ぶことに意義を感じた。
- 現代でも書き言葉と話し言葉は共存している。古典の言い回しも、5・7のリズムも残っているため。また、桜を愛で季節の変化を楽しむ趣は、古典の中からその多くを学べるため。
- 製薬会社で漢方薬の創薬に携わる場合、漢文を読みこなせないと仕事にならないケースもあります。また自国の文化について理解しないままの大人が増えすぎたため、コミュニケーションの捉え方が薄っぺらだと思います。
- 現在も高校1年生の国語総合で必修、高校2年生以降は選択科目となっている。基礎的な内容を高校1年で学習し、それ以上興味がないものは選択しないということでよいと考えているため。大学の入学試験で必要とするかどうかは大学が決めればよいことである。理系の大学でも古文を読むリテラシーを持つことで研究が成り立つこともあるので、一概に理系だから古典の学習が不要ということにはならない。実際、過去の文献を解析して災害や気候、天体現象などの記録を現在の科学に役立てることも行われている。これからは、文理の壁を越えて、さまざまな知の蓄積を生かした研究を一層広げていく必要があるため、一度は古文読解のリテラシーを身に着ける機会を持つことが必要なのではないか。一度機会を得て、それに向いていないと判断した生徒は高校2年生以降選択しないことはあってよい。重要なのは、そのように古文読解のリテラシーを生かした研究分野があることを早い段階で高校生にも知らせた上で選択できるようにすることだと考える。
- 日本の素晴らしい文化を学んでほしいです。
- 高校生までの狭い世界で形成された考え方で科目を選択することは、可能性を狭め、偏った人間を育てることになることになると考えます。自分では気づかない機会に出会うことができると思うので、ひとまずは必修で習った方がいいと思います。
- 学問の基礎だから。多分、古典がいらないのであれば、微分積分もいらないはずです。応用科学の基礎に数学がなるのだとすれば、人文科学の基礎に古典である以上、古典の学習は不可欠です。

- 猿倉先生は、文学についてのことをビジネスの場で聞かれたことがない、とおっしゃっていましたが、理系でかつビジネスの場においてはその通りなのかもしれません。しかし、高校生で理系を選択したからといって理系の専門職につくとは限りませんし、やはり、海外からの日本文化（古典）への興味が強いことは、これからも不変であると思います。なぜなら、着物文化・いわゆる雅な文化は、現代よりも圧倒的に、古典（特に平安時代前後）の中に強く残っているためです。したがって、現代の日本を調べ・見るだけでは不十分であり、現代の日本人に、日本の古典について尋ねることは自然なことです。そのため、古典についてのある一定の知識は、全員が身につけておくべきだと考えています。
- 古典学習は、ほかの教科や市民としてのコモンセンス、学問としての基礎基本、文化的アイデンティティー上共有の知であると考えているので、公教育のプログラムとして必須のものであると考えているから。ただし、次の問４のように、すべてを「原文」で読む必要はないと思います。
- そこまで深い内容を学習しなくても、自国の歴史として古典でその時代の文化や有様を学んだ方が良いと思うから。
- 選択科目にする理由が見当たらない。
- 原文にアクセスする手段獲得、他者理解のリテラシー獲得の場として、授業は全員に必要であると思うから。ただし、大学入試で原文の読解を課すか否かは検討の余地がある。今よりも緩和する（平たく言えば理系学部は除くなど）こともありだとは思う。
- ツベタナ先生がおっしゃったことに尽きるが、自らが育つ国の歴史・文化については、知る・学ぶ権利と必要がある。そして、今・ここにいる自分自身を歴史的時間軸の中で相対化させてくれる科目は歴史と古典である。歴史は「何があったか」を学び、古典は「どのように書くか・書かれたか」を学ぶことができる。「どのように書くか・書かれたか」は、対象をどのように見るか・考えるかそのものである。私たちは古典を学ぶことで、自分たちの物の見方・考え方を相対化することが可能になり、今自分たちがいる世界の価値観も可変的であり絶対的なものではないことを理解することができるのではないか。それは、私たちが環境の奴隷にならないために必要な力を育む土壌となるのではないか。それは、人が自由に考え、生きることに直結するのだろうと思う。ただし、上記のことを古典の授業で達成するためには、現在の古典教育のあり方と真剣に向き合い、検討することが必要だろう。
- より、古典の専門的な内容を学ぶ段階は選択でも良いと思いますが、高校段階においても、古典を通して自分自身を見つめる時間というのは持つべきであると思います。

- 古典で社会的差別などについて扱う題材を選ぶことで、具体的にそれらの事象を体験できると考える。逆に古典が必修でなくなると、教員側の工夫がない限り、社会的差別に関係するような題材に触れる機会が少なくなってしまうと感じた。例えば部落差別やジェンダーというような問題は、社会科の先生が意識をしなければ、表面的な意味をなぞるだけで終わってしまうことも考えられる。古典でそれらが現れるような作品を扱うことで、ある程度具体的に体験することができるのではないかと感じた。（これにも教員の裁量が大きく関わってしまうような気はしますが、上記社会科の例よりも「具体性」という意味では意義があるのではないかと感じました）
- 「触れておく」ことがとても重要。意味や意義は、ずっと後にわかることもあります。
- 日本史が必修でない現状で、等身大の人間の目線で現代を歴史的な流れのなかにおいて考えたり中国との文化的な関係を認識したりする機会が必要だと考えるから。中学まででそれを終えず視野を広げ価値観を形成する時期にも経験してほしい。
- 古典は日本（国語）の言語文化の一部として、切り離せない存在だから。
- 人文学の基礎として習得することに意義があるから。
- こういう世界もあるのだ、ということは教えないと知りえないと思うし、その機会は日本人として平等に与えられるべきだと思うから。
- 選択科目にしてしまった場合、古典に十分に触れることがない高校生が増え、古典を学ぶ機会を奪ってしまうことになるため。
- 必修でないと、古典を読む機会が得られないだろうから。
- 高校は社会に出て、これからどのような社会を築いていくのか、それを学び養う期間であり、場所だと私は考えます。そして、その期間中は、やはり「未来」をつくっていくのに必要な知識・力をすべてを一通りは学ぶべきでしょう。その中で、先人たちがどのように古き知識・知恵を受け継ぎ、自らのものとして吸収したのかを学び、未来に向けて、経験・知識をどのように残していくべきか、このことを学ぶことは重要であり、むしろ必須でしょう。そして、それを学ぶことができるのは古典であると私は考えます。ナショナリズムの形成とか極端な差別意識の影響だとかそんなことよりも、もっと根本的な日本人がどんなものを自分たちの知識として伝えてきたのか、伝えていくべきなのか、そういった面を学ぶという点で、古典学習は高校で必修科目にすべきだと私は考えます。
- 未来である高校生たちに、さまざまな可能性の種をもってもらうことで、個人・社会・世界の豊かさにつなげるため。
- 古典を学ぶことは教育的に意義あることなので。
- 問 2-a と重なるのですが、古典を学ぶことは、物事への懐疑の視点を持つための基礎だと考えています。そうした事柄の存在を知っておくことは重要と考えるからです。ただ、多様な生き方が有り、多様な才能があることを考えると、3年間何が何でも必修でなければいけないと考えているわけではありません。

- その学校の全員が身につけるべき「基礎学力」の一つだと考えるから。古典のモノの見方・考え方がこれからの人生の基盤をつくる段階で必ず触れる必要があるから。
- 現在を知るには古典を知ることも大切。日本の歴史を知る上でも古典を読む時間は必要だと思う。広く知性を養うために皆が最低限の古典は学ぶべきだと思う。今現在の役に立つことだけを勉強するのは違うと思う。
- 日本独自の文化を教養の一つとして学んで高等教育に進んで欲しいと考えるから。
- 自国のアイデンティティーを学ぶ上でも大切だと思います。漢文の勉強は外国語の勉強につながりますし、古典は歴史や文化の面でほかの教科と協力した授業展開ができると思います。誰しもが大学へ進学するわけではないため教養として学ぶほか、ある程度思考能力がある高校生が古典を通して当時の価値観について思考する力をさらに身につけて欲しいからです。
- 自国の文化を知ることは大切だと思う。理系の入試では必要ないから〜という意見も聞くが、大学受験のためだけに高校に行っている訳ではないと思う。幅広く学べるのは高校ならではだと思う。古典・漢文に含まれる思想や人の思いは現代にも通ずるものが多いと思う。これからのことを考えるのに活かせることも多いと思う。古典に限らず、実用性だけで物事を判断していくと効率ばかりのつまらない人間になってしまうのではないか。人間の豊かさのために古典は必要だと思う。私の高校では文理選択が3年で行われ、理科科目も国語も地歴公民すべて履修したが、すべての教科がどこかで絡み合っていて、より深い学びにするためにすべての教科が必要だと思った。教科の垣根を越えた学びができるし、一つの物事を多面的に見る力が身につくと思う。
- 高校1年の国語総合では少しは学んでおいてほしい。
- 日本語学習（母語学習）としての史的理解に必要となるから。
- 自国民として知っておくべき古典を「知る」きっかけとして必要だと思うから。
- そもそも自国の文化・芸術は、当たり前に存在する教養という認識で根付いてほしいと思っております。古典は特別なものではなく、日本の誇れる文化であるという意識を持っているだけでも、将来や人生においての選択肢において豊かな思考力を育ててくれると思います。高校生という多感な時期に、触れていること、触れておくことは、重要だと思います。
- 普通科の高等学校教育として生徒に「身につけさせたい力」と「身につけさせるべき力」を身につけさせることのできる科目であると考えるため。また、ほかの科目ではできない要素と、ほかの科目に有機的につなげることのできる要素を併せ持つ科目であると考えるため。

- 高校で古典が必修でなくなると、大学で古典を学ぶなどの積極的に古典に触れる選択をしない限り高校生は生涯通して古典に関わらないと思います。その意味で、高校は最後の砦的な存在ではないでしょうか。確かに、社会で役立つ「即効性のある国語力」が大きく求められています。しかしそれ以上に、高校で古典を必修科目にすることは、長い人生に豊かさを加えられるものの一つを揺れ動く時期にある高校生に提示することでもあり、有意義だと考えました。
- 改めて日本文化の一つである古典は選択的なものとしてではなく、全員が学ぶべきことだと思います。
- 古典を学ぶことは、自らの拠って立つ文化的基盤を学ぶことに通じるから。
- 古典を原文で読むからこそ、難しい文章への読解力を高められると思います。
- 自国のことばだから。
- 自国語の文法の成り立ち、人々の考えの変化、芸術・文化を学ぶことで、自身のアイデンティティーが構築されると考えているため。
- 中学までの「古典」はあくまでも「親しむ」ことが目的であり、いはば教材を「消費」しているにすぎない。また、高校で学ぶことが増えたからといって、高校の内容を中学や小学校に下ろすことは発達段階を考えれば、妥当とは言いがたい。以上より、高校では「必修」として「古典を読む」という行為にじっくり向き合い、学んで欲しい。あるいは「全日制普通科高校」では必修とし、技術の習得を専門的とする高校においては「選択」という考え方も可能だと思う。
- 肯定派の方の立脚点の一つでもあった、「文語文に自らアクセスできる力」が必要だと考えるためです。
- ツベタナ先生がおっしゃったように、まずはアイデンティティーを学ぶために古典教育が必要だからです。また言語は、最も身近なコミュニケーションツールであり、自分の気持ちを相手に伝える表現の一つです。これらの歴史や変遷を学ぶこと、古典から人の心を読み解くこと、人間の営みを知ることは、現代私たちが生きて、他者と関わっていく上で最も大切なことだと思います。私は古典は「変わるもの」「変わらないもの」の二つを実感する場所だと思っています。「変わるもの」は、今回高校生が言っていたように言葉が流動的なものである、ということです。また「変わらないもの」とは、人の内面です。言葉は人を励ます力も、傷つける力も持ちます。言葉を使う上でその重みを知るためにも、古典は必修科目にするべきだと思います。
- 古典の授業で学べる古文読解や古典文法知識は、授業で扱われるもの以外のすべて古典への足がかりになります。そういった古典の内容は文学にとどまりません。すなわち、古典の授業はいわば古典へのアクセス権を手に入れる手段です。この機会は高校での教育を受ける生徒に平等に与えられるべきだと思います。
- 高校段階までは、全員学ぶ機会があってよい。それ以後は個人の判断。
- シンポジウムで（確か）渡部先生がおっしゃっていたように、古典は基礎科目。

基礎はひととおり高校までにやっておくと、大学や社会人になってからいろいろな意味で楽だと思います。
- 問２に書いたように、現在の私たちの立脚点を知るために、古典で過去の日本人が拠って立ってきたこと、思想、環境、感情、その表現方法を学ぶことは、社会人になるにあたって重要だと思うからです。教養としての必修、としてもいいかもしれません。
- 古文を読めないのはもったいない。

【選択科目でよい】理由

- 古典に興味のある人、将来そのような仕事に就きたい人だけ勉強すればいいと思うから。
- 今回のディベートでも、最後まで否定派で変わらなかった人もいるだろうし、やはりそこに魅力を感じない人に無理矢理古典を習わせる必要はないと思う。
- 興味のある人だけ学べば良いと思う。興味のない人はほかに優先して学ぶべきことがたくさんある。
- 選択科目で良いと思うが、古典を学ぶ機会があるからこそ興味を持つ人もいるので、古典に触れる機会をつくる必要はあると思う。
- 将来役立つという保証はないから。
- 現代語訳や解説などで思想や教訓などを学び（歴史や社会などで）、興味がある人は原文に触れればいいと思うから。
- やりたい人だけやればいいと思うから。
- 学ぶ必要がないと考えるならば無理に学ばなくて良いと思うから。
- ツベタナ先生がおっしゃっていたことには納得したが、もちろんやりたくない人だっている。その人の自由も尊重すべきだと僕は思う。もし古典が選択科目であるならば、僕は選択していると思う事。
- 肯定派の意見に同意する部分もあったけど、すべての生徒が古典を学ぶ理由になるとは思わない。
- 古典は私たちの日常生活にいて、必ずしも必要とは限らないから。むしろ自分から古典の世界に足を踏み入れない限り必要になることは絶対にないから。
- 正直必須ではなくていいと思う。だけれども取りたい人がいるのも事実でならば選択科目にすればいいと思う。
- 必修にすることによるメリットが、それに費やす時間に見合わないと思った。しかし、古典に興味がある人には機会が与えられるべきだと思う。
- 一年生の時は古典を漠然と理解するために必修科目にした方が良いが、二年生からは古典が必要であるかないか自分で判断し、選択するかしないかをきめるべき。
- ディベートを聞いていると、じゃあ古典を必要性に納得した、やりたい人だけがやればいいんじゃない？　と思ってしまった。肯定派の説明から、古典を学ぶことで得られるものはわかったが、ほかの必修科目と比べるとやはり重要性も低く感じられた。肯定派の意見は古典を学ぶ理由には充分なるが、全員に義務付けるまでの必要性は感じられなかった。

- 高校生は自分で選択するべき年齢だから放任でいいと思う。
- 楽しいと思えるまでに時間がかかるのは確かで、知識を覚える体力も必要。嫌々授業を受けて「嫌い」で止まってしまうのがもったいないと思う。日本人としてのアイデンティティーを考えても、ちゃんと面白さを伝えられるようでないといけないと考える。自ら選択して授業を受ければ、多くが面白いと感じる領域まで辿り着けるのではないかと思う。
- 必修にすることで生まれる、幅広い習熟度の人に合わせるため難易度を低く調整する必要性などのデメリットを感じたことがあるから。
- 学びたい人が学ぶということでいいかなって思いました。
- 古典の知識自体は学びたい人が学べば良いと思う。古典を通して異文化理解の姿勢は勉強はできるが、それは英語などほかの教科で勉強できるのも事実ではあるので。文化的アイデンティティーを教えるための古典の意義が話題になったが、それは中学までの義務教育で扱われるべき。
- 全国の授業でクオリティーが確保できないという否定派の指摘は極めてクリティカルです。
- 古典は教養的な知識の面が大きいと考えます。文語リテラシーなどありますが、必ずしも必要な能力ではありません。私個人としては、すべての学生に古典を味わって欲しいですが、生徒の意志により学ぶか学ばないかを選択する場を設けることも必要なのかなと考えました。
- 問 2-a と同様の理由。ただし、芸術科目のように 1 年生は必修にすべきであると感じる。ここでは文法などの基礎を教えることが望ましいと考える。それは、選択科目で内容に踏み込む際に、土台となる文法理解がないと先に進めないためである。また、むしろ中学で古典の時間を設け（音楽や美術は中学で必修になっている)、ここで現代語訳を用いた古典作品の紹介ができると「自国のことを学ぶ」という目的も達成されるのではないだろうか。（以上の考えから、問 4 は「どちらでもない」の意味で三つ目を選んでいます。）
- 自国の文化的涵養を培うために必要であるが、現在の教科としての情報のように、古典が大学教育で必要な学部（文学部史学科など）のみが修了単位を増やしたり入試に使うべきである。なので、古典は理系文系問わず最小の単位数でよい。例えば論理国語が 4 であるならば、古典は 2 でよい。やはり知識基盤型社会に生きる現代人として、そういった教養よりも読解力や数理分析力などにリテラシーに時間を費やすべきである。このように、現代のニーズに合わせて古典を最小にするべきであるが、自国の文化的涵養のためにゼロにしてはならない思うから。

- 高校一、二年生で古典の知るべき箇所を学んだ後、興味を持ちやりたいと思った人が三年生でとりより深く学んでいく形でもいいのではないかと思ったため。
- 現状のような知識を求めるものは望ましくないから
- おおむね問２の通り。特に言語習得の効率の問題から、多様な興味関心を持つ高校生に“一律に”学ばせる必要性はないと考える。付け加えれば、今回の議論は「“高校生に”古典は必要か」であり、小中学校で多少なりと古典に触れてきた生徒であることが見落とされている（今回のディベートの争点にならなかったが)。ICT 活用の話題もあったが､その行き着く先は「先行研究の信頼」と「AI による古典文法の現代語訳」になるはずで、いずれにせよ原文主義的な高校古典教育を強制する必然性に乏しい。肯定派の言う理想的な古典教育が現状でほとんどできていないならばなおさらである。
- 何を学ぶかは個人の自由であるから。
- 古典を相対化できるような学びができれば、それはきっと現代につながる有意義なものです。しかし古典を相対化する学びを実現するというのは、かなりのレベルでの理解が求められ、それを公教育ですべての生徒に行うのは、コストがかかりすぎると思います。そのため、ある程度のレベル以上の内容については選択制を取ることが現実的だと考えます。
- 肯定派ではあるが、将来目指す職が定まっている一部の人には、有限である時間を古典に割く必要はないと考えるため。
- 一つ目　学びの主体は生徒です。ましてや高等学校は義務教育ではない。選び取るという行為がなければ主体性の構築は難しい。極論、高等学校の教育はすべて選択科目でいいと思っています。広く浅くでも､狭く深くでもいい。さまざまな学びのバックグラウンドをもつ人々が協働する意思さえあれば、そちらの方がさまざまな価値を創造できるでしょう。むろん、現在の学校教育や入試制度では実現できませんから、一つの理想です。二つ目　学びの主体性は好奇心にはじまり、公共の精神につながっていくと考えています。好奇心は人それぞれですから、興味がないのに必修にしたところで無味乾燥なものになるでしょう。教員側の興味付けは確かにある程度必要でしょうがね。

【必修科目・選択科目ともに無くてよい】理由

- 古典を強制的に高校の授業で学ぶ必要はないと思う。必須科目にしないことでもっと気軽に古典を学べるようになると思うから。
- 古典に特化した科目を立てる必要はないが、それを相対化できる枠組みの中で扱うことには賛成。
-

問 4. 授業で古典を原文で読む必要はあると思いますか？

原文で読むべきだ＝ 104　現代語訳で読むべきだ＝ 22　どちらも必要ではない＝ 2

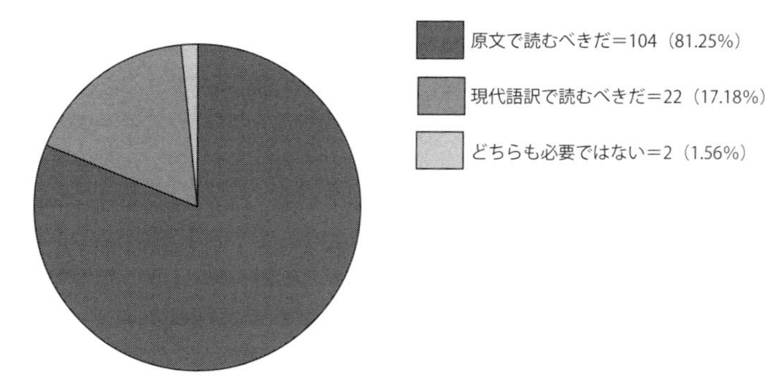

問 5. 高校の授業で古典を学ぶことは、現代日本語の能力向上に

役に立つ＝ 79　どちらともいえない＝ 24　役に立たない＝ 15　その他＝ 10

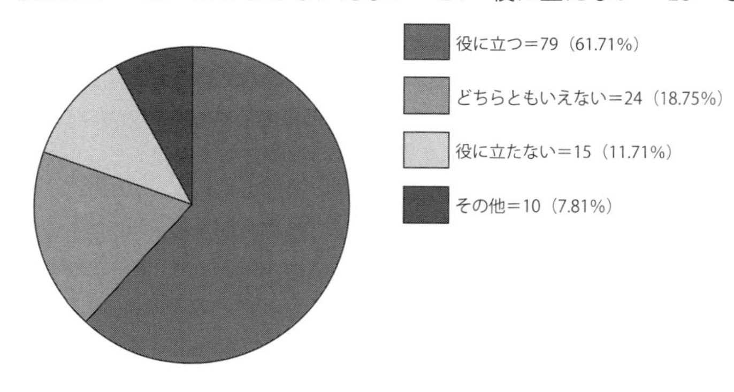

【その他の意見】

- 「過去とのつながりを知る」ことと現代日本語の能力が向上することを関連づけることには懐疑的です。古典を学ぶことで、言葉と向き合う姿勢は格段にあがるので、結果として向上することはあるかもしれません。
- 「能力」をどう捉えるかによる。運用能力という意味なら、現代語の学習を充実させればよい。日本語に対する理解を深めた上で使えるようにすることを能力向上と捉えるなら、古典で向上する。

- そもそも日本語の「能力」とは何かということを定義しなければ、この問いはあまり意味をなさないように感じます。
- とても役に立つわけではないが言葉の表す鮮やかさを知る経験になるなど「現代日本語の能力向上の資質」をのばすのではないかと思う。
- 現代日本語の、というよりは、日本語の。
- 古語や古典文法の知識がないと理解できないものがあるため役立つ部分もあるが、古典を学ぶ主目的ではない。
- 自動的に役立つわけではない。
- 主観では「役に立つ」と感じています。が、古典学習と現代日本語能力向上の相関性を分析したデータなどがなければ、否定派を前にしての立証はやや難しい論点だと考えます。
- 人によります。意識の差によります。柔軟に吸収しようとする人にとっては、日本語の能力向上以上の効果をもたらします。
- まったく役に立たないわけではないと思うが、それだったら現代語で古典の内容を包括した学習をしたほうが効率的だと感じる。古典学習の目的に現代日本語の能力向上というのはあまりふさわしくないのではないか。

問6. 古典の授業で論理的思考を学ぶことは

可能である＝89　どちらともいえない＝20　その他＝12　不可能である＝7

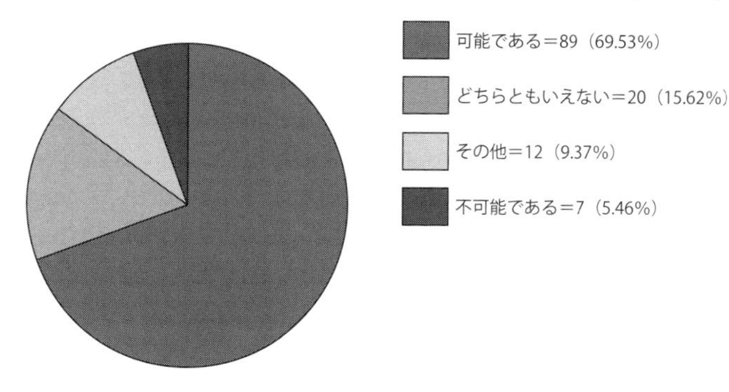

【その他の意見】

- 「論理」の捉え方による。論証能力などを言うのなら現代文学習で十分。思考と捉えるなら古典の論理を学ぶと良い。前回こてほんシンポの前田雅之先生の発言。
- ここでの「論理的思考」の定義が不明なため、回答できません。

- まだわからない。
- よりよく可能にすることを目指すべきである。
- 何をもって論理的というかが曖昧で返答しにくい。
- 可能だと信じたい！　でも文法漬けになりがちな今の授業だとそれは難しいと思う。
- 可能であるが、学べるかどうかは扱う文章によって違ってくると思う。
- 可能であるものの、効率的な手段とは言えないと思います。
- 教員の力量や方針によるかも……。
- 今の学校教育で扱われている古典では不可能です。教材の選定は必要でしょう。
- 論理的な文章を古典の授業で読んだことがない。

問 7. 文語文に自らアクセスできるリテラシー（文語文を自分で読む能力）は

必要である＝ 94　どちらともいえない＝ 18　不要である＝ 8　その他＝ 8

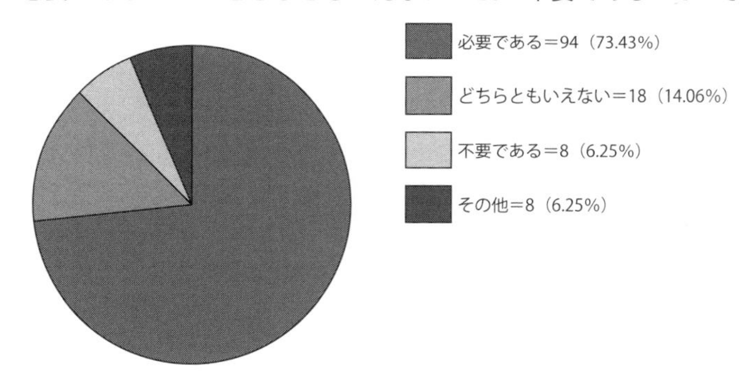

【その他の意見】

- アクセスの仕方を知ることは必要。
- 学校で教える必要はある。（学ぶ意欲を持つかは本人次第）
- 完璧なリテラシーは要求しなくてよいと思う。ただ古文アレルギーのようなものを持たずに、読んでみようという意欲は育ててほしい。
- 希望制でよい。
- 近代文語文なら、訓読文学習を今以上に充実させるなど、今の古典授業のままでは駄目だと思う。
- 原文と現代語訳には、差があることを理解することが肝要と思います。その上で必要か不要かは決まると思います。
- 高校で習う文法を理解する必要は全員にはないと思いますが、文語文を見ておよその意味を理解できる程度の能力は、（ナショナリズムへの利用に気づき防止する意味でも）身に付けるべきだと思います。

- 全員が持つべき能力とは言えないかと思います。

問 8. 古典の内容は

原文を読まないと理解できない＝ 45　どちらともいえない＝ 36　現代語訳だけで理解できる＝ 27　その他＝ 20

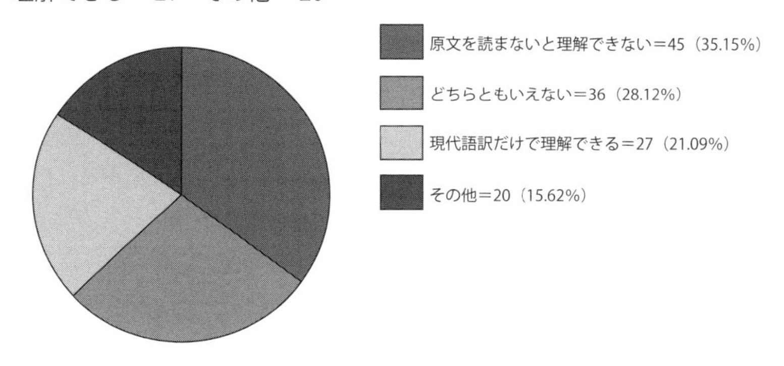

【その他の意見】

- レベルによります。本質に迫ろうとすれば原文をよまなければなりません。
- 「内容」の定義・説明が不明なため、回答できません。
- 「内容の理解」というのが、「あらすじ」という意味であるなら可能であるが、内容と表現は不可分のものであると考えるので、この問いは有効でないと思う。
- ある程度、作品の世界へ誘う道標として現代語訳を用いることは有効だと思う。あらすじを理解して原文を読むと、ハードルが低くなるのも事実である。しかし、どの言語でも同じであるが、訳は二次的なもので訳者の能力によって大きく左右される（間違いも含まれる）。やはり、原文に触れ、読むという行為は内容理解においてとても重要だろう。原文・現代語訳を両立させるという選択肢があってよいと考える。
- いわゆる原文の表現に注目することで理解が深まるケースも少なくないため、「現代語訳だけで理解できる」とは言い切ることはできません。ただ、現代語訳から内容に入るということもあってよいと考えています。
- どちらも使えばいいと思う。
- 意味を取るだけなら現代語訳だけでいいですが、ニュアンスを取り逃すことは間違いなく言えます。

- 意味を知る、という意味ではある程度理解できるが、言葉そのものの持つ力は現代語訳では伝わらないことがある。
- 原文も、良質な現代語訳も、「理解」を広げてくれることがある。
- 原文をもとにしてさまざまな現代語訳に触れることで自分の解釈を持つことが大事だと感じた。
- 現代語を読めば理解できるが、原文から現代語訳を考える過程で学べることは得られない。
- 現代語訳だけでも理解は十分にできる部分はあると思います。ただ、原文はまったく読まなくて良いという立場ではなく、両方を効果的に使っていくべきであると思います。
- 現代語訳で読めること、古文で読めること、ともに異なる。
- 現代語訳を参考に読むというので構わないと思うが、現代語訳には訳者の解釈が混ざっているということと、原文でないと伝わらないニュアンスがあるということは知る必要がある。
- 古典は、音声での受容が重要でもあるので、原文に触れることが必要だと思います。
- 書き手に迫るためなら原文必須。あらすじだけなら訳で。でも書き手に迫るのが国語における古典学習だと思う。
- 生徒の実態によりけりでしょうが、原文「だけ」でないといけないとは考えておりません。場面に応じて原文と現代語訳を使いわける必要があると考えております。また、原文と現代語訳を読みくらべるという活動も学習活動の目的によっては有益だと存じます。
- 二値的に捉えること自体フィクションであり、質問自体がナンセンスです。
- 表面的に内容を知るだけならば現代語訳で足りるとは思いますが、原文の表現に触れ自分で考えることによって本当の「理解」につながると思います。

問9. 古典に含まれる、差別的な思想や表現は、

有害性はあるが、だからこそ高校で学ぶべきだ＝ 79　無害であり、高校教育で学んでも問題はない＝ 23　その他＝ 21　有害性があり、高校教育に不適切である＝ 5

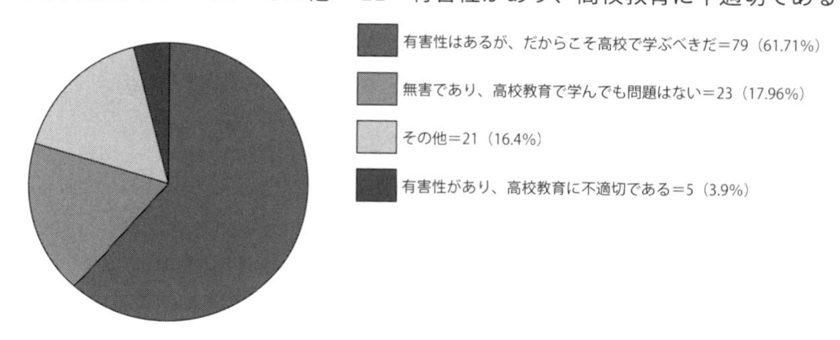

【その他の意見】

- 「古典」だけではなく、近現代の文章にもある。この前提は正しくない。またいまの教科書には問題になるような差別表現はほぼない。
- すでに敦盛最期・扇の的などの殺人場面が教材化されている。
- その時代の社会や文化のありさまを享受することが第一なので「有害」か「無害」かは問題にあたりません。
- それを相対化するのが授業の役割です。
- どう取り上げるかが大切だと思います。「だからこそ教えるべき」という立場ではないですが、しっかりとした目的があり、提示の仕方に配慮を持てば、そのような内容を取り扱うことも可能ではあると思います。
- 異なる時代・文化の中にさまざまな考えや習慣があることを学ぶことこそ重要であり、これが差別の助長につながるから現在の教育から排除すべきという意見は、真にナンセンスであると思う。
- 価値観が異なることを前提に取捨選択をしながら学習していくべきだと思う。
- 教員がきちんとフォローした上で教える必要がある。
- 現代にも日常にも、差別的な思想も表現もあふれている。向き合い方を学ぶ機会を提供したい。「有害性はあるが、だからこそ高校で学ぶべきだ」。
- 古典における「差別」は現代のそれと異なる場合があって、それを学ぶのも古典学習の一部ではないかと思います。
- 古典教育の有害性につきましては、教材ではなく教員の問題であると考えております。ゆえに、害のあるものを完全に取り去ることで無害化を図ろうとするので

はなく、教員による教材の扱い方を常に適切化していくことで無害化を図るべきだと存じます。

- 差別的表現を含む古典をあえて選ぶ必要はないが、もしたまたま選んだ作品に差別的表現が含まれていたら、注意して教えるという対応でいい。
- 授業による。
- 女性に参政権がなかったことを歴史的事実として学ぶことと同じです。有害性があるからこそ学ぶべき、とは考えませんが、そう考えていた時代もあった、という事実として学び、相対化する必要があると考えます。
- 知ることに有害はことはないと考えています。
- 不適だと思うが知るべきだと思うので日本史で学ぶべきなのではと思う。
- 有害か無害かではなく、広く学び現代の自分たちの問題として引き付けて考える必要がある。
- 有害か無害かという二択にするのは問題があると思う。時代背景を含めて知る行為が大切なのであって、害があるなしの議論はいささかミスリードと先日のシンポジウムでも感じました。
- 有害であると言い切ることは難しいが、教員側が有害性をはらむことも認識した上で、学ぶべきだと思う。
- 有害なものはあえて学ぶ必要はなく、興味があれば深入りすれば良い。
- 論語にも女性差別はあります。価値観の違いを教える側が押さえて取り上げれば良いだけの話です。

問 10. 古典を通して昔の人に共感したり、古典のリズムに触れることで、

人生が豊かになる＝ 93　どちらともいえない＝ 21　人生は豊かにならない＝ 8　その他＝ 6

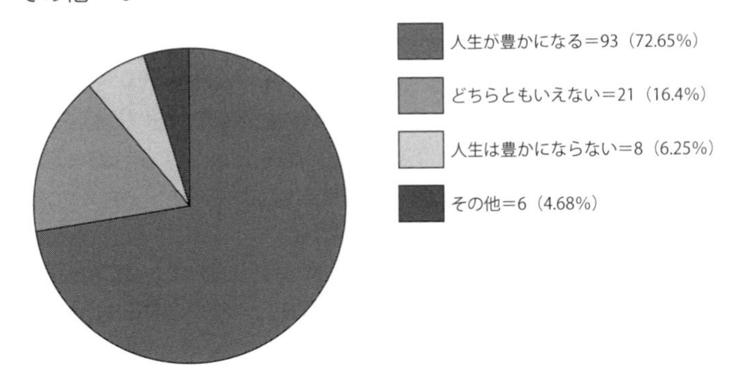

【その他の意見】

- 「人生を豊かにする」ことの内実が不明瞭なので、この問いも有効でないと考える。
- 「豊かになる」という表現は具体的ではないと思い、あまり使わないのですが、古典に触れることは自分とは違う考え方に触れる、考え方の視野が広がる、多角的な視点を持つことにつながると思います。この考え方を「豊かになる」と言えるとは思います。
- すべての人の人生が豊かになるかどうかは難しいですが、共感したり触れたりしておいて損はありません。それをもとに新たな仕事の企画を立てていくこともできると思います。
- 精神論だけで考えることは危険だと思います。豊かさと古典は切り離すべきではないでしょうか。
- 昔の人に共感することは大切だが、現代文で良い。
- 豊かになるとは限らない。学力を育てるための古典学習が必要。

問 11．古典は国際社会を生きていくうえで

必要である＝ 91　どちらともいえない＝ 17　不要である＝ 16　その他＝ 4

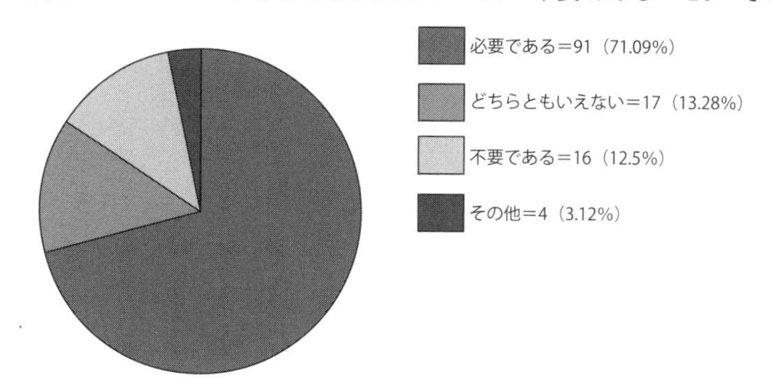

【その他の意見】

- 国際社会を生きていく上で学ぶべき古典学習形態を開発する必要があります。
- 人によると思います。「この人には古典の話をしてもしょうがない」と思われたら、その人には誰も古典の話はしてこないでしょう。
- 日本を知り外に出るためには大切。
- 必要か不要かは結果論ではないか。

問 12．肯定派のあげた「先人の知恵」を学ぶことは、生きる上で

役に立つ＝ 96　どちらでもない＝ 17　その他＝ 9　役に立たない＝ 6

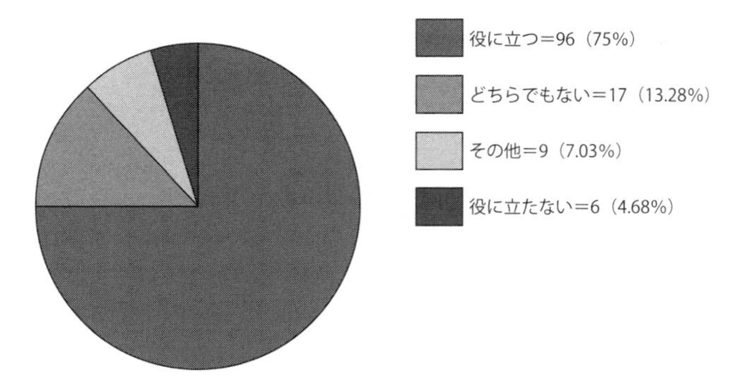

【その他の意見】

- いつか必ず生きる、あるいは本人の意志と偶然により生かされるもの。有益か無益か、実用的かなど即物的な対象ではないかと存じます。
- そのときにならないと決してこれはわかりません。
- レベルによる。
- 高校ですぐ役立つとは思わないが、知りたくなるタイミングは訪れると思うので、先人の書いた文献の存在を知りアクセスすることができるようになる点には意味がある。
- 使う人によります。「三国志に学ぶリーダーの条件」といったものだけが古典から学べる知恵ではないと信じたいです。
- 役に立つが「古典」を通して学ぶ必要はない。
- 役に立つこともあるが、必要性はない。学ばないと困るということはない。

問13. 否定派のあげた「実用的なスキル」を学ぶことは、生きる上で

役に立つ＝112　その他＝7　どちらでもない＝6　役に立たない＝3

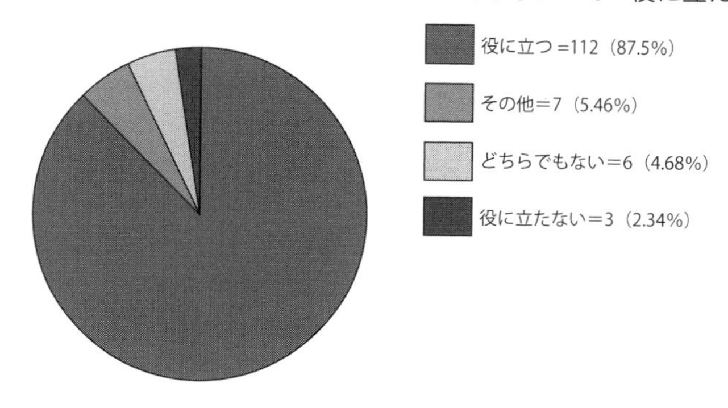

【その他の意見】

- これもそのときにならないと決してわかりません。
- 今日の社会では役に立つと思いますが､10年後も役に立つと保証することはできないと思います。
- 実用性を求めるあまりに伝統を切り捨てるというのは少し違う気がする
- 短期間は役に立つけれども、時代の流れの中で役に立たなくなることがある。
- 目的と場、対象により実用性が発揮されるものなので、そのスキルが適合していないと役にたちません。また、高校までに学ぶのは実用的な文章などを通して実社会でどのような対象、目的があるのか、多様な他者にどのように伝える方法があるかを考えることかと存じます。
- 役に立つが、例えば、プレゼンテーションに用いる媒体はこの10～20年で大きく変化した。実用的なものは変化のスピードが速い。高校生の時に学んだものが、実社会に出た時に通用するとは限らないというリスクは理解する必要がある。

問14. より役に立つのは「先人の知恵」と「実用的なスキル」では、

比較できない＝68　実用的なスキル＝29　同じくらい＝15　その他＝10　先人の知恵＝6

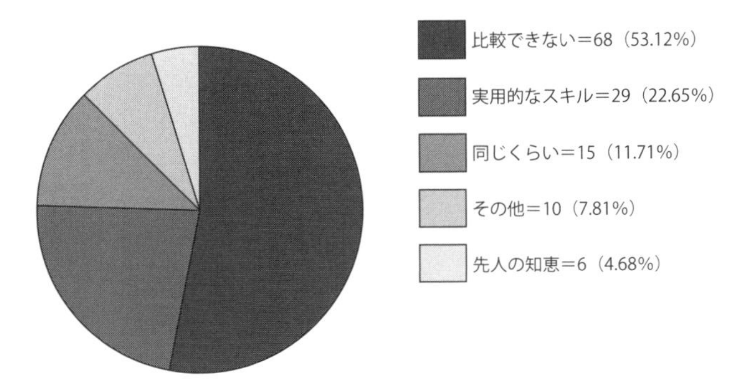

【その他の意見】

- どちらも同じくらい大事だが、「先人の知恵」を原文で学ぶ必要はない。
- どちらを優先する訳ではなく、どちらも身につけるべきだと思う。
- 学校で学ぶものを「役に立つ／立たない」で選定すべきでないと考えております。
- 実用的なスキルが先人の知恵に基づいている場合が多いのではないでしょうか。
- 前者はすでに古びており、後者はすぐに古びてしまうだろう。
- 同じくらいだと思いますが、「役に立つ」をより具体的（場面・程度）にすると回答者が同じ認識をもって比較しやすいのではないかと思います。
- 比較対象とすべきものではない。どちらも大切であり、個人・場面によって大切の程度も内実も異なる。
- 方向性が違うので比較しにくい。豊かな世界を生きるために知性的であろうとすれば先人の知恵は必要だし役に立つでしょう。この前は話題にあまり出なかったと思いますが、特に海外の人と話をする時に、古典を知っていることは大変重要なのです。実用的なスキルだけでは乗り切れません。
- 立場によるのではないですか。天秤にかけられるものではないのではないでしょうか。

問15. 古典のナショナリズムへの利用に気づくには、どのような古典の授業が必要だと思いますか？

- 昔の人々の考え方や歴史的背景を古典から知り、考え、現代につながることを探し出したり、考え方の違いを探したりする授業がいいと思う。
- 日本史、世界史を交えての授業を行う。
- 過去に、ナショナリズムに利用された例をあげる。
- 社会に出てこんなところに古典が役に立ってるんだよーとか、将来少しでも役に立つと思えるようになる授業。
- 原文としての形で捉えることは大切だと思う。
- これまでどのようにナショナリズムへの利用をされてきたかを学べる授業。
- 専門家を呼び、セミナーを開く。
- 先人の思想や知恵は、歴史を学ぶことと同じように今後の社会に役立つので必要。文法も、個人的には語学、日本語だけではなく外国語の身につけ方を学べるので必要だと思う。テストに出る大事なポイントだけ教える学校もあるが、それだと古典の良さが伝わらないと思う。当時の様子も説明して授業をしてほしい。
- そもそもナショナリズムに古典が利用されることはそこまで問題ではないと思います。古典が利用されていることとナショナリズムが広められることに関係があるとは思えないためです。
- 数多くの古典に触れること、そしてその時代の思想や価値観を学び、別と比較すること。
- 差別的な内容や物議を醸すような内容のもの。
- 歴史的背景がよくわかる授業。
- 日本の古典だけでなく、いろいろなものに触れるべきだと思う。
- 古典を「日本の素晴らしい文化」としてだけ教えるのではなく、当時の日本の汚い部分、時代背景なども知りたいと思う。結局どこの国にも時代にも歪んだ部分があると思うから、できるだけフラットにそれを認識することができるようになりたい。知らないということがそれこそそのような歪みを助長してしまうと思う。
- わからないです。自分の意見がまだまとまってないのでもう少し考えたい。
- 愛国心を植え付けるような授業ではなく、すべてを客観的にみられるような授業が必要であると言える。
- ナショナリズムへの利用を強制するのではなく、学びを通して自分たちで気づけるような授業。
- 古典がナショナリズムに使われた例があるから学ばないほうがいいという理屈は成り立たないと思います。文化のすばらしさはすべて国のすばらしさだという解釈を大衆に植え付けることは可能です。その理屈でいくと、法隆寺は燃やし、京都には幾度目の火を放ち、日本書紀の存在を抹消しなければなりません。

- 古典の授業というよりは、公民でナショナリズムなど政治についての理解を広め、ナショナリズムに流されない国民を育てるべきだと思います。
- 過去に利用された事例を知る授業が必要だと思います。
- 差別などがあったことをしっかり伝える。また、過去にナショナリズムへの悪用があった事例を紹介する。
- ちゃんとみんなが理解できてそれを学ぶことに意味があることをちゃんとわかることができる授業。
- 試験のため、大学に入るためではなく、古典の本質を知れるような授業。
- 古文を通して日本人の美意識を、本質を学ぶ。もちろん文法も大切だけど、So what? をもっと問うべきだと思う。
- 現在の授業＋実践的なもの。鎌倉校外学習の時の能の体験みたいなものが「古典」という授業の中でもあると良いと思う。
- 文法や訳の方法を重視するのではなく、ストーリーや背景などをメインに学ぶ。
- 古典を現代文のように読み、そこから時代背景や思想などを読み解く。
- いちいち文法だとか品詞だとかを気にせず、学びのある作品を現代語で読み昔の風情に触れる。
- 一つ一つの作品に対して、感想を書く、という作業はどうだろうか。そこから何を学べるか、好きだと思ったか、嫌いだと思ったかを個々人が考えて書くことで、古典に少しは関心を持てると思う。今の教育では、（特に入試のための勉強となると）文法を習い、それを入試のために古文に当てはめるだけで、単純作業というか、感情がなくても、AI でもできる冷たい教科の気がしたから。
- 実際に使用された例。作者の意図する意味。
- チャットのコメントにもあったようなホロコーストがあったことを踏まえ我々はどう生きるべきかを考えていく。といった姿勢が大事だと思います。本居宣長の例にしてみれば軍事国家による曲解のせいで歌の本意ではない方向に利用されてしまったという事実がありますが、古典をきちんと学習することによってそうしたこじつけのような解釈に気づくことができると思います。逆説的に言えば古典学習をしなければそうした意図に気づかずに流されてしまう危険性すらあると考えます。具体的にそうした事実を生徒に認知させる形の指導が必要だと思います。
- 現在の価値観との相違やナショナリズムに利用された歴史的背景をしっかりと伝える。
- さまざまな意見を取り入れて古典とはどうあるべきかを最初にクラスで討論したら面白いのではないのかと思った。
- 歴史の授業などと並行して教えてくれたらわかりやすいと思います！
- まずはそうした例が過去にあったということを知れる環境が必要。

- ナショナリズムとは排他的なニュアンスを含むと思うのですが、例えば純粋な愛国心などは問題なのでしょうか。古典作品を取り上げて、日本人はこんな人たちなんだ、と誇りに思ったりすることはまったく問題がないと思います。ただ、それがほかより優れている、という勘違いを起こさないように他文化を取り上げることが大事だと思います。
- そもそもこのディベートを授業で行うと高校生も何か新しい発見があると思う。さまざまなバックグラウンドを持つICUの同級生のディベートを聞いてみたいと思った。
- 古典と現代の価値観や倫理観の比較をし、区別することを教える授業。
- ただ文章で出た単語の文法を細かくやるのではなく、文章のモラルを理解することを重要視した授業が必要だと思う。
- 私の場合、古典にまったく興味がないので正直授業の内容はほぼテストのために覚えるという作業しかしたことがなくて、その作業の中にももちろん考えながら覚えるというものもあるがなかなか現代語訳の内容まで深く考えてみることはないので、授業で淡々と現代語訳をするのではなくて、その内容について現代文の授業のようにグループで話し合う時間を設けたらいいと思う。
- 文法などを勉強するよりも時代背景や原文の解釈などを勉強する。
- 具体例を示す？
- 文学の流れを追うのはどうでしょうか。漠然と作品を読むのではなく、時代背景を学び、古典が現代へとつながっていることなどが知識的に理解できれば、日本人として興味がもっと持てるようになるかもしれません。
- 率直にその歴史的事実を伝えればいいと思う。
- そのトピックを丸ごと正直に取り上げるべきです。文部省に反対されて無理でしょうけど、、、
- 常に読んだ生徒がどう考えたかについてその意見を活発に交換すること。
- 時代によって扱われ方が変わってきたことを学べるような授業。
- 享受史についての一定の知識に触れる。
- 作品の内容ばかりではなく、古典の享受・継承のありようにも目を向けるような授業が必要であると考えています。例えば、平安時代に成立した作品が、鎌倉時代や室町時代、江戸時代、そして近代においてはどのように享受され、それらが現代における享受にどうつながっているのか（また、いないのか）、といったことです。
- 古典だけではなく、あらゆるテキストは、さまざまな角度から批判的に読むべき。
- 差別的な内容も含めて満遍なくいろいろなものを教えて、知識・教養を身につけさせること。
- たとえば古典と現代文の授業共同で『万葉集』を扱い、品田悦一『万葉集の発明―国民国家と文化装置としての古典』を読むなど、私学であればいろいろ考えら

れるだろうが、公立は難しいだろう。

- 古典が歴史の中でナショナリズムにどのように利用されてきたかを説明したい。社会の先生と連携が組めたらうれしい。
- 古典のナショナリズムに気づくために古典の授業が必要？
- 古典の授業においてナショナリズムの利用を回避することは不可能だと考えます。その自覚が教員に必要です。
- 過程を示せばよい。近年研究が進んでおり、授業化されてもよさそう。本来は言語文化がそれを担う必要があると思うが、多分そのような科目にならない。
- 古典が埋め込まれた歴史的文脈を読むこと。古典に対する言説を読むこと。少なくとも現代と古典との間を行き来して、相互批判的に読むこと。
- 社会科との連携や総合学習としての取り組み。学際的な授業の必要性を感じる。
- 古典の授業は、そこに結び付ける必要はないと考えます。
- 歴史学習とのリンク。
- ・太平洋戦争時の政治利用の事実について教える授業。
  ・世界史的な視野の中でナショナリズムが生まれてきた経緯と、歴史的に各国がナショナリズムの高揚によって歩んできた悲劇について教える授業。
  ・「国民文学」や「国語」という制度を生んだ西欧近代の政治状況を踏まえたうえで文学作品の読解をさせる授業。
  （漱石の諸作品、鷗外の「舞姫」など近代の文学作品はこうした政治状況を踏まえてこそ読める作品である。明治時代の文学ももはや「古典」の一部となり始めており、そういう点でも古典を生かしてこそ、ナショナリズムへの利用について深く考察させる授業が可能になると考えている。）
- 具体的に思いつかないです…日常的に使える古典とか…印象的な言葉があれば食いつきそう…。
- 教科書にのっている古典の解釈は、今までの学者の研究の積み重ねからなっており、そこからより妥当だと判断された解釈が一般的なものとして載っています。その古典に関する研究史にも触れていくというのはいかがでしょうか。研究史には、時代によってどのような評価を受けて来たかが表れていると思います。
- 価値観を植え付けるような教授法を徹底的に排除した授業。
- かつてそのように、ナショナリズムの煽動へ使用されたということについて、まずは高校生に知ってもらうことは必要だと考えています。古典文学の中には、「日本という国が持ってきた美しい文化や言葉」がある一方で、それを利用される可能性もあるということを知るだけでも、大きな違いがあるでしょう。ただ、ナショナリズムの煽動に古典文学が利用される一つの原因として、国民の古典に対する浅すぎる理解という原因があるのではないでしょうか。満遍なくさまざまな作品に触れることは高等教育の中では必要なことだと思いますが、その場合、古典全般に対して極めて表面的な知識を持つことになる可能性が高く思われます。そのため、満遍なくさまざまな作品に触れる授業はもちろん保持しながらも、作品を絞り深く学んでいくことも有効なのではないかと思います。

- 教える側の思想的バランス感覚。
- 古典のもともとの作品（社会的背景、作者の考えなど）についてよく教える。元の作品を都合よく利用する姿勢がおかしいことに気づけるはず……。
- 肯定派の学生が言っていた通り、隠さず取り上げるべき。「ナショナリズムに対抗する最高の手段は学ぶこと」という肯定派の意見に賛成です。
- 意図や目的を持って「教育」「感化」「洗脳」する方法、その有効性や実例を実際にロールプレイしたり、シミュレーションする方法が考えられます。イメージとしては田野大輔（甲南大学）教授の『ファシズムの体験学習』が参考になります。
- 似たような情景を過去と現在で比較する授業。
- 実例を用いて講義すればよい。
- 古典を批判・批評する授業。
- 現在の常識や歴史との接続を、教師が積極的に話題に取り入れる。そのためにも、「万葉集は日本国民の心が反映」云々のような、ステレオタイプと化した言説を教師が疑い、きちんと専門的に学んでおく。
- 実際に、ナショナリズムの高揚に使われた事例を用いて、授業するのが効果的ではないだろうか。例えば、成立期・近代国家の黎明期・戦前〜戦中・戦後と、意味付けや扱いがどう変化したのかを実際の資料（新聞記事なども利用しては）を用いて可視化するという方法はどうだろう。楠木正成・源氏物語（戦時中に弾圧される）・討論でも取り上げられた宣長の和歌など、たくさんの素材があると思う。
- 実際に利用された実例を紹介する、それを取り上げている古典作品などがあれば（あるかわかりません……）それを取り上げる。そのような教材をもとに生徒たちに議論させるなどの授業。
- 不勉強なため確かなことは言えないのですが、例えば、『大鏡』と『栄華物語』の読み比べなどを通して、我々が知ることのできない歴史があるという視点（歴史も物語られるものである、勝者の歴史であるというような視点）を得ることが一つの手段にはなり得ると考えます。また、どこまでを「古典」とするかで対象外になってしまうかもしれないのですが、中島敦の『文字禍』も良い教材になるかもしれません。歴史的な事実が、権力者の都合で操作されてしまうという事実を知ることができれば、古典にかかわらず、さまざまな事象がナショナリズムへ利用された時に、そのことに気づくことにつながるのではないかと感じました。
- 歴史的背景などを教えるべき。
- 相対化。教える側の意識の問題が非常に大きいと思われる。
- 中国の古典の影響の大きさやそこから日本文化が得てきたものとしての日本漢文とその役割について学ぶこと（明治以降のナショナリズムの影響で漢学を矮小

化した国学の延長にある「国語」になったことは大学生以上かと）。また立派な先人ばかりが登場するのではなく、駄目だったり、ずるかったり、ばかばかしかったり、おかしかったりするような人間のおもしろさを多面的に読める作品を教科書に載せること。

- 古典がナショナリズムに利用されていたということを明示的に指導すること。歴史教科書のように、現代語で客観的な記述のある教材を使用することや、実際に古典をナショナリズムに利用した原文を読むことなどが考えられる。
- ナショナリズムに利用されるという懸念は、裏を返せば、それだけ古典から多くの人が共通の「日本らしさ」を感じられることを意味している。よって、危険性を意識しすぎると「古典は昔のものだから」といって、現在とは切り離した授業になりかねないのではないかと感じる。ナショナリズムの危険性などについては、むしろ社会科や現代文（主に戦争文学）で取り扱うべき内容ではないだろうか。
- 桃太郎をナショナリズムで読む、オリエンタリズムで読む、ジェンダーで読む等、多様な観点で相対化することが大切なのだと思います。
- 思い浮かびません…。
- 社会の授業とコラボして（単元を半分ずつやるとか、社会の先生と一緒にやるとか）歴史的な観点からの解説を加えると効果的なのではないかと思います。
- 古典が現代の私たちにつながる身近なもの、ルーツであるということがわかるような授業（現在の高校の授業は現代との差異が目立ち、遠いもの・現代と関係のないものとして認識されがちなため）。
- 後の時代にどのように引用されたか調べる、ほかの国の古典の扱い方と比較する等の活動を取り入れた授業。
- やはり、文章を通して筆者、また当時の人々が何を訴えているのか、この点を吟味する授業でなければならないと思います。日本語を正しく理解できる人は、もちろん我々日本人が大半でしょう。その大半である我々が、読めない諸外国の人々に向けて、日本人が培ってきた知識、知恵を伝えることができないなんてことはあってはいけないと思います。外国語の論文も訳文で充分理解できるのだから、古文も現代語訳で良いという意見もありましたが、その外国語をわかりやすく書いて、伝えてくれるのは誰か。それはその国の人たちです。それぞれの国が持つ、知識という宝物をそれぞれの国の人々が世界中に分配する。その波に、日本人も乗るべきであるし、乗る義務があると私は思っています。この点を深めていくことこそが、日本文学とは何か、日本人とは何か、ナショナリズムを深めていくうえでは大切なのではないか、と考えています。
- 教師や教科書の解釈を鵜呑みにするのではなく、アクティブラーニングを取り入れ他者と対話することにより多角的な解釈をする授業が必要だと思う。
- なぜその前提となるか不明。

- 日本史で勉強したことを復習し、実際に戦時中にスローガンや隊名として使われ戦争遂行に協力させようとされていたことがわかる新聞記事を紹介するなど。しかし、これは国語科が立ち入って許される範疇なのだろうか？　政治的行為として保護者や社会から問題視されるなどするのだろうか……？
- わかりません。
- 作品への理解を深める授業が必要だと思います。作品の本来的な意義や真意を探らせることと、作品のどういった部分が利用されたかを知らせることが必要だと思います。
- ①本文に即した解釈。たとえば「花山院の出家」でなぜ「大鏡」バージョンでは安倍晴明が出てくるのか？　なぜ、ここで「奏す」？　え、誰に？　②文献学、伝本研究。そもそも、どういう形態でどういう系統でこの書物が残されたの？どうしてこういう記述がこの伝本にはあるの？　どうしてこの版元から出されたの？　……古典の存在そのものが社会の政治や経済とは無関係ではなく、教科書という媒体すら社会（教育政策）の一部であることを忘れないこと。だから、どのテキストで、どのように読むかを主体的に判断・選択できる力が古典読解には必要です。
- 古典に出てくる現地に訪れたり、絵巻など見たりする授業が増えてもいいのではないかと感じました。
- 作品の表面上の理解に止まらず、そこに描かれる事象や環境（衣服や食文化）などに対する関心を刺激するような授業。
- 本居宣長の例を挙げていましたが、nationalism と patoriotism の違いだと思うのです。その違いを教えるということかな、と。
- 自分の力で古典を解釈する力。
- ディベートにもあった解釈学。
- 戦時の教科書教材と戦後の教科書教材の比較。
- ナショナリズムに利用されるくらい文学には力のあるものであると考えられるので、紀貫之の例や他国の例を挙げ、どうすれば利用されないか教員、生徒で話し合う機会を設ける必要があると思います。
- 理解度を測ったり成績をつけるためにもちろんテストは必要だが、数字に出されてしまうと単なる「試験教科」になってしまって、古典を味わったり文化を誇りに思うことが難しいと思う。テストをなくすことはできないと思うが、成績だとか数字を考えずに古典に触れられる授業が必要だと思う。
- 歴史的コンテクストを踏まえ、当時、どのように活用されたのかを学ぶことは必要である。歴史との教科横断的授業で取り組むべきでしょう。
- ナショナリズムへの利用という観点が問われることの意味が理解できない。
- 時代背景を踏まえた授業（地歴公民科との連携）。
- 否定派が挙げたような、ナショナリズムに利用された歴史を学ぶほかない（国語でなく歴史の授業になりそうであるが)。ただ、学習指導要領・教科書・大学入試などである程度「指導すべき」としておかないと、ほとんどの教師はやりたがらないように思う。

- 時代背景や歴史上の事実を解説の上で、ディスカッションしてもらい当事者意識だったらどうかを想像してもらう。
- 時空を越えたテキストを「読む力」を育て、身の回りや自分とは異なる世界の存在を意識化し、そこにある価値観を自己の価値観とともに対象化し、自己の世界観を広げ深めていく糧とする力を身につけさせる授業。自分自身は、現代文、古文、漢文に関わらず、「国語」の授業において根幹にしている要素である。

  原文にアプローチできる力は、その「読む力」の一部である。それを身につけさせることで、メディアを介さず自らアプローチする「筋力」を身につけることができる。他者の解釈と翻訳を鵜呑みにすることの問題に気づかない人間を育てたくない。古典の政治利用などを見抜く力は、「否定派」の「寝た子を起こすな」論の方が身につかず、愚民政策につながる危険性を持つ。

  上記の「筋力」をある程度持つことによって、日本の言語文化における豊富なテキストを自己の世界観構築に資するものにしていく力を持つことになる。高校生というこれから世界に羽ばたいていく世代の生徒たちに、「狭義の現代」テキストのみしかアプローチできない枠を強制することはしたくない。

  対象生徒、学校の教育目標に応じて、原文にアプローチする力は、各校でどの程度まで育てたいかを決めればよい。自分の所属する学校においては、できる限り高いレベルで、原文にアプローチする力も育てたいと考えている。

  差別的な思想等、過去の「負の経験」部分については、逆に「古典（時空を越えた異世界）」や「文学（フィクション）」というものであるからこそ、高校生という発達段階においても対象化しやすく、問題の本質について考え、今の自分たちの世界をより良くするためにどうすべきか、と思考を深めることができる素材であると言える。当然、授業者がそれを踏まえて授業をデザインする必要があるが。
- 古典が後世の人によってナショナリズムに利用された歴史や、古典そのものに今日の観点から見ると不適切な記述があるという事実を取り上げつつ、まずは時代とともに正しいとされる倫理観や道徳観は変化することを知ることができる授業が必要だと思います。
- 古典を知り、それを通して今を知り、相対化すること。
- 教室での、授業時間における学びにとどまらない、生徒（学生）個々のより貪欲に学ぼうとする姿勢が重要であると思います。
- まさに先生方がおっしゃっていたように、現代語訳を読んで終わりではなく、原文を読んで、生徒たち自身の解釈を求める授業が必要だと思います。
- 神話を学ぶ授業。その時々の政治や宗教の影響で神話の内容や注目される部分が変化したことを学ぶことは、神話とナショナリズムの関係に気づくきっかけになる。

- 書かれた内容を読むだけでなく、作品がどのような価値観のもとに書かれたのかという当時の常識をセットで教える必要があると思います。それを踏まえて、内容を評価する活動が望ましいと考えます。
- 古典の内側からではなく外側からのぞくように学び、常に外国文化や現在の価値観など比較対象との差異を意識しながら学ぶ授業。
- まず教員がどうすれば気づけるのかを考え、答えを有る程度出した上で授業計画を練る。
- 実例を挙げる。（ディベートでも出ていましたが、具体例を挙げることが一番わかりやすいと思います。）
- 現代文との分野横断的授業、地歴公民との教科横断的授業が必要だと存じます。
- 肯定派の方が指摘されたように、軍国主義における古典利用について、正面から扱うのが良いのではないかと思います。また、少し論点はずれますが、今のように作品偏重の古典ではなく、例えば宣長・春庭周辺を扱い、古典文法がいかにして今の形になったかなどを少しでもいいから学ぶことで、「古典作品」と「古典文法（古語）」をある程度分けて対象化することもそうした古典の利用に気づいていくために重要ではないかと思います。
- 生徒自身が考える時間を設けるべきと思います。今回のシンポジウムでは本居宣長の例が出ましたが、その事実を伝えた上で何が問題点だったか生徒自身が考えることが必要だと思います。
- 生徒が自分で判断する力を養うために、現代的価値観から良いと見なされるものもそうでないものも取り上げる授業が必要だと思います。ただしその前提として、生徒には授業で扱う古典の価値観は絶対的なものではないという認識を共有する必要があります。
- 前提として生徒に古典への興味を持たせられる導入が授業でなされて、ある程度までは解釈できる力を高める学習段階の環境が整えられた上で、時代の異なるテクストと読み比べたり他教科（地歴科目や語学を中心に理系や実技の分野も含む）との連携で思考を深めたりしていける授業が理想です。その模索を新科目の教科書作りでも意識して編集しています。しかし、現任校のような定時制では、そもそもの学習歴の乏しさや、ある種の障碍で学習自体が儘ならないケースが散見され、古典学習に入る前段階で苦心や工夫を重ねております。
- 日本史、特に近現代史との連携も必要だろう。
- 「古典作品は無条件に素晴らしいものだ」という前提をまず取り払う。その上で、文法や内容を学ぶ授業とは別に、「古典作品が時代の中でどう読まれてきたか」（受容／利用の歴史）を探る授業を行う。
- 実際にナショナリズムに使用されたものをまず学び（現代社会や現代文の範

疇)、実際に書かれた社会状況や作者の背景が、どう「利用」されたかを探るような授業がいいと思います。たとえば、和歌だと『百人一首』をまねて『愛国百人一首』というものが戦中に編まれています。それがどういう意図で編まれたのか、実際の百首はどういう時代状況のなか、どういう意図で詠まれているのか、それがどう読み替えられているのか、を探ったり。

- 仮にそうした授業が必要だとするなら、古典作品がナショナリズムに利用された・されている例について知り、考える授業を行うことが方法として考えられる。しかし、ナショナリズムは古典以外にもさまざまな部分（現代のサブカルチャーなど）に潜んでいて、国語科の中だけで扱うのではなく、教科横断的に考える必要がある。
- 古典が現代において必要な理由から説明すべきだと思う。
- 社会科との教科横断的な学び。文学批評。
- 古典の文章は素晴らしいという前提で読むのはよくない。ただ、長い年月の間に価値があるとして残されてきたものを、それがどういうものだったのかを学ぶ意義はある。

問 16. 今回のシンポジウムは、オンライン上での開催となりましたが、オンライン上での開催について、いかがでしたか？

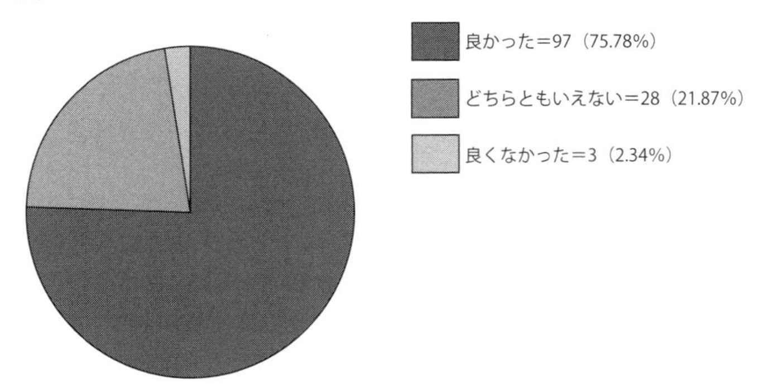

問 16-a. 問 16 の回答の理由を教えてください。

- 気軽に参加することができたから。
- 前回までのシンポジウムの内容を提示してほしい。第 1 部でなぜそのような協議内容になったのかわからないまま進んだので、今回初めての参加者は趣旨を理解することが難しかった。

- 時間がなく発言できなかった方の意見も、チャット欄で見ることができ、いろいろな人の考えを見られて面白かった。
- 少々やりにくいところはあるかもしれないけど、オンラインでも回ったから。
- 両方の側面がある。家でできて楽だけど機材のトラブルなどもあるなど。
- 十分にみんなの意見を聞くことができたから。
- 学校に来てもらうより、より多くの方が視聴できたと思う。
- もちろん楽しかったのですが、本来の予定通りどこかに集まることができれば、私たちも参加者の方々と意見交換や討論をすることができてさらに刺激的になったのかなと思うと少し残念です。
- オンラインにしてはスムーズに行ったと思う。
- 家からでも参加できたから。
- 実際に集まるとなるとハードルが高いと感じてしまう部分もあるためオンライン上だからこそ参加できる人もいるというメリットは大きいと思う。
- 会って話すのとそんなに変わらずに話し合えていたと思う。
- 一人一人の意見が非常に聞きやすい。
- オンラインなので、家でリラックスしながら集中して参加することができた。
- Wi-Fi のトラブルがあった様ですが、それ以外はスムーズに進んだからです。
- オンライン上だから仕方ないけれど、トラブルで聞きにくかったりするのは少しストレスを感じました。でも、このコロナ下でもシンポジウムを開催させた先輩たちや先生方に感動しています。
- 人の意見に集中できていなかった人が多かったと思う。そのために話がかみ合わなくなっていたところがあった（先生方の話や生徒ディベートの反対尋問など）。先生方の話に関しては、「話し合い」というよりも、完全に「意見の主張のし合い」になっていた。はっきり言ってテーマが難しくなっただけで中学生の喧嘩のようだと私は感じた。
- 本当なら実際にお話を聞いたりしたかったけれど、今こういうご時世だからしょうがないと思う。オンライン上でも今回のような体験ができて良かった。
- スムーズであった。
- 気軽に聞けたしコメントと言う形で介入するほうが直接話すよりやりやすいと思うから。
- コロナ禍の中で開催できたのは良かった点だが、やっぱり、対面の方がディベートとしてはしっくりくる。
- 自分の部屋で集中してきくことができた。
- 手軽に参加できる。（気が楽っていうことじゃなくて、より多くの人の参加したい意思に寄り添ってくれるってことです）
- 画面をずっと見るのはやや疲れたが、楽しかったから。
- やっぱり面と面を合わせての熱い議論が見たかった。

- 家から参加できるので、緊張や、リスクが少なくてよかった！
- しっかりとパネリストたちの意見を聞くことができたから。
- コロナの状況でもこのような会が開催され、参加できた事は非常に幸運だったがネットワーク上の問題や制限時間等であまり快適に聞くことができなかった。
- 回線状況で時々聞こえなくなったりしたから。
- リラックスした状態で話を聞くことができたから。
- 家で視聴できたし、大きな問題もなくスムーズだと感じた。
- 大勢が集まるには手間や時間がかかるが、オンラインなら気軽に参加できるから。
- 少し WiFi の問題などがありましたが、おおむね不自由なく参加者の熱意がオンライン上でも感じられる事ができてよかったです。でもだからこそその場で先生方や、先輩方のディベートを生でみたかったなぁと思います。
- 場所関係なく多くの人の意見が聞けたから。
- 会場で長い時間座るだけではなく、気軽に立ったり歩いたりできて楽に話が聞けた。
- 気軽に参加できるし、ガッツリメモを取れる。
- 対面だと行きづらいと感じていたから気軽に参加できた。
- やはり生で議論できるのが最善だと思うが、この社会状況の中オンラインで開催できたのは素晴らしいことだと思う。
- 多くの先生方をお呼びできていること、多くの参加者が集まれていることはオンラインでの開催によるところもあるのかなと思った。一方でオンラインだからこそ起こるトラブルもあったので、いいところと悪いところが出たのかなという印象を受ける。
- 生徒たちの頑張りはとても良かったですが、否定派の大人たちの意見がそんなに大したことがなかったのが残念でした。
- 実際に行ってみることは大事だが、地方からの参加のハードルが随分と下がったように感じられたから。また、高校で実現できる新しい取り組みの紹介にもなったから。
- 家から視聴できる利便性は高いが、音声がたびたび大事なところで途切れ（登壇者や会場のせいではなく Zoom の特徴です）議論に集中できないため。
- 奈良にいながら、リアルタイムでシンポジウムに参加させていただくことができました。今後の教育・研究の可能性などに多大な示唆を与えるシンポジウムだったと敬服しております。
- 対話のスムースさがない。タイミング難しい。しかし遠隔地でも参加できる。
- 回線の状況が良好ではなく、しばしば音声が止まったため。
- 東京まで片道５時間のところにいます。オンラインでなければ参加できませんでした。

- 遠方にいても参加できたのでよかった。
- 参加が手軽です。準備側の大変さはあるかもしれませんが……。
- 遠方に住んでいるから。
- 現地には行けないから。
- この状況下でも参加できた、ということもあるが、遠方からでも参加できたし、主張が聞きやすく見やすかった。またチャットとの連携で質疑が活発になったことも良かった。
- 参加しやすかった。
- 地方に暮らしていても参加できるから。
- 往復の交通時間の節約ができたため。資料がデジタルデータで入手できたので保存、閲覧がしやすくてよかったため。
- 現地に行く必要性がないため。（札幌在住）
- 参加者の移動の手間がなく、気楽に参加できたのでその点は嬉しいです。
- 良い点も悪い点も双方ありました。
- 全国のさまざまな場所から参加できる利点はあると思いますが、パソコンの画面に４時間かじりつきは目の疲労が激しかったです。
- いろいろ技術的な大変な面も多かったと推察しますが、やはり開催されてよかったと思います。むしろ地理的な理由で参加できない人も参加できてよかったと思います。
- スムーズさにかける、まどろっこしいという指摘もあるのかもしれませんが、丁寧に前提を確認したり、発言者と司会者と聞き手とが「手続き」を切り分けることで、リニアでフラットに話題が進行できたのではないかと思います。
- オンラインでは、直接会場に足を運ばなくても良いので自宅でも参加できたから。
- オンラインで開催されたこと自体に不満はないが、明らかに運営側の落ち度によるトラブルにより進行が滞ってしまった点は残念だった。これは実務を担った生徒さんたちではなく、運営者である教員側の責任だろう。
- 地方からこのような貴重な機会に参加できたことを心から感謝します。
- 地方在住なので、オフラインだったら参加できない可能性が高かった。殊に、オンラインだったことで現場の教員の方々が地域問わず参加し、高校生の声を聞けたことは大きかったのではないかと思う。
- 実際に集合してのシンポジウムの開催に大きな支障がある中、中止とせずに、開催の方法を探り、実現されたということが、とても素晴らしいと思います。
- 今の状況だけでなく、金銭的などの理由で東京まで行くことができない人でも参加できる点がとてもいいと思いました。
- 移動の負担がなかったことです。
- 大分在住ですがアクセスしやすかったです。

- どこにいても参加できる。特に現在の状況において、無事に開催に至ったのはオンラインのお蔭である。
- 参加しやすさはありますが、対面ならではの会場の雰囲気形成のようなものは難しいと感じたから（やむをえませんが）。
- 会場より遠方に住んでいるため。
- 生徒の皆さま、担当の先生の熱意が伝わってきた。動画の使用や作戦会議中の司会の進行などからも、オンラインで行うために試行錯誤したくさんの準備をされてきたのだと感じた。
- 情勢上、現実的な策であるから。
- 自宅からの参加が可能であったため。
- 直接会場に行かなくても参加できるというメリットは感じますし、オンライン上の方が画面を集中して見られるのは良かったと思います。ただ、画像や音声が乱れるなど、リアルシンポジウムでは見られない、オンラインならではのトラブルが発生する場合があるので、どちらとも言えません。
- wifi などの問題はあるものの、zoom を使用することで簡単に参加することができたため。
- 自粛の現状にありながら、オンラインでの開催に踏み切って下さったことに感謝いたします。制約のある中で、時間配分、進行の役割分担等非常に工夫されていると感じました。
- オンラインでなければ、参加することはできなかったと思います。現在、大学 4 年生として就職活動を行っているため、なかなかまとまった時間を取りにくく、現地に行ってまでシンポジウムを聴取しようとは考えなかったと思います。
- 対面のシンポジウムと特に変わらないから。
- 移動時間を気にしなくてよい、用意された資料を各自の手元でそのまま見ることができる、投票やグループでの話し合い・質問への移行がスムーズ、距離によって声が常に届きづらいということがない。
- やはりオフラインだったらよりライブ感があったんだろうなと思う一方で、オンラインでもきちんとできていたので。
- コロナ禍による自粛期間中ですが、こういった形式でもきちんとした討論が戦わされ、緊張感も有り、大変刺激的でした。
- 二つあります。一つは三密→「仕方がない」とふさぎ込む世の中に高校生が使える手段でパネルディスカッションができるよと教えてくれたこと。二つめは参加者の発言、進行をうまくコントロールできたこと。タイムスケジュールにしたがい、公平に時間という発言チャンスを配分できたこと。チャット欄の使いかたを制限し、みんながそれを守ったこと。
- 発言者一人一人の顔を見ながらしっかりと意見を聞けたのがとても良いと思いました。

- 広くさまざまな意見が聞けたこと、時間を区切って進められたことはよかったと思うが、もう少し自由闊達なやり取りをしてほしかったので、改めてやっていただけたらとも思いました。
- どこからでも参加できる。
- 仕事でもアクセスして参加できたから。
- 遠方からでも参加できたから。
- 実際に会場に行くのが難しかったので、家にいながら参加できてよかった。
- オンラインならではの良さがあった。参加しやすく、当日会場で実施するよりも多くの参加者があったと思う。オンライン・ディベートもよく運営できていました。司会者も素晴らしい采配でした。
- 会場を広げることができた。
- 距離を考えずに気軽に参加できる。
- 当日は午前が仕事であったため、移動の手間がかからなかった点が何より大きい。
- 何か起きても、できる方法を模索し実行するというモデルケースを見せていただきました。
- オンラインである利点をしっかりと考えた組み立てで、見る側にもとてもわかりやすく、存分に楽しむことができたため。
- 地方に住んでおり、東京開催なら参加が叶わなかったからです。
- 時間がしっかりと守られる、多くの人が気軽にアクセスできた。
- 参加しやすいという点では、実によかったと思います。その反面、通信の不具合などが起こるところは、若干の不便さを感じました。
- よりリラックスした状態で参加できるのは良かったと思います。しかし音声が途切れ途切れになったりで時間のロスが生じたのは残念です。
- 移動時間がないので、忙しい時期でも、参加時間を確保できる。
- 内容は良かったが、かなりの頻度でネットワークの接続が切れた。
- 企画・運営者には敬意を表した上で述べます。シンポジウムの内容がとても面白かったからこそ、オンライン上で行うにあたっての配慮が足りないと感じられた場面が見受けられました。

  ・学校の WIFI を使うのであれば、16:00 に切れてしまうことを事前に把握すべきだったのではないか。（プログラムも 16:30 までで記載があるため）事前に把握できない様だったのであれば、万が一 WIFI が切れてしまった時の対策を練っておくのはどうか。

  ・オンライン討論を行うにあたってのタイムラグを承知した上で討論して欲しかった。ディベート特有の両者共に引けをとらない模様は、どうしてもタイムラグが発生するオンラインでは難しいと思われたため、相手が話し終え一拍置いてから次の話者が話始める等事前に決めてもよかった様に思われる。

・司会およびパネリスト同士の間でもタイムラグがあったので、コロナ対策は距離を取る等工夫して、運営側のzoomアカウントはペアで一つにして欲しかった。
・司会が討論を回す際、司会アカウントがアンミュートになっており、司会の声が討論者の声に被っている場面があった。ミュート使用にあたってのルールを作っておくべきだと個人的に思った。
・質疑応答の際、フロアからの質問がすべて肯定派の先生方への質問だったため、否定派の先生への質問も聞きたかった。まずは肯定派の先生方へ、次は否定派の先生方へという様に司会で回す方法でもよかったと感じた。
以上が質問への回答理由です。

- 居ながらに参加できる点。
- 機器と回線があれば、地理的制約・時間的制約を取り払う可能性が生まれてくるからです。ゆえにこうしたインフラ整備に対する公的補助はこれからもっと充実させていくべきだと思います。
- いろいろな価値観が変容する状況下だからこそ、開催していただけてとてもよかったと思います。また、遠方からの参加ハードルが下がった点も感謝したいです。
- 機器トラブル等もありましたが、全体的に工夫されたプログラムだったと思います（次の質問につながりますが）。ご連絡等も丁寧にしてくださったので、不安がなく参加できました。
- 気軽に参加できたから。
- オンラインでないと、参加できなかった。（居住地や交通費の関係で）
- 先生方やパネリストの関係性がよりフラットになり、発言者の発言が対等な大きさで聞こえてきたから。でも、視聴者の盛り上がりはやはりわからないので、オンラインの良さはありつつ、可能になったら次回はリアルな場でのシンポジウムを！
- 3月開催のときは企画を知らなかったので、聞き逃すことになっていたので！！オンラインでは気軽に参加もできますし、よかったです。トラブルも問題ありません。
- 遠隔地で忙しい状況でも参加できるから。
- 一斉に複数の方の表情が読み取れるため。
- 回線の不安はあるものの、場を選ばずに参加できる。
- 今回のシンポジウムが生徒の側からの要求でスタートしたものとは思っていなかったので、大変びっくりしました。企画にあたった生徒さんの最後の発言は力強く、古典教育の未来を切り開くエネルギーを感じ感動しました。オンライン上ではあったけれど、この時期に実現できたことはとても有意義なことだったと思います。

問17. 今回のシンポジウムのプログラム構成について

良かった＝95　どちらともいえない＝25　良くなかった＝8

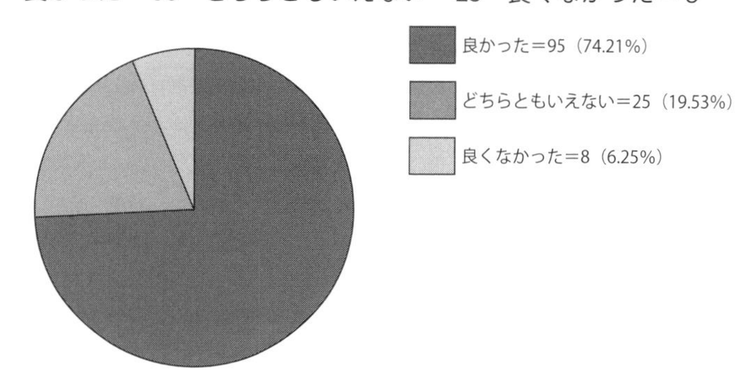

問17-a. 問17の回答の理由を教えてください。

- 大人も高校生の意見も聞くことができてよかった。
- しょうがないのはわかるけど、くっきり時間をくぎってしまって言いたいことが言えなくなってしまったりしていたから。
- 交互に意見を述べるやり方や何回か意見をきく場があってとても楽しかった。
- もっとフロアの方の意見も聞いてみたかったです。でも、ディスカッションはとても有意義でした。
- 先生、高校生、という感じで意見をそれぞれ聞けて、視聴しやすかったと思う。今後はもっと視聴者も参加して意見をいい、ディスカッションができる時間がほしい。
- せっかく社会人のパネリストの方々に参加していただいているのだから、もっと話す時間を長くするべきだと思います。
- 最初は三時間も長いなあと思っていたのですが、面白くて飽きずに聴くことができました。
- みんなの意見をしっかりきけた。
- 前回の振り返りがあったので、前回は参加していないが議論の内容がよくわかったから。
- 最初に論点をまとめてくださっているなど、内容が理解しやすかった。
- まず、古典を学ぶ必要があるのかということについて考えるのが目から鱗だった。学ぶことが当たり前になっていて、まずその必要性を問うこと自体初めてだった。だから、今回このような機会があり、自分自身に問いかけるいいチャンスになった。

- 初めて参加したけれど、特に問題がなかったから。
- 全体的にはよかったと思うのですが、先生方の論点が少しかみ合っていないところは福田先生も指摘されていた通り、気になりました。生徒パネリストのディベートはすごくよかったと思います。
- 最初に先生方のお話があって、そのあとに高校生パネリストのディベートがあったので回が進むにつれて話が深まって、それに引きこまれたから。
- 構成は良かったと思う。
- 良かったとは思うけど、たまにディベートがちゃんとできてなかったりしたから。
- 順序立てて構成されていたので聞きやすかったし内容が整理しやすかった。
- 不満はなかった。
- スムーズな進行でした。
- 大人と高校生の考える必要性って違うと思うので混ぜこぜにしないのが良かったです。
- さまざまな意見が飛び交っていてとても面白かったし学びにつながった。
- いろんな先生方や、高校生からの鋭い意見を聞けて、とても有意義な時間だったと思うから。
- 先のゲストの方々の話と、生徒のディスカッションの内容や方法、意見などにギャップを感じたから。
- 教授をたくさん呼んでいただき濃い内容だったが教授方があまり満足に話せていなかったように感じた。
- いろいろな人の話が聞けたから。
- フロアとの時間をもっと取って欲しいと思った。
- みていて楽しかったです。
- 最初にそれぞれの立場の意見をゆっくり理解してから討論が聞けたら、内容にももっと追いつけたと思う。
- ディベート形式だったので、話が聞きやすかった。
- 特に問題はなかった思うが、あえていうならもう少し時間があったらよかった。
- 司会がちゃんと進行していたから。
- 前回のシンポジウムを知らなかった身としては、前半のプログラムについていくのが大変でした。専門家の方と現役高校生のどちらからも話を聞くことができたのはよかったです。
- 第１回のシンポジウムに参加していなかったので、最初のディスカッションの意味合いがいまいち取りにくかったですが、全体的に非常に満足です。
- 全体の流れはよかったと思うんですが、各部の時間、特に先生方お一人お一人のお話の時間が短く感じたので、多くの先生方に集まっていただいている中で多少仕方ない部分もあるとは思うけどもう少しまとまった時間を作れていたらもっとよかったのかもしれないと思いました。

- 高校生たちが頑張っていたのに好感が持てました。
- 昨夏の「こてほん」を受けての開催というのがわかる形になっていたから。
- 進行は驚くほどスムーズで問題なかったが、一番最後の長谷川さんの開催意義は最初に置いたほうが議論の問題意識や焦点が定まりやすかったか？　高校生から見た古典イメージについての詳細について、もう少し突っ込んだ形で知りたかった気もする（ホンネ・現状認識の社会的な共有こそ、本企画の最大の意義であり、議論の基盤でもあるから）。
- もちろん、パネリストの先生方のお話も興味深くうかがい、勉強させていただきましたが、個人的には、高校生の皆さんのディベートや意見交流をもっとゆっくり拝見したかったという思いもございます。
- 感想戦をいれたこと。パネリストへの質問を入れたことがよかった。
- 第１部の振り返りは、質問への回答がずれていたりして、正直なところ、前回のシンポジウムを視聴していた人間にとってはあまり意味のあるものではなかった。高校の生徒さんたちのディベートとその後のフロアとのやりとりにもっと時間を割いてほしかった。また、高校の国語科教員をパネリストに加えるべきであったと思う。
- 議論のキャッチボール。球の動きを観察しやすかったです。
- 白熱した議論でも、時間制限で止められてたので、もっと時間に余裕があったら良かったのかなと思いました。
- パネリストの厳選はすべきだったと思います。否定派も増やすべきでした。
- 大人が子どもの声を奪っていなかったか。
- パネリストの議論、高校生の議論のどちらも興味深かったけれども、あの時間に詰め込むのは無理があった。また、高校生の議論はディベートのための立論だったように思う。自己の学習経験・生活経験に根ざした「生の声」を聞きたいところだった。
- 参加が初めてだったので良くないとは思いませんでした。
- 高校生のディベートが中心だったので。
- 高校生のディベートは不要と感じました。もっと専門家の意見をじっくり聞く時間が欲しかったです。
- 良かったので。ただ時間制限があるのでもっと聞きたいなと思ってしまいました……。
- 前回の「こてほん」では、否定派と肯定派がまったくかみ合っていなかった上にわかりにくいシンポジウムになっていたので、この度両者の意見を整理してくださったのは非常にありがたいです。当事者である高校生が、優劣を別にして、「肯定派」「否定派」に分かれ平等な立場でディベートをしたことも、論点が明確でわかりやすく、私自身もさまざま考えていくきっかけになりました。

- 高校生が企画したものとして、本当に素晴らしかったと思います。
- 発起人の方の思いをうかがえたことだけでも、この会に参加させていただけてよかったと思います。もちろん、ほかの議論に関しても参考になることが非常に多く、このような機会をいただいたことに対し、感謝しております。
- 特に問題は感じなかったので。
- どうしても前提や、言葉の定義、立場の違い、経験の相違など「文脈の違い」によるかみ合わなさが発生するところで、「ディベート」という形で論点がいわば強制的に「見える化」されつつ吟味される場面が作られたように感じられました。ただ、そこが否定派からすると不誠実な命題に映ったのかもしれません。
- 肯定派、否定派にそれぞれ区切られた時間を利用しており、内容が混同せずに済んだから。また、司会の方が内容を簡潔にまとめて説明してくださるのもわかりやすくてよかったと思ったから。
- 学生のディベートが、どのような意図で組み込まれていたのかわからなかった。内容は、肯定派／否定派ともに前回のシンポジウムおよび書籍の受け売り以上のものではなく、主張に見るべきものはなかった。かえって肯定派、否定派ともに、パネリストの考えに毒されている弊害が目立ったように思う。また、あの時間が高校（ICU 高校？）の授業実践を披露するためのものとして設けられていたとするなら、それは「これからの古典教育の在り方を考える機会」という企画趣旨に反するものであったのではないか。学生が発言することを否定するつもりはない。当事者である高校生をないがしろにした議論がこれまでなされていたことは事実である。最後の、発案者の方の意見には率直に胸を打たれた。しかし、あれだけのことを言えるのであれば、ディベート形式にとらわれた紋切り型の発表ではなく、もっと自分自身の実感に即した言葉で、話してもらいたかった。生徒同士ではなく、第一部の形式で、それぞれのパネリストとの応答の方が適していたと思う。あるいは、パネリストにこそ、ああいったディベート形式を採用すべきであっただろう。今回も、特に肯定派（の一部）が自分の主張を一方的に押し付けて対話の姿勢をみせようとしていないことは非常に残念だった。高校生の誠実さを見習ってほしい。高校生にこそ自由に、パネリストにこそ形式的に発言させるべきであった。選択のミスであったと思う。
- 厳格な時間整理によって議論がスムーズでした。
- 前回の不満点（？）の解消、高校生が声を交わすディスカッション、どちらも必要だったと思うから。
- 以前の明星大学のシンポジウムをどう受け継ぐのかもよくわかりましたし、都度、司会のお二人が意見や問題点を整理されていました。わかりやすく整理された構成だと感じました。
- 高校生の生の声を聞ける機会がなかなかないのでとてもよかったです。盛りだくさんの企画と時間の関係で仕方がないのはわかっていますが、パネリストの先生方の議論をもっと聞いてみたいと思いました。
- 高校生の声を直接聞き、その熱量を感じることができたからです。
- よく練られた構成であったと思う。高校生自身の声、やり取りが聞けて、大変有意義であった。
- 高校生の独自の論点の展開があったのがよかった。
- 時間配分を常に意識されていた点が良かった。だらだらと長引くこともなく、スムーズな構成であったと感じる。ソーシャルディスタンスを保ちながらの運営、本当に素晴らしかった。
- ディベートが新鮮であったから。
- 時間制限があるので仕方がないとは思いますが、言いたい事を絞って発言したり、上手く言えなくても次へ進んでいくので、議論が深まらないうちに進展していくような印象を感じました。ただ、二部構成にして、用語について意見を深める部分とディベートする部分をすみ分け、さらにそれについて掘り下げる時間を作ったのは、わかりやすくて良かったと思います。
- 肯定派・否定派、双方の意見を十分に聞くことができたため。
- 前半大人のディスカッションがかみ合わない感があったところ、高校生のディベートによって軌道が修正され、後半は非常に実りあるディスカッションとなったからです。
- 先生方、パネリストの方々、すべての人の発言がどうしても途中で終わってしまっている感が否めなかったです。もっとここからが、面白そうという点で終わるのは残念でした。
- 古典に関して根拠に裏打ちされた意見を持っていないかつディスカッションに慣れていない高校生たちの議論は、あまり必要ではなかったから。
- 限られた時間の中で、先生方、高校生、フロアどの立場からの考えも聞くことができる配分でした。ディベートの感想を高校生が話す時間は、ディベートでの好戦的？ともいえる雰囲気からうってかわりながらも、こちらはこちらで古典の授業に関する生の疑問や感想の声を聞くことができ、面白かったです。司会の方も、白熱した議論を安心して聞くことができるつなぎだなあと感じました。
- 最後まで見ていないので。
- 高校生を主体にしながら、広がりのある視点を持つことができた。
- 最初から全体のスケジュールが示されていたため、長時間だけどくじけず聞けたから。
- とても意見の流れがわかりやすく聞きやすいプログラム構成だと思いました。
- よく考えられていたと思います。
- 国語についての議論はもっと活発に行われるべきだと考えるから。
- 高校生がシンポジストに質問することができたから。
- 当事者である高校生が中心であったため。

- 先に肯定派・否定派の意見が整理されていたので聞きやすかった。
- 明星大での研究者の議論を踏まえて、高校生がその続きをディベートで展開するという構成が素晴らしい。古典を学ぶことの意義とは何かを探究したよいものでした。従来の古典授業を脱却して、新しい古典の授業を作るべきという高校の先生方への鋭い示唆として有益だと思いました。
- 高校生の参加はよかった。もう少し広がりがあるとよかった。
- 前回のシンポジウムの登壇者直々に総括があってからのディベートだったので、前回のシンポを知らなかった人でも流れをつかむことができ、前回の議論の焼き直しになることを防ぐことができた。また、高校生目線の意見が多く採りあげられる点もよかった。
- 一つ一つの構成が立っていたので、すべてのプログラムを興味深く視聴することができました。冒頭の説明部分を視覚で説明してくれたのは、入りやすかったです。
- 大人のやりとりの後に生徒によるやりとり、そして、特に、ディベートの最後に両者がタッグを組んでの最終弁論、という点が大変面白かったです。
- 教員として高校生の率直な意見、研究者の考え方、否定派の考え方に触れることができたから。
- 若い方々の白熱した議論に多くの時間が割かれたことが、極めて有意義だったと思うから。
- 動画の流し間違い以外は特に問題点はなかったと思う。
- 古典教育を受けている者（高校生）が主催し、等身大の意見を伝える、という目的が明確だったため。
- 高校生パネリスト、フロア、先生方など、さまざまな方々からのご意見をお聞きすることのできる構成になっていたからです。
- オンラインですが、最初にスライドと音声で論点と用語の定義をしていただけたので。
- 効率的、効果的な議論ができるプログラムになっていたと思います。
- とても良かったと思います。昨年のこてほんシンポジウム、本を読んで疑問に思っていたことやモヤモヤしていたことが、もう一度聞き直すことでわかりやすくなったと思います。また、シンポの延長的な部分と高校生たちのディベートを切り離したのが良かったです。時間の関係もありますが、もう少しフロアの人の発言、意見できる時間を延ばしていただけるともう少し着地点があったのかな……とは思いました。
- 特に肯定派否定派の双方の意見を整理する時間を設けていたことが今回のプログラム構成の中でも良かったと思います。また、パネリストの先生方のセッションには行き違いが多かったのですが、進行の生徒さんたちのおかげで論点が大きく逸れずに議論が行われたことが素晴らしかったです。生徒ディスカッションとその直後の緩急があったのも、高校生の率直な意見の発信になっていて良かったです。

- 中核部分に、高校生のディベートをもってきたから。
- 高校生同士のディベート時間がたっぷりあり、聞きごたえがあった。
- 何よりも、高校生の企画力、実行力に脱帽しました。ディベートも素晴らしかったです。否定派の論点にも学ぶことが多くありましたし、どちらも本当にすばらしかった。
- ディスカッションの流れが綿密に組まれていたから。高校生が活躍する場面が多くあったのが、とても良かった。
- 理解しやすく、円滑であった。しかし、高校生主体の場であるため、高校生の生の声をもっと聴きたかった。専門とされている先生方の論は論文等から読み取れる。一方で現役の高校生の生の声を耳にできる機会というのはそう多くないと思うため。(むろん、先生方のご説明があってこそ成せる議論ではあるが)
- ディベート形式もよかったけれど、高校生の本音の発言をもっと聞きたかった。何をどうしてほしいのか、どんな授業や受験、進学を望むのか、古文だけの問題ではないが、率直な意見を述べる場が、ほとんどないのだと気づかされた。

問18. 今回のシンポジウムに先立って、Twitterアカウントを作成し、発信してきました。シンポジウム「高校に古典は本当に必要なのか」についてのツイートはご覧になりましたか?

見た＝77　存在を知らなかった＝28　見ていない＝23

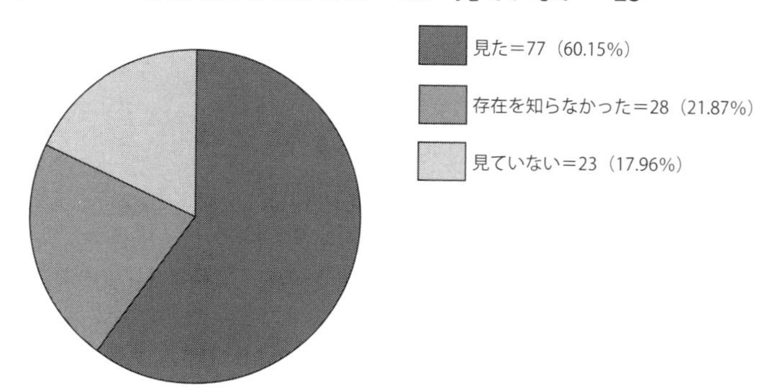

問 18-a. 問 18 で「見た」を選択された方にお聞きします。発信内容に関して、今回のシンポジウムにとって有用な良い発信情報だったと思いますか？

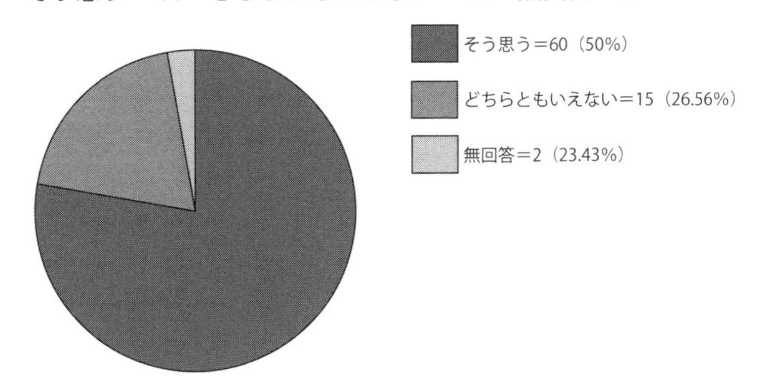

●今回のシンポジウムについて感想等があれば、自由にお書きください。

- 私は、言葉や高校の古典について知らないことが多くて、ディベートの内容で理解できなかったところも多かったけど、今回のシンポジウムに参加して、もっといろいろなことを学んで知っていく必要があることに気づかされました。また、先輩方がちゃんと自分の意見を持っていて、それをはっきりと伝えているのを見て、すごいなと感心しました。今まであまり高校での古典教育や、高校の教育について考えたことがなかったけど、このシンポジウムを通して少し考えることができて良かったです！　もっといろいろなことを学んで、知って、考えていきたいと思いました。またこのような会があったら参加したいです！　今回は素晴らしいシンポジウムをありがとうございました。
- 時間的に困難だと思いますが、フロアと先生方、主催側の生徒方とディスカッションできる機会があればよかったと感じます。学校の授業でもディベート、ディスカッションしてみたいです。
- さまざまな意見を聞くことができ、面白かった。ただ、その授業があるからやるのではなく、どんな利点があるのか、なぜ学ぶのかということを考えてみることも、必要なのかなと思った。自分でも考えるようにしてみたい。
- とても楽しかったし今まで自分が深く触れてこなかった分野について知るきっかけにもなっていい機会だったと思う。ぜひまたの機会があれば都合のあう限り参加したいです。本当にありがとうございました。問 18-a は必須だったので「どちらとも言えない」に回答しました。本来は答えるつもりはないものです。
- 否定派と肯定派の意見、どちらも納得することができて有意義な時間を過ごすことができました。ありがとうございました。

- 私にはまだ難しい日本語もありましたが、勉強になりました！　今後の教育の変わり方も期待ですね。
- 自分の古典への立場を理解することができました。時間がカツカツでパネリストの方々の意見が伝わりきっていなかったことが残念でした。もしまたこのようなシンポジウムが開催されるのであれば、是非参加したいと思います。
- 結論としては「古典の授業はこのままではいけない」ということだと私は捉えていて、このシンポジウムから得たものを形にするために、今度はどうすれば授業を改善できるかなど、生産性のある討論をしたいなと思いました。私も先輩方に続いて、現状を変える手助けがしたいです。
- ディベートに圧倒されました。古典について話すだけでもこれほどの知識と深い考えが必要だということがわかりました。私もあんなふうに話し合える人になりたいと思いました。こてほんに参加できて本当に良かったです。ありがとうございました。
- 私は古典を高校で勉強することに疑問をもったことがなかったので、否定派の方の意見自体がとても新鮮でした。また、このようなさまざまな年齢、立場の方がいる議論も初めてで、議論というもの自体の難しさや面白さを感じました。このようにディベートをするとなるとそれは極論では、と思うような意見や単純な好き嫌いから過大評価してしまっているのでは、と思う意見もあると感じ、意見のぶつけ合いだけでなくあえて自分とは反対側の意見の立場からその立場になったつもりで考えてみる、というような柔軟さも必要なのではないかと感じました。
- 楽しかったです。前に述べたように古典について考えるいい機会になりました。先輩方が教授の方々を前にして堂々と自分の意見を言っていたり、意見を全力でぶつけていた姿に感動しました。ただ、教授の方のお話は難しかったです。なので、私はもっといろいろなジャンルの勉強をしたり世の中を知ったりしていろんな側面から物事を見る事が必要だと考えさせられました。今度またこのような機会があったらぜひ参加したいです。運営してくださった皆さまありがとうございました。
- 非常に良かった。しかし、このシンポジウムは来年も再来年も続けるべきだと思う。（パネリストをやりたいと思う人がいたため。）
- すごくおもしろかったです。初めてのシンポジウムだったのですが、自分の古典に対する考えを深めることができました。ありがとうございました。
- 自分は古典が好きなので、仲島先生からお知らせをいただいて参加することにしました。シンポジウムもディベートも、すべてに関して初めてだったのでとにかく圧倒されました。前回の内容を知らなかったり、内容が難しくて理解できないところがあったりしましたが、始めから終わりまで全体を通して参加することができました。家にいながらにして、さまざまな大学の教授のお話をうかがえたり、先輩のディベートを聞けたり、とても貴重な時間となりました。これだけのものを企画して準備するのはとても大変なことだと思います。私はまだこの学校に入学したばかりですが、先輩たちの勇姿をとても誇りに思います。今日は本当にありがとうございました。

- 「高校」に古典は必要なのか。という面白いテーマだったのに、著名な先生方の話が脱線していて、必要な情報が得られなかった気がする。また、いきなり喧嘩腰だったり、人が意見を主張している間に（ミュート状態ではあるが)、あからさまに大きなため息をついたり、首を横に振ったり（全然違うと見下した感じで）していたのは感じが悪かったし、どうなのかなぁと思った。その分野を長い間調べてきたというのはわかるし、尊敬する点は多くあるが、自分の意見に固執しすぎて良い討論ができていなかったように僕は感じた。ICU 生のディベートは面白かった。質問タイムがもう少し充実すれば最高だと思う。
- いい経験になりました。また参加したいです。
- 難しかった部分もあったが、たくさんの発見があり濃い時間だった。最後の長谷川さんの「古典をオープンなものにしたい」という言葉にすごく感銘を受けた。
- 結構聞き逃したところがあったので、要点をもう 1 回読めれば嬉しいです。
- 先輩方お疲れさまです！！！　今回は否定と肯定でしたが、原文派、現代語訳派、いらない派に分けても面白そうだし、より「古典の必要性」を探れるかなと思いました。結構話はズレますが、差別に対する考え方すごく心に刺さりました。「差別」と感じずに過ごしている日々が、いつか差別と感じられてしまう時がきてしまうかも知れないと思いながら過ごそうと思います。今は差別に対して注目が集まっていてそれに対してさまざまな声が集まっていますが、それが差別を引き起こしているかも知れないと考え直さないといけないなと思いました。
- とても有意義な 3 時間でした。また機会があれば、参加して次回は自分の意見を共有したいです。
- 日本の教育改善、ということに前から興味があったので、参加してよかったです。ありがとうございました。このような企画を 42 期、43 期と受け継いで、長いスパンで考えてほかの教科でもできたら面白そうですね。
- 非常に有意義な時間を過ごせたのでまたこのような会が開かれたらぜひ参加したい。
- 今までその意義などをほとんど考えずに「なんか国がやれっていうならやったほうがいいんじゃなーい？」などとのんきに古典を捉えていた自分が恥ずかしくなりました。聞けなかったこと、話したい事などがたくさんあるので校内での開催を切実に希望します！（知っている人同士のほうが話しやすいので、、、）
- ディベートがすごく面白かったです。どちらの意見も的を射ている部分が多くて、肯定派、否定派の主張を聞くたびに心が揺れました。自分とは違った観点から古典の授業に対して意見されていて、すごく勉強になりました。

- 肯定派、否定派、どちらをとっても“権威のある”教授や先生がお互いの考えや個人を批判をする不毛な論争が展開されていたと感じた。どうしてまともな議論ができないんですか。討論は相手をけなすことではなく、より良い結果にたどり着くために行われるもののはずです。大の大人がそれでは、問題です。古典よりもやはり討論などを推進する方が重要ではないか、と改めて感じます。
- 最後の長谷川さんのお話がとても素敵で、私もそんな人になりたいと思いました。また、長谷川さんだけでなく、ディスカッションをしていた3年生の方々もすごくお話が上手で、学年が一つ違うだけなのにこんなにも違うのかと圧倒されました。お忙しい中準備お疲れさまでした。大学の先生や大学生、高校生までさまざまな視点からの意見がとても面白く有意義な時間でした。ありがとうございました。
- 今回何となく申し込んだのですが、とてもためになりました。特に、先輩たちの討論で4人の本気度が伝わってきて、圧倒されました。討論の結果私は否定派に一票を入れましたが、最後の長谷川先輩の話や先生がたの話、参加者の皆さんが書いていたチャットから、みんなの古典に対する愛を感じて、古典っていいな、こういう話し合いっていいな、と思いました。この話し合い自体が、とても意義のある素敵なものだったと思います。高校教師サイドのこてほんも、もしやるならぜひ参加したいです。ありがとうございました。
- 自分と似た意見を持っている教授さんたちがいたので安心できた。
- とても楽しかったし、こういう競技としての？ディベートに参加したのは初めてで、三年の先輩たちは普段は仲がいいはずなのにここでは対立して意見をバンバン出し合う姿に感銘を受けました。また、このシンポジウムは先生が考えたものだと思っていたのにこれもまた先輩たちが考えたものと知ってただただすごいなと思いました。42期ではまだこのような生徒が主体となって何かアクションを起こすというのがない気がするのでせっかくこのような活動を応援してくれる高校に入ったことだし、興味のあるトピックが出てきたらやってみたいなと思わされました。ディベートの内容はどうであれ、長谷川さんの最後の言葉でディベート中は少し怖かった先生方もみんな称賛していて人が何かに頑張っているところは人に何らかの影響を与えるし、頑張っている人には大人が支えてくれるのがすごくいい社会だなと思いました。そう思うと同時に、ひたすらに頑張るだけで認めてもらえるのは学生の特権かもしれないと思いました。学生のうちにいろいろとチャレンジしてみたいです。この企画に関わったすべての人、お疲れさまです！　ありがとうございました！
- お疲れさまでした！　休校になったときはこてほんがどうなっちゃうのかな…と心配でしたが、オンラインでの開催が叶って、陰ながら準備段階から応援していた身として、とても嬉しかったです。熱意が画面からひしひしと伝わってくる素敵な時間でした。中間テスト間近でも参加してよかったなあと心から思っています。皆さんありがとうございました。

- 同学年の人の企画ということもあり、古典が今までで一番身近に感じました。私は特に深い理由もなく否定派でしたが、今回のシンポジウムで意見が本当に変わりました。完璧な肯定派ではないにせよ、古典に対する心情が変わります。是非多くの人に見て欲しいです。とても楽しかったです、ありがとうございました。
- 最後の、長谷川さんの素敵なメッセージが印象的だった。
- 大人たちがちょっと不甲斐ない印象でした。古典は本当に必要かどうか、というよりも必要だと思ってる大人と必要だと思ってない大人がそれぞれ固定観念に立っていて建設的でなかったように感じました。主催者の皆さん、お疲れさまでした。ありがとうございました。
- トラブルもありましたが、この時期の高校生の取り組みとしては上出来だったと思います。肯定否定の次の段階に進み、自分たちにとっての古典を学ぶこととは何かを考えてほしいと思いました。肯定否定や文理選択、大学入試をこえた学びを目指してください。
- 大変意義深いシンポジウムであった。高校生がこれほど問題意識を明確に持っていることに驚かされた。むしろ順番を逆にして、長谷川さんの企画意義→否定・肯定派それぞれの議論→最後に大人の側が意見や疑問を出す形でも、充分に議論が盛り上がったのではないか。それほど充実した内容だった。肯定否定どちらの問題意識も観点も、今回でほぼ出そろったと言えるように思う。次は、この高校生たちの議論を受け、高校の教員の方々による、高校で古典をどう扱うべきかシンポをぜひ聞いてみたいと思った。企画・運営の皆さま、仲島先生、本当にありがとうございました。
- 終了時の長谷川さんや仲島先生のお話をうかがい、このシンポジウムにこめられた思い、熱量を知って、改めて心が揺さぶられました。自分に何ができるか、引き続き考えてまいりたいと存じます。本当にありがとうございました。
- 高校生の熱意と真摯さと問題意識の深さに感銘を受けました。
- このようなシンポジウムを企画された ICU 高校の皆さんに、心から敬意を表します。お疲れさまでした。
- こうした活動に制限のある最中でのシンポジウムの主催、本当にお疲れさまでした。正直に申し上げれば、否定派・肯定派の先生方のお話よりも、高校生の皆さんの議論の方に引き込まれました（＾∀＾;「本当に必要か」というセンセーショナルなタイトルですが、「古典教育をどう進化させるか」を考える機会になりました。こうした取り組みを高校生の皆さんがしてくださったことが、これから国語の教員を目指す人々へのカンフルにもなると思います。
- ためになる時間になりました。古典について見直す機会になり、自分の糧になったシンポジウムになり良かったです。

- とても挑戦的な取り組みだったと思います。まずはそのことに敬意を表します。粗い部分はあったものの、それはこれからの課題として持っておくといつか道は開かれます。私はTwitterでいつもワチャワチャ言っていますが、Chris君と出会い、あれこれやり取りをしたことが一つのモチベーションになっていたなら幸いかな、と思います。この場を提供してくださった仲島先生、生徒の皆さんに心からの感謝を。私の感想はTwitterであれこれつぶやいていますので、お時間あるときにご覧いただければありがたいです。
- 大変面白い企画でした。先生方も生徒の皆さんも大変だったと思います。本当にありがとうございました。古典授業については、実践者として大変反省しています。また、生徒の皆さんが主役であるにも関わらず、大人が大人の聞きたいことを大人に聞いて皆さんが置いてけぼりになっていたり、皆さんの声を奪っていてしまったのではないかと危惧しています。異議を唱えることができず申し訳ありませんでした。生徒の皆さんにうかがいたかったのは、「日本人としての誇り」や「ナショナリズムへの危惧」を、古典学習を通じて実感されるものなのでしょうか。これらは古典教育を論じる際によく言われることなのですが、なおも有効なものなのか疑問を抱いています。古典学習を通じて、「日本人だよねー」、「日本って良いよね」、「古典がよりどころになるなあ」と感じたり、「やべー、ナショナリズムに加担している／させられている」みたいに実感するものなのでしょうか？　グローバル社会に生きる皆さんにとって、古典はまだそこまで有効なものなのでしょうか？　また、現代の社会やその中で教育を受ける皆さんにとって、アイデンティティーは確立されているものでしょうか？　むしろ何が良いのかよくわからないまま進んでいるという感じはないでしょうか？　そして、良さそうなものにコミットしてはそれが無効化され、別の良さそうなものにコミットしてはまた…というように、次から次へと転じることが緩やかに強制され、アイデンティティーの確立が難しいのかと思っています。その中で。古典は有効な装置だと生徒の皆さんは実感としてありますか？　ぜひ感想を教えてほしいです。よろしくお願いします。本当に貴重な会に参加させていただき、ありがとうございました。
- コロナ禍の中、準備に大変なご苦労をされたと思います。最後の生徒さんのことばが、いちばんの「生の声」だったと受けとめました。古典教育の是非を、授業の質を無視して議論するのは無理があるという今日の結論は、まったくその通りだと思います。受験用古典はおおむね否定的なように思われましたが、逆に肯定派の先生方の考える古典の意義を実感させる授業ができたとしたら、その是非はどうなるのか。しかしそのような授業の質的保障が難しいとしたら……、など考えるきっかけをいただきました。ありがとうございました。
- 途中から参加させていただいたのですが、私自身の古典に対する考え方を確固たるものにしていただきました。今までは私が好きだから、とぼんやりしたところもありましたが、客観的に見て必要だと思えるようになりました。また、何より、最後の長谷川さんの言葉は、一人の授業者として重く受け止めました。次回はぜひ多くの先生方を誘って参加したいと思います。開催してくださったことに感謝申し上げます。

- 大変面白かったです。お疲れさまでした。
- 仲島先生はじめ協力者の皆さんのおかげで高校生の学びの一端を知ることができました。私は中学校勤めなので、目の前の子どもたちに高校につなぐため何を伝えるべきか再考するきっかけをもらい、感謝しております。ありがとうございました。
- 高校生のパネラーの皆さんは、議論後に意見の変容はあったのでしょうか？　それが知りたいです。聴衆の判定よりも、ディベート当事者の意見変容の方が実は重要なのではないでしょうか？　また、論点を整理してからシンポジウムを始めた点は高く評価しますが、否定派の論点が「意義がない」というものではなく「選択でよい」という立場であったのに、そのことを取り上げなかったのは残念でした。今回の議論で、「限られた学習時間の中で古典学習に時間を割く必要があるとすれば、どのような学びを保障すべきなのか」ということであるということが見えてきたと思います。議論を踏まえて、以下の 2 点が古典を学ぶ必要性の中で最も重要な点であると思いました。
  ・古典の内容を知ることでアイデンティティーを培うこと
  ・古典語のリテラシーを身に着けることで、法律文の解釈や過去の記録にアクセスできる力を身に着ける教育を受けることが市民としての権利であること
  　古典に興味関心を喚起するような授業づくりに高校教員が努力すべきという意見で着地しましたが、それは高校の教員として真摯に受け止めねばならないと感じながらも、新学習指導要領の「言語文化」や「古典探究」ではすでにそういう理念に基づいた授業づくりをするように設計されているので、そうした事実も知ったうえで考えを深めてほしかったと感じています。（学習指導要領の改訂に先行して、内容に興味をもてるような授業づくりに取り組まれている教員は、案外多くいると個人的には感じているので、そんな結論で終わったことが残念でなりません）。上記の 2 点を踏まえれば、古典語のリテラシーの有無によって、将来の政治的格差を生む可能性があることの指摘もありましたが、そういった「必要性」をどのように高校生に理解させていくのか、ということも考える必要があると感じました。
- 今回のシンポジウムを企画、開催していただき、ありがとうございます。私は研究室で実験補助をしている者で、文系のこのような場は初めてでした。とても有意義な時間でした。否定派にもさまざまな意見があっておもしろかったです。高校パネリストたちの言葉遣いが気になりました。（理系のディスカッションではないので的外れかもしれませんが……）「〜だと思う」など言っていたので…こ

れは良くないと……「〜である」にした方がいいかと……。

- 企画をしてくださった長谷川さん。自分がしっかりとしていて、思ったことについて行動をする。これはとても大事でなかなか簡単にできる事ではありません。高校生でこのシンポジウムを企画するなんて本当にすごいと思います。大学のオーキャンの話、古典への熱意が伝わりました。このまま突っ走ってほしいです。どうか変わらずに…素晴らしい人材…？逸材と言った方がいいのか…う〜ん……。
- 私は○○大学大学院で○○先生のもとで勉強している者です。文学部日本文学科というのは外部からどうしても低く見られがちで、○○先生の授業でも「古典は本当に必要なのか」という問いを考えたことがあったのですが、否定派からの意見もわかるし、どうしようもないことなのではないかと思考放棄をしていたので、鋭い視線で真剣に考えてくださっている高校生がいることに感銘を受けました。

　学部時代、大学のオープンキャンパスで学科の説明を担当したり、高校生の質問に答えたりしていまして、その時は、「○○大学の日本文学科は少人数クラスが多く、演習という授業を通し、自分の考えを発表することができるようになる。そして、必修の卒業論文執筆を通し、他人に自分の意見が伝わる文章を書く能力が身に付く。これらは社会に出てからも役に立つものだ」とアピールしてきました。しかし、これは本学の特性であって「古典を学ぶ意義は何か」に対して根本的には答えていません。

　実際、見学に来る高校生や親御さんの反応で、古典を学ぶことにピンときていないような顔をしている人が多く見られました。

　閉会での長谷川さんの挨拶を聞き、耳が痛かったです。学部を卒業し、院生としてより深く研究する立場にありながら思考停止に陥っていて恥ずかしいです。この度の議論を通して、今一度自分が古典を学ぶ意義、それが社会にとって有用であるのかを考え直し、勉強に励みたいと思います。

　自分が高校生のときも、（統計を取ったことはありませんが）周りの反応として、古典が好きな人は少なかったですし、文系を選択した人でも受験のために機械的にやっている人が多かったと思います。古典の内容の面白さを伝えたからといって、万人が古典に興味を持ち好きになるとは思いませんし、絶対に好きになってほしいとも思いませんけれども、それでも古典を踏まえた現代に通ずる考え方を勉強することは必要だと考えます。高校までの教育で、文章読解の答えを提示されてきましたが、大学に入ってから、活字に起こされていないくずし字の原文・資料を読み、先行研究の解釈が正しいのか検討する勉強の方が私は楽しく感じました。現代語訳で内容を知るだけでも足りる人もいるかもしれませんが、やはり発信していく人を育てていかなければ、古典は途絶えてしまいます。現行の国語教育に問題があるというお話は何度も出ましたが、機会を提供するという視点から、とりあえずは必修で扱うべきです。

長々と自分語りのようになってしまいすみません。勉強になると同時に楽しい時間を過ごさせていただきました。答えがないからこそ考え続けていかなければならないと思います。大変な状況の中準備を進めた高校生の皆さまを本当に尊敬いたします。ありがとうございました。

- 有意義な時間を過ごすことができました。ありがとうございました。生徒の活躍が微笑ましく、また頭が下がります。立派な生徒さんたちですね。仲島先生をはじめ、貴校の先生方の日ごろの指導のたまものと思います。高校とか大学は、生徒や学生の顔色をみて教科を選別するものではないと思います。いろんな議論がありますが、古典を外す必要はないと思います。改めまして、本当にありがとうございました。
- このような素晴らしい場を用意してくださったこと、本当にありがとうございました。仲島先生がおっしゃっていた、高校の先生での第三弾、ぜひ開催していただきたく思います。
- 高校生のディベートについて、ディベートというのは、論理の強さを競うものであり、合意形成に向かって、賛成否定両方の考え方を深く議論する場になりにくいのではと感じた。感想戦の方が実のある議論に聞こえた。前半のディスカッションでは、「高校教育における意義」を見落としている主張が多いと感じた。いまだに古典そのものの意義について自論を展開する段階ではないと思う。また、古典で論理的思考を学べるか否かがなぜ高校教育における意義というテーマのもと議論されるのかわからなかった。また、主張の根拠の客観性が薄いなど、議論の姿勢やクオリティーにも問題がある。パネリストの方々はよく論題を理解してほしいと感じてしまった。高校教育はすべて論理的思考を学ぶものだという前提があったのでしょうか。今回は前回の反省を踏まえて開催されたとうかがっている。現在の高校教育に問題があり、見直すべきだという今回の結論を次回に生かしてほしい。高校生の皆さん、主催者の皆さんがこのように教育を見直す機会を設けたくださったことは非常に素晴らしいと思う。
- ありがとうございます。想像以上でした。大成功だったと思います。
  1）先生方とのディスカッションにおいて、猿倉先生に「根拠は自分と facebook 友達」と言わせたのは、「必修・選択を議論しない」という当初からの方針と相まって、今回の方向性を決定づけたと思います。
  2）ディベートの作戦タイムで議論のまとめをしていた司会の方々の実力はかなりのものだと思いました。
  3）ディベートで否定派が、「限られた時間で少しだけやっても意味がない」と主張しているのは興味深かったです。今後の高校古典では、時間が限られているからこそ、自分で古典に分け入ることができる力が必要だと考えさせられました。
  4）高校の古典の内容に問題があることは、拙著でも述べたのですが、いちばん反応が薄い部分でした。今回も、この点に関して高校の先生からの反応の薄さは少々残念でした。仲島先生のおっしゃる通り、次は高校の先生が引きついでくだされば良いのですが。

5）最後の長谷川さんの作文には、私もハッとさせられました。アンケートにそのような意味があったとは思いつきませんでした。

いろいろと考えさせられました。改めて、本当にありがとうございました。

- まず、第一回のシンポジウムを受け、さらなる対話の場を設けようと準備を進められた関係者のご尽力に心から敬意を表します。古典の価値はあると言いつつも、その実「古典教育」の体たらくに不満がたまっての問題提起であったのでしょうし、そこに効果的な手を打てずにいた古典業界もまたその鬱憤のやり場に困っていたところであったからこそこの企画が衆目を集めたのだと思っています。その意味で「合意形成」にはまだまだ道半ばであると思いますし、さらなる対話が必要だと感じています。特に「高校国語教育」に携わる教員としての発言が十分にできなかったことは申し訳なく思っておりますし、その意味でますます議論を積み重ねていく必要性も痛感しております。ぜひまたの機会を得たいと思いますし、非力ながらその一端を担うことができればとも思っております。今後ともよろしくお願いいたします。ありがとうございました。
- 長い間お疲れさまでした！！　すごく白熱した討論でした。どちらも主張に筋が通っていてとても納得できたので、最後の「どちらですか？」の問いにはすごく苦しみました（笑）
- 皆さん理解と頭の回転が速く、次々と話が展開されていくのでついて行くのに必死でした（笑）
- 限られた時間の中、自分の主張を相手に伝えることは大変だったと思いますが、少しでも多くのことを相手に伝えようとする姿に圧倒されました。ディベートが終了した後、生徒さん同士で讃え合う姿も印象的で、心にくるものがありました。そしてなにより、皆さんの古典が大好きな気持ちがこちらにも痛いほど伝わってきました。長くなりましたが、今回このような形で私もプロジェクトに参加できたこと、本当にうれしく思っています。とても有意義な時間を過ごす事ができました。これからも「こてほんプロジェクト」がいろいろなかたちで活動できますように。応援しています！　ありがとうございました。
- 有意義なシンポジウムであったと思う。大変な状況下にもかかわらず開催されたことに、運営に携わった方々へ深く感謝したい。その上で、今回のシンポジウムの企画意図に疑問が残った。最後の企画趣旨の説明で、本企画が高校生の問題意識から出発したものであることを初めて知った。できればシンポジウム前にそのことを知りたかった。インターネットを前面に活用した企画であるのだから、それを事前に公表することができただろう。演出として最後に持ってきたのかもしれないが、学術的なシンポジウムとしては不誠実にも感じる。

また、これは前回の企画から疑問だが、奇をてらったかのようなポスターや冒頭の動画など、意図を図りかねるものがあり、この企画自体に懐疑的な印象を抱いている。問題意識はとても重要なものであり、パネリストも一流の方々をそろえ、また運営側の熱意も疑うべくもない。それなのに、あたかも何か茶化してでもいるかのような演出手法には、戸惑いを感じざるを得ない。
「古典は本当に必要なのか」というタイトルそのものがこれまでのシンポジウムと比して異質であり、異色の企画であることは承知しているが、必要以上に異質性を煽る必要はないのではないか。特に参加前は、企画に対して不真面目さを感じており（実際の運営の方々が真剣であったことは理解している）、少なくとも私にとっては疑問に思う演出であったことをお伝えしたい。
むろん、私の感じ方が狭量であるのは承知している。そのような固定観念を打ち崩す意図があるのかもしれない。その説明がほしいと思っている。

- 生徒の皆さん、仲島先生、貴重な機会に参加させていただきありがとうございました。議論の中で、肯定派のいうことは理想論で全国で等しくクオリティーが担保できないのではないか、という指摘は極めてクリティカルだったと思います。古典学習の理論はいまだ途上で、これは「国語科教育学」の人間が議論すべき論点でもあるはずですが、これについての興味は極めて低調な状況です。その意味で肯定派の生徒さんが最後の総括で、大学の国文学部に対して感じた危機意識を私も同様にもっています（これは学会に対してですが）。そして、生徒の皆さんが主体となってこのような会を成功されたことを心から驚嘆するとともに、学会の学者たちは何をやってるんだろうという憤りも湧いてきました（ずっと湧いておりますが）。いずれにせよ、今回いただいた機会をバトンとして受け取って、具体的な形にしたいと思っています。ありがとうございました。
- ＊福田先生の「古典の論理」、近藤先生の「概念的メタファー」の話題が、今回最も興味深かった。前田先生が「それは価値観だ」とおっしゃったように、これを論理と見るか、価値観と見るかが、肯定派否定派を分ける特に大きな分岐点であり、議論しがいがある部分のように思った。また、仮にそれがいわゆる論理学的論理と並立する固有の論理と認められるとして、その手の論理を全員が身につけるべきかも、意見が分かれそうだと感じた。個人的には、授業でやるかに関して言うならば、経験としてやるべきであると思う。
＊歴史で学べるリテラシーと古典で学べるリテラシーの違いとして、渡部先生が「現在との関わりで学べる」ということを挙げられたのは、よくわからなかった。歴史はそれがなぜ当てはまらないのか、あの場の説明だけだとあまり理解できない。
＊ポリティカルコレクトネスについては、フロアの○○さんがチャットに投稿していた通り、否定派の根拠としてはそろそろ棄却したい。授業で重要な問題として取り上げるのと、世の中で是として野放しにしておくのとではわけが違う。

＊否定派の生徒牧野さんの、「そもそも過去を洗いざらい教えられてなんかない。教育されることは選ばれている。」という発言は示唆的で、高校生にしてそういった視点をお持ちであることに感服した。肯定派否定派問わず、教育に携わる人間は自覚しておくべきだと感じた。
＊猿倉先生の意見の根拠がことごとく「私の周り（理系）」であることが、（有意性の保証がない、追跡調査をすべきというご本人の自覚はありつつも）他者理解をどれくらい重視しているかの表れなのではと感じてしまった。
＊前回のシンポジウムの大きな課題の一つが、肯定派否定派がきちんと対話できていなかったこと、互いに応答しあえていなかったことだと思う。それを踏まえると、今回「古典は不必要、という考えは古典の価値からしてそもそも論外だ」という主張を前面に出す議論、またそのようなパネリストの選択が適切だったかどうか疑問である。価値がわからないのは論外、ということを主義主張として持っているのは自由だとしても、今回は前回における肯定派の「価値がわからないのは愚かだ」というスタンスを克服し、否定派にわかってもらえない原因を詳らかにしわかるように説明しようとする対話が期待されていたのではないか。正直、渡部先生のご発言から見える姿勢は前回とあまり変わっていないように思え、残念だった。また、ツベタナ先生も前回を踏まえて今回求められている対話の在り方を理解されていないように思え、ただご自身の主義主張を開陳しているように見えてしまった。
＊以上２点に関連するが、その点生徒さんのディベート後の感想戦は非常に理想的な対話の在り方であるように思った。できればパネリストの先生方にも、あの感想戦のような議論の形態で自由に話していただく場を設けても良かったかなと思う。「その応答は私の問いに正対していないですよ」「我々の立場のこの点の主張に関してはどう思うのですか、違うと思いますか」と直に言える柔軟性がある議論の場があれば、もっと建設的な議論の摺り合わせができていくように思う。
＊事前資料の前提（論じるテーマ、言葉の定義など）がディベート限定のものか、シンポ全体のものか、いささか紛らわしかった。一部と二部の位置づけと前提の違いについて、最初に言っていただけるとありがたかった。
＊大学入試との関わりについても話題に挙がったように、リニアな軸で子どもたちの学びを俯瞰し考えていく必要もあるように思う。その点で、義務教育でどこまでやるのか、やるべきなのかも、どこかで視野に入れてほしいなと思った。

- とても楽しく、知的な興奮に満ちた時間でした。そして、こちらの姿勢をただしてくれる得がたい経験でした。このような場を創り上げるためには、どれだけの準備と努力が必要だったかと思い、心から感服しています。中心になった生徒さんたちが高校３年生であること、新型コロナウィルス感染症の影響で学修にもさまざまな影響が出ていることを思うと、本当に頭が下がります。何よりも、生徒さんたちが自らの問題意識に対して、真摯に向き合い、たくさんの困難を乗り越えて誠実に考え抜かれてきたこと、それを実際に形にして発信されたことが本当に素晴らしいです。私が高校生の時には、とてもできませんでした。また、生徒さんたちの思いを真摯に受けとめ、ご多忙の中で誠実にサポートされた仲島先生にも、本当に頭が下がります。古語でいえば、ただしく「恥ずかし」です。シンポジウム参加者は、私も含めて、問題を自分のことと受けとめ、考えようと思っている人が多いのではないでしょうか。皆さんの発信が、他者の背中を押し、外に向かって開かせようとしているのだと思います。このようなことは、なかなか達成されるものではありません。皆さんのご努力の賜物です。このような場に参加できたことを、心から感謝します。ありがとうございました。

- 今回はこのようなシンポジウムを企画していただき、また古典教育に関する研究を行っている大学生という立場で参加させていただくことができ、とても有意義で刺激的な時間を過ごすことができました。ありがとうございます。否定派の皆さんへの、質問です。

  ①否定派の皆さんは、ツベタナ先生が強く訴えておられましたが現状の古典教育を変えて、現状の古典教育の課題をクリアできたとしても古典は必要がない、または望む人が学べばいいという立場なのでしょうか？

  私は、否定派の皆さんがいっていたような社会的ニーズなどを基に教育をしていくなら古典に限らず現在行われている学習のほとんどを否定することになると感じました。（今回は「古典は必要か」というテーマであるということはわかっていますが……）

  ②私は古典には、日本のアイデンティティーを学ぶだけではなく、読み手が自分自身の考え方とはどのようなものかを知るという点もあると考えています。これからの社会で生きていく生徒たちには必要な時間、学びの一つであると思っています。否定派の皆さんは、このような学習の在り方であっても必要はないとお考えでしょうか？

  肯定派の皆さんへの質問です。

  ①具体的にこれからの古典教育はどのようにあるべきだと考えますか？

  私も現状の古典教育では否定されてもおかしくないものになってしまっていると思います。古典が必要か、不必要かの議論だけでなく、古典教育をどのように変えていくのが望ましいのかという議論ももっとお聞きしたいと今回のシンポジウムを終えて思いました。

  最後の生徒さんのお話は、教員を目指している身、これからの古典教育の在り方を研究している身として、とても心を打たれるものでした。そして、パネリストの先生方の意見に対して質問する姿や、進行やディベートをしている姿はとてもすごいと思いました。お疲れさまでした！　第三回のこてほんのシンポジウムが開催されることがあれば、参加させていただきたいと思います。今回は本当にありがとうございました。

- まず、企画から運営まで本当にお疲れさまでした。非常に有意義な時間を過ごさせていただきました。先生方のお話からは、改めて私自身の勉強不足を痛感いたしました。また、ディベートを見させていただき、一教員として、今後の教育を変えていかなければならない、という責任を感じました。そして、今回は「古典」がテーマでしたが、おそらく「現代文」に対して意義を見いだせずにいる生徒もいるのではないかと感じました。経験も知識もない私ですが、できることから取り組んでいきたいと思います。本当にありがとうございました。
- Twitterの方で感想や意見などを述べさせていただきます。さまざまなパネリストの意見を聞くことができて良かったです。ありがとうございました。
- 私は現在、大学で古典を教えているが、高校時代は古典が大嫌いであった。源氏物語や伊勢物語などの恋物語にまったく興味が持てず、古典文法だけが面白かった（その規則性や現代語とのつながりなど）。大学に入学し、目が覚めるような面白い授業に出会い、方向転換した。だから、高校の古典の授業が嫌いという生徒の気持ちはわかるつもりである。いかに教えるか、何を教えるか、が本当に重要だと思う。現在の非日常の生活において、ふと古典の文句が浮かぶことがある。卒業式が中止になり、人とのつながりも途切れ、知人が命を落とす。満開の桜を見て、「年年歳歳花相似たり、歳歳年年人同じからず」と口ずさまずにはいられなかった。詩人でない私は、自身の気持ちをうまく表現できないが、それを古典の中に見いだした。高校生の時に学んだ漢詩が、こんな時に顔を出す。これは漢文であるが、しかし日本に深く根付いた教養でもある。古典は、ずっと先に、何かの時に、心の支えになる。だからこそ、高校で触れておいていただきたいと心から願う。
- 長谷川さんの思いから、ここまでのイベントにこぎ着けるまでの高校生たちの行動力、それを支えた先生方のご努力がすばらしいと思います。どうもありがとうございました。とりわけ、作品中の差別などの問題について、それを直視してこそ、今の問題にも向き合えるという議論が出てきたことに感動しました。明星のシンポでもフロアから少し申しましたが、（猿倉先生たちの想定する）日本の産業競争力や生産性向上を牽引するような大学進学する5割強ではなくそれ以外の層、また（最近は大学でも多くなってきましたが）両親またはいずれかから引きついだ異なる文化的背景をもつ生徒たちにとっての古典教育の意味とはどのようなものなのかということが気になっています。それでも、言語や価値観・考え方の違いを通じてイマ・ココが絶対ではないことを知るのはどんな人生を送る子たちにとっても必要なことでしょう。今日の福田さんのご意見のように、古典が異なる思考回路や価値観に触れる機会となればと思います。今日のまとめとして述べられていたように、明治以来の国学の影響を揺曳し「カノン」を疑うことなく称揚する現在の国語教育は、今日のような徹底した議論を通して（しかし自民党や日本会議のようなナショナリズムへ利用の野望は排除して)、改めて再編し、意義やおもしろさが生徒にも伝わる教科にしていく必要を感じました。

- 教科書教材の内容についても論じる必要があると思った。「古典」を学ぶことと、教科書教材の古典を学ぶことはイコールではないので。個人的には、古典を学ぶ必要があると考えているが、教科書の古典(平安時代の文学作品や、古代中国の漢詩文)は、なぜその教材を取り扱うのか、その教材でどのような能力を身につけられるのか、曖昧だと思う。
- 各問の理由部分で長々と書いてしまったため、全体を通しての感想となりますが……。高校生の方々の熱意にとにかく圧倒されました。コロナウイルスで先が見えない中、ここまでのシンポジウムを企画し運営されたこと、本当に感動しました。ディベートでの鋭い指摘、司会の臨機応変な対応、そして企画された方の最後の言葉。大学生として「これが高校生？　年下って本当？」となったのが正直なところです。ディベートは、まだまだ話し足りないようにも見えましたので、高校生だけの第2回目のディベートなども見てみたいと感じました。ここでの学びを私自身も今後に活かしていきたいと思います。すてきなシンポジウムを企画、運営していただき本当にありがとうございました。
- 前回からの地続きですが、古典教育研究の成果をないがしろにしている点は、研究者の卵としては悲しいです。ツベタナ先生含め、古典教育史の膨大な研究の成果を参照していただければ、議論の大部分がすでに検討されているものであり、焼き直しでしかないことにお気づきになると思います。本シンポジウムでも現場の先生だけでなく、古典教育研究者の意見をお聞きしたかったです。主催者の方々、ありがとうございました。
- 教員を目指している自分にとって、古典の学習について深く考える良い機会となりました。ありがとうございました。
- 高校に古典は必要だというのは、いわば当然だと思っていましたが、あえてそれを否定するという発想自体が斬新で面白いと思いますし、反対の立場の人と議論を重ねる中で、ハイブリットな発想が生まれていけばよいなあと漠然と考えてしまいました。また、参加した高校生の方の質問が本当に鋭くて、若い力に頼もしさを感じました。主催者の方、運営に携わった方、お疲れさまでした。
- 大学で古典を学ぶ身として、最後の長谷川さんの意見は非常に身に沁みました。自分は大学受験のために古典をきちんと勉強するまで古典に苦手意識を持っていたので、古典を必修科目として学ぶという機会は重要であると思います。ですが今回の否定派の意見は高校時代理系の友人から聞いたことのあるものが多く、今一度古典を学ぶ意義を考え直す必要があると強く感じました。今回は生の高校生の意見が反映されていたため、前回と比較してより実りのあるシンポジウムとなったのではと思います。次回開催も楽しみにしております。余談ですが、初めのオープニング映像がとても格好良かったです。

- 古典教育の意義について改めて考える機会をいただけて、参加できてよかったです。肯定派、否定派ともに今までの国語教育における古典授業が意義を感じさせないものであったという点で合意したのを重く受け止めました。最後の長谷川さんの訴えを今後の国語科教員養成に活かしていきたいと思います。本日は有意義なシンポジウムを企画、開催してくださりありがとうございました。
- 高校生の方々がここまでのディスカッションを用意できるとは、驚きました。本当に素晴らしい時間でした。有意義な時間をありがとうございました。
- 肯定派、否定派がきちんと議論できるようにファシリテートをしっかりすべきだと思った。例えば両者の想定している「論理」という概念に齟齬があるため、議論がかみ合わなかった。葛藤や矛盾条件下での議論は創発を生むという論文があるように、コンセプトは非常によいと思うのでシンポジウム全体としてファシリテートが上手くできるようにしてほしい。しかし、こういった機会は非常に学びになったのでとても良かった。また次も参加したい。
- ・前田先生が触れられていたように、言葉の定義を共有することで、どのような観点・考え方からそれぞれの立場ができているかわかり、議論しやすいのではないかな、と感じました。高校生の方は、ディスカッションのために言葉を定義したうえで、とてもたくさんの視点を用意され、お考えになっていました。そこに、先生方の視点も加えさらに考えを発展させる・新たなアイデアによる合意形成のためにも、言葉の認識を共有するとよいのではないだろうか、と感じました。
  ・「実用的」ということに重きを置く話題が出るたびに生き急がなくても…と思いましたが、卒業後進学するか働くかによっても考え方は違うのかもしれず面白そうだなぁと思いました。また、どうしたら古典の魅力が伝わるか、どんな改革が必要だと思われるか？　ぜひ高校生の視点からの考えをうかがってみたい！と思いました。思ってもみなかった視点がたくさんありとても興味深かったです、ありがとうございました！　高校生の方は、さまざま厳しい状況ではあるかと思いますが、これからのご活躍も祈っております。
- アルバイトで古典教育に携わっている者として勉強になりました。高校生が的確に質問を繰り広げる様を見て ICU 高校の教育に目を剥きました。
- 高校生たちがそれぞれにしっかりした意見を発信していることに感銘を覚えました。ディベートという形式は、両者の差が際立つ半面で、それぞれの論点が含む多様性が切り捨てられる恐さが残るのはやむを得ない面と思われます。それが、高校生たちがディベート後に普段使いのことばで交わしていたなかで、肯定・否定双方の歩み寄る形になっていて、素敵な成り行きに、感嘆しました。高校の先生方の行き届いたご指導を感じながら、高校生たちと大学教員たちとの間でこのような交流を実現されたことは意義深いことと思っています。今日はありがとうございました。
- 生徒が運営できたこと、参加者全員に細心の心配り、目配りをいただき、本当にありがとうございます。全国的に休校開けの大変な時期に元気な姿を見せてくれてありがとう。仲島先生、本当にお疲れさまでした。日ごろのご指導の賜です。

- 高校の時に何気なく受けていた「古典」がこのように答弁されていることを知って驚き、この度参加させていただきました。さまざまな観点からの意見を傍聴できて大変学ぶことの多い良い時間を過ごすことができました。また、行うことがあれば是非参加させていただきたいです。本日は本当にありがとうございました。
- この時期に安易に中止ということにせずに、新たな試みとしてリモートでシンポジウムを開催したことは意義があると思います。機器の使用など慣れればもっとうまくいくと思いますし、さまざまな人との新たなやり取りも生まれるかと思います。どうもありがとうございました。
- 急な仕事が入り、最後しか参加できなかったのが悔やまれるほど素晴らしい会でした。何より、貴校の生徒さんの国語への愛を感じ、頑張る力をもらいました。私自身、教授法研究に邁進していた時期からいかにアダプターになれるかが教育に携わる指針となりつつあるのでとても考えさせられました。ありがとうございました。
- 改めて現状の国語の教育（制度や実態）が古典を不幸にしていることを痛感しました。内容と方法を再考してみます。
- 学問に効率、コストが大切であるとおっしゃっており残念でした。学問は学びたいから学ぶものであり、必ずしも役に立つものではないと思います。また、回り道した際に得るものもあります。コストばかり気にしていたらかなりの数の学問に意味がなくなる気がします。また、古典は必要かという意見が出てきたことも残念でなりません。国に余裕がなくなってしまった現れだと思います。もし、次にシンポジウムがある場合は理系と言われる方の中での肯定派と文系の中の否定派の方の意見も聞いてみたいと思います。
- 初めてシンポジウムに参加しました。パネリストの方や先生方の熱意に圧倒されました。パネリストの方々がしっかり自分の意見を持っていて、同じ高校生として良い刺激を受けました。いろいろな意見を聞けて面白かったです。最後の発起者の方のお話に胸を打たれました。このこてほんはもっといろんな人に共有されるべき問題だと思います。時間の問題もありますが、先生方のお話が途中で区切られてしまうのがもったいなかったです。貴重な機会をありがとうございました。
- 企画者の古典への思い、最後のスピーチが素晴らしかったです。古典の授業をもっと魅力ある有意義なものに改革すべきです。それは、ツベタナ先生もおっしゃっていたように入試中心の現在の高校の授業の問題があると私も思います。入試にでるからと、文法中心の授業から脱却すべきです。古典も一つの文学作品として物語の主題を現代のコンテクストに照らし、解釈していくべきです。

これは国際バカロレア教育の DP 文学のカリキュラムの原則です。国際バカロレアの DP 文学では、作品を選択するときに、時代と場所（五大陸）をまたがってバランス良く教材を選ぶこととしています。教科書はなくまるごと一冊の本を持つことがルールです。日本の古典文学も教材リストにでており、長い作品（源氏物語など）は章段の指定があります。最終課題は 2 時間くらいかかる論述筆記や 15 分の口頭試問です。原文からの引用を用いて自分なりの解釈を論理的に表現するために論理的思考が養われます。このようなパフォーマンス評価にもきちんとルーブリック評価が設定されていて、成績が出されます。この成績は世界各国の大学入学資格としてカウントされます。この採点は IB 機構が雇った採点官で大学の先生や高校の先生方がトレーニングを受けてから請け負っています。日本ではセンター入試の採点が民間企業に丸投げゆえに、マルバツのわかりやすいものでと流れてしまっています。こうしたシステムの改革はすぐには難しいかもしれませんが、まずは新しい発想で IB 実践にも学びながら　現場の教師が意識改革をして明日の授業を改革することは実現可能でしょう。入試対策も踏まえつつ、古典文学のもつ魅力とは何なのか、高校生も教師もワクワクする授業を作っていきたいです。

- 最後に高校生がした主張に感動しました。高等学校の教員として今後どのように古典の授業を進めていくべきか、改めて考えるよい機会となりました。ありがとうございました。
- 新型コロナウィルスの件で一時どうなるかと思ったが、無事開催されたことをまずはうれしく思う。他方、古典肯定派が圧倒的な環境だからこそ、ディベート以外でも少数派の意見を拾う機会はもっとあってよかったのではないかと思っている。別の自由記述にも書いた ICT の件、そして外国籍生徒への配慮という視点も今後は加味してほしいと思う。ところで、私はフロア側から「古典の教養を説くとき、「無用の用」（老子）を引用する推進派がなぜ少ないのか」と尋ねた。その真意は「先人の知恵である古典の意義に関わる議論であるにもかかわらず、なぜ関連する先人の知見を引用せず、一般論のような議論を続けるのか」だったが、その場でその真意をうまく伝えられなかった点を反省している。今回の議論は古典肯定派にとっては死活問題のはずだが、自らの主張を補強するのにその古典の引用が少ないのは極めてもったいない。高校生ならばまだしも、古典の専門家も多く集う場でそうした見解も聞きたかったし、そこから話を掘り下げてほしかったと思う。
- 高校生の誠実で熱意ある姿、その想いに誠実に答えようとする ICU の先生方には感服いたました。パネリストの先生方も、一人一人にリスペクト持って接しておられるのを感じました。高校生という「とてもおもしろい時期の存在」からの主張はそれだけでも価値があるとは思います。しかし、それだけでは終わらない期待を感じさせてくれるシンポジウムでした。こんな言い方はふさわしくはないかも知れませんが、生徒がこの企画を主張できる環境、実際に実行できる体制は素晴らしいと思います。そんな環境で学べていることを保護者として誇りに思います。

- この状況の中、よく開催していただきました。生徒の皆さんや先生をはじめとして、開催にご尽力なさった皆さまに、称賛と尊敬と感謝の思いでいっぱいです。高校生とさまざまな立場の大人のコラボレーションが建設的なベクトルで行われる活動をどんどん実施していくべきだと考えているため、さまざまな困難を乗り越えてこのように先駆けとしてなさったことは大変意義の大きな素晴らしいことだと思います。ありがとうございました！
- 私は古典が好きな高校生として参加させていただきましたが、普段はうかがえない専門家の方の話や、後半のディベートを通して今までなかった新しい視点を持つことができました。これからも高校における科目としての古典について考えを深めていきます。また、今回のシンポジウムを主体となって開催なさったのが私と同じ高校生の皆さんで、しかも学校内にとどまらせなかったということ、そして何より皆さんの意見に大変刺激を受けました。きっとICU高校はいい学校なんですね。私もがんばります！　本日はこのような場を設けていただいてありがとうございました。
- 今まで教育内容を生徒が考えることは不可能であると思っていた。今もその根幹は揺るがないが、生徒の視点を参照して授業を考えていくこと、生徒視点を今後の人生とつなげて考えることは確かに必要であると思った。受験のためだけの古典を脱し、渡部先生の主張する「参加」型の古典授業を、リテラシー育成につながる授業のあり方を考えていきたい。大勢の大人の前で臆せずチャレンジをした高校生、そのチャレンジを支えた先生方、圧倒的なアウェイの中今回も参加して下さった否定派に心からの感謝を述べたい。
- 高校の現場に立たれている先生方は、本当に必死で、情熱をかけて目の前の生徒さんを教育なさっておられると思います。教科書に載る教材はあくまで教材であって、それが学びのすべてではなく、自身の学ぼうとする意欲が多くのことを左右するのだということは、生徒さん側も、もっと自覚的であってもいいのかなと思いました。しかし私自身が、高等学校までの授業で習う古典を、まったくつまらないと思っている部分が多かったので、「学ぶ意味があるのか？」と考える方が多いことには、非常に共感します（古典というものの存在に感銘をうけたのは、大学生になってからでした）。子どもたちに、「現代において実用的かどうか」という次元の問題ではなく、古典は、人間として学ぶべき文化なのだということを伝えられるよう努めようと、心を新たにしました。
- 日常ではまったく古典の話が出てこないのは本当でしょうか。大河ドラマが古語、方言のまま撮られているし、古典に基づいた漫画やアニメはたくさん存在します。逆に存在していることが気づかないほど日常的な存在なのではないかと思いました。そして古典は現代と違うからこそ面白いのではないでしょうか。

- 高校生の古典に対する真摯な思いと問題意識、それをシンポジウムという形で外に開いて問いかける行動力と実現力、心から感動しました。このような意義のあるシンポを企画・運営されたICU高校生の皆さん、仲島先生はじめサポートされた先生方、熱意あふれるパネリストの先生方、するどい質問をしてくださった参加者の皆さん、すべてに感謝申し上げます。オープンキャンパスで国文科・日本文学科の学生たちの応答に衝撃を受けたという長谷川さんのお話、ショックでした。学生たちの答えは日本文学を学ぶ意義について日頃から語っていない大学教員の姿を反映していると思います…。古典を学ぶ意義について、もっと学生たちと語り合っていこうという思いを新たにしました。得がたい場をありがとうございました。
- まず、このような場を設けてくださった関係者、名前を公表し責任を持って発言してくださったパネリスト、討論を行った高校生の方々に心よりお礼申し上げます。ありがとうございました。私は高校の時に古文の面白さ（日本語的な美しさや、世界観）に惹かれ、大学で古典文学を専攻し、教員（非常勤一年目）になりました。このため、古文を高校で読む客観的な必要性をうまく説明できずにいました。今回のシンポジウムで、そのヒントをいただけたように思います。そして、今後自分の中でうまく咀嚼し、しっかりとした信念をもって生徒の前に立ちたいと思います。ありがとうございました。
- 次回は「肯定派とも否定派ともどちらとも言えない派」も交えて、肯定派・否定派のディベートを踏まえた上でどっち側につきたいかを決めるのも面白そうだと思いました。
- 現状での「古典の授業」が生徒にとってつまらないものになっている、という意見が肯定派・否定派双方から出されたことは教員として重く受け止めるべきと考えます。古文で取り上げられる教材の時代に偏りがあることなど、構造的に見過ごされてきた問題を否定派は丁寧に指摘していました。とても好感がもてました。「古典」はややもすると「授業のための授業」（教員が一方的に知識を伝達するだけでなんとなくなりたった感がでる授業）になりがちです。大学入試で課されている科目は、どれも点数を取ることが目的となりがちです。テクニックに走り、そのために授業がつまらなくなるという指摘も十分にわかります。一方、真剣に取り組むことで、その教科の楽しさを知ることができる、という利点もあると思います。受験間際の高校3年生で、「古典を必修に」という数字が増えていたのも、このことが一因にあるように思います（結局、高校1年生の入り口でつまらない、と思わせてしまい、その後のモチベーションを形成できないことが大きな問題だと思います）。新学習指導要領では「言語文化」というくくりで、より「文化」としての古典の側面が強調されます。今までの延長ではなく、国語の中で「古典」を教えることの意味を、我々現場の教員が今一度考える必要がある、と感じました。最後になりますが、高校生の皆さんがこのようなシンポジウムを企画・運営されたことに驚きを覚えるとともに、感謝いたします。

- 最後に少しだけ話にあがっていましたが、もし第三弾があれば学校現場の先生方が中心のシンポジウムを聴講いたしたいと感じました。
- 私は大学で日本文学を専攻し、その後 WEB 制作会社で働いています。
- 古典を仕事にはしていませんが、現在も研究をライフワークにしています。今回のシンポジウムは Twiter で知り、オンライン開催ということで仕事の傍ら、遠方からでも参加することができました。内容については、大変興味深く拝聴しました。皆さんディベートも進行も大変に素晴らしく感動しました。私は肯定派ですが、否定派の方の舌鋒には目を瞠るものがありました。皆さん本当に紳士的に議論、合意形成を行っており、安心して拝見できました。特に、最後の長谷川さんの言葉には本当に感動しました。国語教育は変わらなければならないと思います。このような機会をありがとうございます。そして自分も声をあげていきたいと思います。最後になりますが、本当にお疲れさまでした。
- 今回、肯定派にお二人の先生が加わったことで、また違った展開になったかと思います。とても貴重な時間でした。ありがとうございました。今回このような状況で、オンラインで慣れないこともあったかと思いましたが、高校生の皆さんが本当に素晴らしかったです。次は高校教師で……という流れになっていましたが、私たち大学生でも議論したいと思いました。いろいろな立場の人がシンポジウムを行うことで新たな面が見えてくると思いました。最後に前田先生に質問したいのですが、芸術はリテラシーがあってこそ、文学は芸術に含まれるという考え方、文学も芸術にも失礼なのではと思います。その点について、もう少しご意見をいただければ良かったと思いました。
- 私は大学の文学部日本文学科に所属する 4 年生で、肯定派として参加していました。先生方や生徒さんたちの議論を拝聴しながら、高校生は性急に「社会の役に立つ」ことを偏重させていると感じました。ですが、最後に今回のシンポジウムの企画立案の意図として、生徒さんからオープンキャンパスでのお話をうかがった際に、はっとしました。高校時代にニュースで大学改革として文学部廃止の話があるということを知ったときの自分の切実な不安を思い出したからです。これから選ぼうとする日本文学科という進路の意義を公に認められないかもしれないと衝撃でした。まる 3 年の大学生活を経て、私は「周りがなんと言っていても自分のやりたいことをやればいい」というスタンスになっていました。入学直後くらいは日本文学科の授業の中で、古典を学ぶ意義を確認する話が何回か出ていたのですが、その後は世間からの意見に対して傲慢になっていたのかもしれません。世論やその影響にさらされる高校生に対しては不誠実なことでした。とても意義のある素晴らしいシンポジウムでした。楽しかったです。
- 事務局の先生の事前準備、校務を抱えながら大変だったと思います。敬服します。

- 大変見応え・聞き応えのあるシンポジウムでした。ありがとうございました。準備に携わった皆さま、大変お疲れさまでした。一番はっとさせられたのは、否定派の「古典には差別表現が含まれるため差別を助長する」という指摘です。これは実は考えたことがありませんでしたが、確かに、古典が持つ一側面だと思いました。だからこそ、「なぜそのような表現が含まれるのか」も含めて先生が解説したり、クラスのメンバーで話し合いをしたりする授業という場が重要になるのだと思います。ナショナリズムへの利用についても同様ですね。もう一つ印象的だったのが、「古典の授業を受けたことで文化的アイデンティティーが育った人はいるか」という問いかけ。正直に言って、おそらくそんな人はほぼいないでしょう（笑）。なぜなら、高校までの授業はいろんなことの種まき（基礎を知る）という面が大きく、古典の授業を受けたらすぐアイデンティティーが育つというわけではない。人によっては芽を出さない種で終わることももちろんあるでしょう。一方で、おもしろいことに、ものすごい時間差で芽吹きが始まるケースがあることもまた然りです。これが、大人にとっての「学び直し」です。私は現在、E テレ「100 分 de 名著」というテレビ番組の副読本（テキスト）作りに携わっているのですが、このテキストは大変よく売れています。「学校で少しだけかじったあの古典、もう一度ちゃんと読んでみたい」という大人が非常にたくさんいるのです（私もばっちりその一人です）。個人的に好きで読みたい人もいれば、ビジネスで外国人と付き合う上で教養として知っておきたいという人もいます。古典に限らず、「大人のための世界史」とか「もう一度知りたい日本史」のような本が山のように出版されていることからも、大人の学び直し欲が大変強いことがわかります。そのとき、まったくの初見で学ぶより、「学校で習ったけど忘れたしまったアレをもう一度…」の方がいかに学びやすいことか。自分自身もひしひしと実感していることですが、学校を卒業しても学びは終わらないのですね。いま、あんなに苦手だった数学を学び直したいとすら思っています（笑）。今回のシンポジウムをきっかけに、高校生、先生方、大学の先生方などの声がさらに集まって、高校の古典の授業がよりよいものになっていくことを心より願っております。かつて ICU 高校で学んだ私は今回の問いかけをしっかりと受け止めながら、自分の仕事の場で、高校では古典が嫌いだったけど改めて読んでみたいな、と思った皆さまが、より深く楽しく古典と出会い直せるような本を用意できるよう、力を尽くしていきたいと思います。ありがとうございました。
- まずは、企画を立ててくださった長谷川さんをはじめとする高校生の皆さん、ICU 高校の仲島先生をはじめとする先生方に、心より御礼申し上げます。こんなおもしろいシンポジウム、参加したことありませんでした。ICU 高校が、主体的にものを考える生徒の皆さんを尊重する、素晴らしい教育をなさっていることに感動しました。否定派、肯定派の先生方の議論は、今日もやはりところどころかみ合ってませんでしたが（特に論理・論理的な思考とは？　という質問に対する肯定派の先生方の答えは、否定派の先生方の「論理」的な説明とは雲泥の差があったように思います。私は肯定派ですが、聞いていて、論点がずれている（ずらしている？）、それは「論理」ではなく真理を表現する「方法」の説明では？　などと疑問に思うことがありました。でも、明星大のときのシンポよりもはるかに議論になっていて、それは高校生の皆さんの整理や前提の示し方がよかったからだと思います。最後に、わたしは文学部国文学専攻で古典を教える教員ですが、企画してくださった長谷川さんの最後のスピーチに襟を正されました。好きな人がやればいい、という意識しか専攻学生にさえ養えていないようでは本当にいけないと思います。古典を学ぶことが現代社会を多面的に見ることにつながるような、また深い人間理解につながるような学びをできるような場にしなくてはいけない、と心から思いました。素晴らしい企画を本当にありがとうございました。

- 実用性を考える上で、論理性が果たして公教育を受けるすべての子どもにどれだけ必要なのかを考えました。人間は最初から論理的じゃないからこそ、論理を学ぶ必要はあります。でも、完全に論理的でなければならない訳でもないと考えます。教育現場で働き始めた身として、論理的に説明するだけじゃわからない、伝わらない子供に出会い、そういった子に例えばアナロジーのような非論理的な説明をすると理解できるというようなことを体験しています。こうした、非論理的だけど認知を促すものの性質を仮に「情緒的」と呼ぶならば、情緒的な認知の仕組みを学ぶことが実用的な場面もあるはずです。そして、日本社会において支配的な、情緒的認知の仕組みが古典の中にあるとしたら、それを学ぶ意義もあるのではないか、というのが現時点での考えです。これは、高校生が何度か述べている「相対化」という言葉につながると思っています。ただ、古典を相対化する学びを高校までの学びの中で実現するのは、現状では非常に難しいことであり、それをすべての高校生に求めるのは、大変無理があることだと思います。それから希望を言えば、肯定派の先生方には、是非とも現状の大学入試に代わる評価の方法を、具体的に提案していただきたいなと思います。高校生の熱意に、そしてその議論のレベルの高さに、大きな刺激を貰いました。企画に携わってくださった皆さま、本当にありがとうございました。
- 中学国語科の教員を志す者として、大変勉強になりました。自身には学びが不十分であることを高校生の方々からもパネリストの先生方からも痛感させられました。これから日々精進させていただきます。この度は大変貴重な機会をありがとうございました。さらなる議論の深まりを祈っています。
- 日本人は議論ができないと言われますが、見方によっては高校生の皆さんの方が先生方より建設的な議論をしていたかも知れません。私は昨年、自身の大学内だけですが、読書会と称して古典を学ぶ意義について議論をしました。そのとき形成された共通了解は、ハイカルチャーとロウカルチャーを分け隔てることなく、あらゆる文学を学校教育で扱いたいね、というようなものでした。機会があれば皆さまと対話したいものです。まったく関係ありませんが、ICT を使いこなしている姿、専門家とのコラボレーション、まさにこれからの教育のモデルでした。勉強になります。

- まず企画した高校生たちにお礼を言います。ありがとう。ここまで準備して、発信するのは本当に大変だったろうと思います。その熱意は十分に伝わりました。お疲れさま。今度は、仲島先生が最後におっしゃっていたように、これを受けて教員や研究者たちが動き出さなければ結局何も変わっていかないでしょう。自分に何ができるか、改めて考えていこうと思います。

第4部

シンポジウムに至るまで

こてほんプロジェクト一同
（長谷川・丹野・内田・田川・中村・神山・小林・牧野）

1. シンポジウムの出発点
2. 企画の骨組みが決定
3. ゲストパネリストとのやりとり
4. 高校生に実施した「こてほんアンケート」
5. 申し込み・Twitter での発信
6. プログラム③――高校生パネリストとゲストパネリストによるディスカッション
7. プログラム④――高校生パネリストによるディベート
8. プログラム⑤――フロアとパネリストによるディスカッション
9. プログラム全体の流れ
10. 積み重ねてきた対話
11. オンライン開催
12. おわりに

↑ほぼ全ページに付箋が貼られた『こてほん 2019』

ここでは、シンポジウムにおける各プログラムのねらいとそれらが決定されるまでの過程を記す。また、オンライン開催に向けて行った具体的な環境整備や工夫についても触れるので、今後何かしらのオンラインイベントを企画する際の参考にしていただければと思う。

1. シンポジウムの出発点

2019年1月、発起人・長谷川は明星大学で行われたシンポジウム「古典は本当に必要なのか」(以下、「こてほん2019」とする)をYouTubeで視聴した。その議論はどこか腑に落ちなかったが、なぜ腑に落ちないのかはわからないままであった。そうした感情は次第に、「こてほん2019」の議論がかみ合っていなかったこと、またそこに高校生の声がなかったことに対する疑問や不満へと変わっていった。

そんな折、長谷川はさまざまな大学のオープンキャンパスに参加し、国文学科の学生に「古典は本当に必要なのかと問われている現状をどう思うか」と聞いていた。多くの学生の答えが「好きな人がやればよい」だったことに、大きな衝撃を受けた。

それ以来、シンポジウムのようなものをやりたいと漠然と思い始めた。一緒に和歌を詠む仲であった丹野と内田に声をかけ、アンケートの作成も始めた。

9月中旬、『古典は本当に必要なのか、否定論者と議論して本気で考えてみた。』(以下、『こてほん2019』とする)が刊行された。長谷川はそれを付箋で埋め尽くし、国語科に駆け込んだ。そして、仲島ひとみ先生を含む数名の教員と、丹野・田川と一緒に読書会をすることになった。そこで、長谷川は「高校生の声を伝えなければならない」「この議論に直接参加したい」と、シンポジウムを実施したいことを伝えた。仲島先生は快諾してくださり、長谷川は賛同してくれた同じ高校の友人とともに8名で「こてほんプロジェクト」を立ち上げた。

2. 企画の骨組みが決定

12月、学校に企画書を提出した。それを作成する過程で、企画の主な目的は以下の三つに収斂(しゅうれん)された。

目的❶高校生の声を議論の場に届ける

「こてほん2019」では、高校生の意見が取り入れられていなかった。そのため、新たにシンポジウムを開催し、発信したい。当事者である高校生の意見を伝えることで、古典教育は現場に根付いた有意義なものになるはずである。

目的❷「こてほん2019」での問題点を指摘する

「こてほん2019」では、「古典」の定義が定まっていなかったり、論点が「高校教育における古典」「古典文学そのもの」などと人によって異なっていたりした。また、肯定派・否定派どちらの意見も論理的でない部分があった。そのため、わたしたちのシンポジウムでは、「こてほん2019」の問題点をパネリスト同士で指摘し合い、今後の古典教育のより良いあり方を見いだすことを目指す。

目的❸高校生に古典教育について興味を持ってもらう

高校生は古典が嫌いであるか、または無関心になりがちだ。シンポジウムという機会を提供することで、興味を持ってもらいたい。

（学校に提出した企画書から抜粋・一部修正。）

↑ 12 月に提出した企画書。サブタイトルに「『高校教育において古典を必修にするべきか』を考えるシンポジウム」とあるが、これは当初取り扱おうとしていた論題であり、最終的には「必修」という観点は考えないことにした。詳細は「論題の決定」を参照されたい。

3. ゲストパネリストとのやりとり

●ゲストパネリストの決定

目的❷に基づき、「こてほん 2019」での問題点を指摘するため、そのパネリスト 4 名・司会 2 名と直接議論しなければならないと考え、6 名全員に登壇を依頼した。パネリストは肯定派・否定派とも全員が快諾してくださった。司会のお二人は遠方であることなどから辞退された。この際、勝又基先生は「こてほん 2019」の主催・司会としての立場から、プログラムや否定派・肯定派の専門家についてそれぞれアドバイスをくださった。さらに、『こてほん

2019』を２冊、ご寄贈いただいた。

また、議論を進展させるため、新たに２名のパネリストを招くことにした。飯倉洋一先生からの「国語史の専門家を入れた方がよい」という助言を受け、この議論に関して積極的に発言されていた専門家として名前のあがった近藤泰弘先生をお呼びした。さらに、古典と現代との接続が薄いという課題に対して新たな観点を加えたいと思っていた長谷川が、著書『心づくしの日本語』（ちくま新書）でその点について考察されていたツベタナ・クリステワ先生に声をおかけした。よって、以上６名の先生方がゲストパネリストとして参加してくださることになった。

否定派の新たなパネリストは呼ばなかった。これは、「こてほん 2019」の否定派に対して肯定派が反論しなかったため、まずはその否定派としっかり議論をするべきだと考えたからである。これによって、肯定派４名、否定派２名という偏りが出てしまったが、ゲストパネリスト一人あたりの発表時間を調整することで公平性に配慮した。

●まとめ作成

猿倉信彦先生･前田賢一先生からのアドバイスにより、『こてほん 2019』における論点のまとめを作ることになった。近藤先生・ツベタナ先生からも新たに意見をいただき、要約した。作成した要約は各先生に確認・修正をお願いし、当日の配布資料として完成させた。そして、それに基づいて先生方に質問したりアドバイスをいただいたりするというのを繰り返した。特に渡部泰明先生は、わたしたちからの度重なる質問にも丁寧に答えてくださった。これにより、ディベートやディスカッションについて考える際の下地ができた[*1]。

●リハーサル

シンポジウム当日の一週間前に、本番を想定したリハーサルを行った。これ

---

*1 「当日の配布資料」については【付録】資料集（p. 283 〜）を参照。

にはゲストパネリスト全員が参加してくださり、当日のプログラムやZOOMの機能について確認した。その後、3時間近くに及ぶ議論となった。このとき、福田安典先生は、わたしたちの資料をもとに、ディベートの論題や前提についてほかの先生に的確に説明してくださった。そのおかげで、パネリスト全員の認識がそろった状態で本番に臨むことができた。

4. 高校生に実施した「こてほんアンケート」

目的❶に基づき、高校生の声を議論の場に届けるため、アンケートを実施した。12月にICU高校のみで実施したが、英語のできる帰国生ほど古典が難しい、嫌いと感じているといったICU高校の特性が回答に色濃く反映され、ほかの高校では見られなさそうな偏りがあった。高校生の声というからには、より幅広い高校生の意見を伝える必要がある。そのため、ICU高校以外にもアンケートを実施することにし、共学・男子校・女子校・私立・国立・県立・工業高校・農業高校など9校に依頼し、うち7校から回答を得た。

ICU高校以外へのアンケートは、1～2月に実施した。回答は、Google formのQRコードを教室に掲示し個人で入力する方法、アンケート用紙に各ホームルームで記入する方法のいずれかでお願いした。

アンケートの性質について、なるべく偏りのないサンプルを集めたかったが、実際にはある高校の回答数が1000件を超えているため、60%近くがその高校の回答であった。

5. 申し込み・Twitterでの発信

シンポジウムを一般に公開することには、高校のセキュリティー管理や生徒のプライバシー保護といった観点から多くの課題があった。一般には公開せず、校内のみに向けて開催するという案もあった。

しかし、この企画は校外に向けて開くことに大きな意味があった。わたしたちは、「こてほん2019」と同じような公開された議論の場を再現し、そこに高校生として参加することを目指していたからである。そこで、Google formでの事前申込制を導入し、一般公開を実現した。

申込受付の告知など、情報発信にはTwitter*2を利用した。主な発信内容は、「こてほん2019」の内容整理や企画の開催意図、当日のプログラムなどである。

6. プログラム③
——高校生パネリストとゲストパネリストによるディスカッション

目的❶❷に基づき、「こてほん2019」の問題点を追及し、高校生という視点から問い直すため、プログラム③のディスカッションを実施した。

肯定派の先生に対しては、「こてほん2019」ではあまり言及されなかったが多くの高校生が感じている「古典の授業でしか学べないものは何か？」「古典の授業は、将来どのように役に立つか？」という疑問を投げかけた。

否定派の先生に対しては、「こてほん2019」における「古典は優先順位が低い」「国語にはリテラシーと芸術があり、リテラシーの方が重要である」という発言について、「優先順位が低いと考えるのはなぜか？どのような基準で決めているのか？」、「『リテラシー』と『芸術』はどういう基準で区別するのか？」と問うた。

7. プログラム④
——高校生パネリストによるディベート

●一般的な「ディベート」の落とし穴

「ディベート」と聞いて多くの人が思い浮かべるのは競技ディベートであろう。ある論題について肯定派・否定派のように二つの立場に分かれて討論したのちにジャッジが「どちらがより説得的であったか」を判断し、最終的に

*2　アカウントは@ icuhskotehon。#高校に古典は必要か というハッシュタグを作り、開催前・開催後、さまざまな方に意見・感想を述べてもらった。

は勝敗を決めることが目的である、という認識が一般的ではないだろうか。

しかし、哲学者・教育学者である苫野一徳は『はじめての哲学的思考』（ちくまプリマー新書、2017）において、そうしたディベートをはじめとする議論の落とし穴についていくつか触れ、理想的な議論の仕方を提唱している。

落とし穴のまず一つ目が「一般化のワナ」だ。自分自身の経験をもとに意見を構築すること自体は問題ではない。しかし、それをあたかも絶対的に正しいことであるかのように主張すると、その議論は自らの経験や自説をただ表明し合うだけのものとなってしまう。

次に、「問い方のマジック」についてだ。「Aであるか、Bであるか」という二項対立的な問いを考える際、わたしたちはどうしてもそのどちらかが正しいと思い込む傾向がある。それではほかの可能性を考えることができなくなってしまう。

最後に、相手を言い負かすためだけの「むなしい議論術」についてだ。具体的に言えば、相手の主張の矛盾や例外を指摘し続ける「帰謬法（きびゅうほう）」のことである。議論において矛盾や例外を指摘することは必要であるが、相手を言い負かすことが目的となると、その議論は何も生み出すことのできない空虚なものとなってしまう。

苫野氏は、より良い議論を構築するため、異なる立場の者同士が建設的な批判を交わし合うことで合意形成を目指す「超ディベート（共通了解志向型対話）」を推奨している。二項対立を超えたその先にこそ、価値のあるものが生まれるのだ。

わたしたちのディベートは、形式としては競技ディベートの枠組みを用いたが、勝敗をつけること自体を目的とはしていない。肯定派と否定派の議論をかみ合わせる手段として、ディベートを採用したのである。

だが、ただディベートを行うだけでは前述のような落とし穴にはまってしまう。シンポジウムの第2部において、プログラム④「高校生パネリストによるディベート」とプログラム⑤「フロアとパネリストによるディスカッション」をセットで設定したのはそのためである。ディベート後のディスカッションで二項対立を脱し、問い方を変え、建設的な議論に持っていこうとしたのだ。

●ディベートを実施した理由

わたしたちがディベートを実施したのは、**目的❷**に基づき、「こてほん2019」の最大の問題点であった肯定派と否定派のすれ違いを解消し、議論をかみ合わせるためである。そこには二つのすれ違いがあったと考えられる。第一に議論に対する姿勢のすれ違い、第二に議論の内容に関するすれ違いである。

・議論に対する姿勢のすれ違い

「こてほん2019」には、パネルディスカッションに臨む姿勢で参加している人と、ディベート（競技ディベート）に臨む姿勢で参加している人がいた。

そもそも討論におけるパネルディスカッションとディベートの違いとは何か。パネルディスカッションでは、さまざまな立場の人が自由に意見を述べて議論する。ディベートでは、肯定派・否定派のように二つの立場に分かれ、「立論」「反駁」などに詳細な時間配分を定めて両者の意見を対立させ、ジャッジが勝敗を判定する。

「こてほん2019」では「肯定派」「否定派」という立場が定められており、これはディベートのようである。しかし、「立論」「反駁」といった発言の区分や、それらの詳細な時間配分は定められていなかった。各パネリストが20分で持論を発表し、その後に自由に議論をしていた点は、ディベートではなくパネルディスカッションである。

問題なのは、「こてほん2019」は勝敗をつけることを目的としていたのかどうかである。ディベートでは勝敗をつけるものだ。しかし、パネルディスカッションでは違う。

『こてほん2019』において、否定派の猿倉先生は「否定派は肯定派に圧勝した」と述べていた。おそらく猿倉先生は、ディベートとして勝敗をつけるつもりで来ていたのだろう。一方、肯定派の渡部先生は否定派に「反論しない」と宣言していた。これは明らかにディベートではない。渡部先生は、パネルディスカションのつもりで来ていたのではないか。

このように、そもそも議論に対する姿勢が異なっていた結果、否定派の「肯定派を打ち負かそう」という姿勢は不自然であり、同時に肯定派の「否定派に反論しない」という姿勢も不自然であるように見えた。こうした議論に対する姿勢のすれ違いは回避しなければならない。

わたしたちのシンポジウムは、どのような場として設定するべきだろうか。たとえばパネルディスカッションにした場合には、肯定派も否定派も長々と持論を展開し合い、収拾がつかなくなってしまうだろう。そこで、一度はっきりと論点を二分して戦わせてみる必要があった。

こてほんディベート　立論

	肯定派	否定派
立場	「高校の授業で古典を学ぶことには意義がある。	「高校の授業で古典を学ぶことには意義がない。
第一立論	①現代日本語の能力向上★ ②古典を学ぶ過程で論理を学ぶ★ ③先人の知恵に学ぶ→他者理解へ ・情理を尽くす、など★ ↓ 原文で学ぶべき ④国際社会に生きる者として自国の文化を知るのは当人にとって必要	①原文で読む必要のある人はほぼいない★ ②ポリコレ的に有害★ ③現代との接続が薄い ・高校生アンケート「将来使わない」 ④国家などの権力によってナショナリズムの高揚のために使われる危険性
第二立論	⑤（否①に対して） 文語文に自らアクセスできる重要性 ・歴史修正主義への対抗、など ⑥（否②に対して） ポリコレを相対化させるために古典を学ぶべき ⑦（否③に対して） 古典には現代的思考に資するテキストあり★ ⑧（否④に対して） ナショナリズムに利用されていることに気づくために、利用された事実も含め古典を批判的に読むことが必要	⑤肯①の効果㋐、むしろ混乱させる★ ⑥肯②の効果㋑他教科で学んだ方が効果的★ ⑦（肯③に対して） 情理などより実用的なものを学ぶべき★ ⑧（肯③に対して） 内容は現代語訳でよい。 ⑨（肯④に対して） 「自国の文化を知る」というが、蝦夷や琉球など古典の教科書から除外され「古典ではない」と周縁化された作品がある。★

★…データや具体例を挙げるべきところ
━…リテラシー系、━…コンテンツ系、━…アイデンティティ系

↑論点について整理した表（初期）。これをもとに立論を作成し、修正を重ねた。

時間を区切り、発言の区分が明確なディベートを行うのなら、肯定派も単なる持論ではなく否定派に対する反論を持って議論に臨むことになる。また、ディベートに勝敗をつけるだけで終わらせず、プログラム⑤でディスカッションを設ければ、否定派も相手を打ち負かすだけでなく対話へと向かうはずである。

・議論の内容に関するすれ違い

前回の議論におけるもう一つのすれ違いは、その内容自体にも見られた。

まず、「古典」「必要」「論理」といった言葉の定義や前提が人によって大きく異なっていた。ディベートの中で言葉を細かく定義して議論すれば、そうした前提の違いによる混乱を避けることができる。そのため、後述のように論題を決定し、言葉の定義を明確にした。

また、「こてほん2019」では多くの論点が出されたものの、それらは肯定派と否定派で対応していなかったため、議論がかみ合わなかった。立論・反駁といった区分を明確にすることで、肯定派と否定派の論点を対応させ、単に自分の意見を言うだけでなく相手の主張に対する反論を行うことができると考えた。

＊　＊　＊

以上のように議論の場を構築してはじめて、肯定派と否定派をきちんと対峙させることができると考えたのである。

●先生方の役割・ディベートの実施形態

ディベートを実施することにしたが、ゲストパネリストには肯定派４名・否定派２名という偏りがあった。また、先生方の意見はご自身の立場や経験と不可分であり、冷静な議論が難しくなるように思えた。

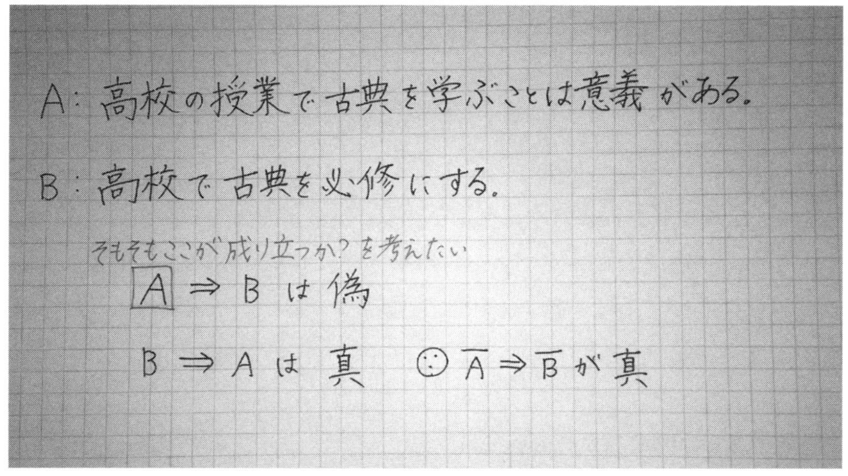

↑わたしたちの論題（A）と、必修に関する議論（B）との関係。

そのため、わたしたちがゲストパネリストの意見を、それぞれの論点を対応させながら立論し、肯定派・否定派の役割を担うことにした。自説ではないからこそ、その意見に客観的に接することができると考えたのである。

とはいえ、わたしたちには専門的な知識が不足している。そこで、ゲストパネリストには、ディベートの作戦会議の際に助言をいただくことにした。

●論題・前提の決定

当初は「高校教育において古典を必修にするべきか」という論題を取り扱おうとしていた。

しかし、飯倉先生から、「『高校必修』を論点にすると、古典の価値や必要性に関する議論ではなく、高校教育において何を優先すべきかという教育政策に関する議論になる。古典の価値は認めるが優先度は低いという結論になるだろう」といったご指摘をいただいた。このご指摘によって、大事なことに気づかされた。わたしたちは教育政策について議論したかったわけではない。それよりも、「古典の授業の意義そのものについて考えたい」というのがこの企画を立てた動機であったのだ。

では、どのような論題にすれば、古典の授業の意義について、ディベートとして成立する形で議論することができるだろうか。

仮に、古典の授業に意義があるとする。それでは古典の授業は必修になるかというと、他教科との兼ね合いがあるため、必修になるとは限らない。よって、「必修にする・選択にする・科目として設置しない」という可能性が考えられる。

仮に、古典の授業に意義がないとする。この場合、意義があっても必修になるかはわからないのだから、意義がないのならば必修にはならないだろう。

「こてほん2019」では「必修にするか否か」という部分を主に議論していたが、それを議論するには、そもそも「意義があるかないか」をまず話し合わなければならないはずだ。そのため、「高校の授業で古典を学ぶことに意義はあるか」と論題を設定し、「必修・選択という言葉は使わない」と定めた。

●肯定派・否定派とは何か

さて、この論題において、肯定派・否定派とは何か。わたしたちは、肯定派であるか否定派であるかを決定する要素は主に四つあると考えた。

一つ目は、古典を「必修科目にする・選択科目にする・科目として設置しない」のいずれに賛成するか。現在、古典は必修科目であるが、その古典を「選択科目にするのがよい」と考える立場は、肯定派なのか、否定派なのか。

二つ目は、古典の単位数をどう考えるか。現在、古典は必修として2単位(「国語総合」4単位のうち半分が古典にあたるとして)あるが、「古典を必修として1単位にするのがよい」と考える立場は、肯定派なのか、否定派なのか。

以上二つの問題は、「必修・選択という言葉は使わない」と定めることで考える必要がなくなった。

三つ目は、原文の扱い方をどうとらえるか。「原文を読まずに現代語訳だけでよい」と考える立場は、肯定派なのか、否定派なのか。これについては、「肯定派は原文で読むことを絶対とする」「否定派は原文を読むことには確実に反対」と立場を定めた。否定派は原文を読むことに反対していれば、「現代語訳を読むことはよい」「現代語訳も原文も読まなくてよい」のいずれも主張できる。

四つ目は、現在の古典の授業をどうとらえるか。「現在の古典の授業に問題がある」と考える立場は、肯定派なのか、否定派なのか。これについては、古典の授業のあり方の中で「原文を読むかどうか」のみに焦点を絞り、それ以外の授業方法については考慮しないことにした。よって、肯定派は「授業で原文を読むことに意義はあるが、いまの授業のやり方は問題があり変えるべき」という主張も可能となった。否定派は、古典の授業に意義がないことの根拠として「現在の古典の授業に問題がある」を主張することができなくなった。

●特記事項

・ディベートでの論点にはわたしたち自身で考えたものもあるが、基本的には『こてほん2019』やゲストパネリストの意見を組み合わせ、そこに高校生アンケートの結果を加え、さらに自分たちでリサーチを重ねたものである。生徒が個人として肯定派・否定派であるとは限らない。

・ディベートの主な目的は勝ち負けを決めることではなく、議論をかみ合わせることである。そのため、どちらの陣営も相手の立論の内容を知っている状態で臨んだ。

・ディベート終了後、高校生パネリストの肯定派・否定派が互いにそのラベリングを外し自由に意見を述べ合うため、感想戦を行った。

8. プログラム⑤
――フロアとパネリストによるディスカッション

目的❷に基づき、ディベートで可視化された問題点について話し合い、高校生パネリスト・ゲストパネリスト・フロアの参加者全員で共通了解を見いだすため、プログラム⑤のディスカッションを行った。

特に、前述のように、ディベートは肯定派にきちんと反論してもらうことが目的だったが、ディスカッションは否定派に勝敗にこだわらず対話してもらうことがねらいだった。しかし、当日のディスカッションではフロアからの質問が肯定派の先生に集中してしまったため、このねらいが達成されたとは言えない。

また、**目的❶**に基づき、高校生パネリスト以外の高校生の声も取り入れるため、フロアの高校生の発言を優先する時間をとった。

9. プログラム全体の流れ

シンポジウム当日に実施したプログラムは以下の通りとなった。

～第１部～

①「こてほん 2019」の論点整理

②高校生に実施したアンケートの結果発表

③高校生パネリストとゲストパネリストによるディスカッション

～第２部～
④高校生パネリストによるディベート
⑤フロアとパネリストによるディスカッション

第１部では、「こてほん2019」における論点を整理したあと、そこにアンケートによって高校生の視点を加え、さらに高校生からゲストパネリストに疑問を投げかける形で「こてほん2019」の問題点を指摘した。

第２部では、まず高校生パネリストが「高校の授業で古典を学ぶことに意義はあるか」という論題でディベートを行った。ディベートを受けて、高校生パネリスト・ゲストパネリスト・フロアの全員でディスカッションを行い、共通了解を見いだそうと試みた。

10. 積み重ねてきた対話

教室で、廊下で、電車の中で、議論はいつも唐突に発生した。議論にあらかじめゴールを定めることはなく、何度も回り道や寄り道を繰り返した。学校で議論してから家に帰ったあとも、緊急事態宣言下の自宅でも、LINE・Google Classroom・zoomなどを使い、あらゆる場所で、四六時中、際限もなく考え続けた。

●ともに考える仲間の存在

こてほんプロジェクトの８人が集うと何が起こるか。

この問題について考えを深めたくて、思考を進めたくて、整理したくて、思っていることをぶつける。すると、それを受け止めてくれる人がいる。相手の言葉を聞き、受け入れ、必死で理解しようとする。発言すれば、手応えのある反論が返ってくる。疑問があれば、心ゆくまで話し合う。疑問が解消されたかと思えば、すぐに新たな疑問が生まれる。話しているうちに自分の中でまとまっていく。口に出してはじめて、自分の考えに気づけるときもある。

自分の意見を伝えることが苦手なら、メンバーが一つ一つ「これはこういうこと？」「こういう考え？」と解きほぐしてくれる。自分で疑問を見つけることが苦手なら、メンバーが次々に新たな観点を生み出してくれる。互いに苦手なところを補い合う。

真剣に考えたいし、真剣に考えている人がいるし、一緒に考えてくれる人がいるから、話す。ささいな疑問でも聞いてくれるから、気楽に指摘できる。

モヤモヤを言語化できたときの心地よさと、そこから生まれる知の拡がりを感じ、常にワクワクしながら対話に臨んでいた。

●対等な関係

このような対話を重ねる中で、意見や質問を出しやすい雰囲気や、先輩と後輩・教員と生徒といった立場に関係なく話し合える環境が作られていった。

これは、わたしたちが高校生であったことが大きい。立場による壁もなければ、「大人」のように発言に伴う責任もない。わたしたち高校生には失うものがないからこそ、自由奔放に対話を展開することができる。どれだけ反論しても関係性が崩れることはなく、真に対等な関係だったとも言えるかもしれない。

また、わたしたちは、顧問の仲島先生をはじめ学校の先生方と何度も対話をした。しかし、先生方の意見をただ鵜呑(うの)みにしたことはない。これについて、仲島先生は「生徒が主体的であってはじめて、教員は個人として参加できる。生徒が教員を絶対視するような状況だと、教員は生徒の主体性を引き出そうとするがために、むしろ発言を控えてしまう。こてほんプロジェクトのメンバーはみんな自分の意見を持っていて、わたしの意見を鵜呑みにする心配がないから、好きなことを遠慮なく言える」とおっしゃっていた。

わたしたちは、全員が共通の問題意識を持つとともに、皆が独自の意見を持ち、それぞれがそれぞれに模索していたのだ。それゆえ、先生の意見だからといって正しいと思い込むことはなかった。先生もメンバーの一人として、議論に参加していた。

●「まじめ」なことを話せる

わたしたちにとって、何らかの社会的課題について、同世代の人とじっくりと議論する機会を持つのは難しい。一般的に、高校生の間では「まじめ」であることや「意識が高い」ことに抵抗を覚える人が多いからだ。「SDGs」や「持続可能な社会」について考えていたり、若者の政策提言に携わる活動をしていたり、勉強に熱心に取り組んでいたりする人は、敬遠されてしまうことも少なくない。

しかしICU高校では、多少なりともそれが和らげられていると感じる場面がある。なぜなら生徒も先生も、他者との対話を尊重しているからだ。「まじめ」であることを避ける人はいても、それを真っ向から否定する人はいない。「まじめ」であることを好む人はいても、それを一方的に押し付ける人はいない。こういった自由な精神的土壌があったからこそ、わたしたちはいわゆる「まじめ」なことについて気兼ねなく話し始めることができた。

●考え続ける精神力

さらに、長谷川が最後まで考え抜くようほかのメンバーの背中を押した。長谷川は一度作り上げた結論を躊躇(ちゅうちょ)なく壊し「もっとクリアにとらえられる」「もっと問題を抽出できる」と掘り下げた。ほかのメンバーにとっても、その疑問や違和感は、気づいていなかっただけで言われてみれば気になるものだった。だから、思考をやめるわけにはいかなかった。

議論するべきことが多かったために、悠長にはしていられず、朝も昼も夜も考え続けた。メモは追いつかないのが当たり前で、目まぐるしいスピードで本質観取し、共通了解を作り、それをまた見直す、というのを繰り返した。

●主体性とは何か

このようにして、わたしたちは自分の行動の一つ一つに意味を見いだし、シンポジウムという大きな目標に向かうことができていた。そして、議論してきた内容を具現化するにはどうすればよいのか、自ら計画し、スケジュールを管理し、分担して事を進めた。アンケート分析は田川・中村、ポスター作成は神山、コンセプト動画作成は牧野、司会原稿は丹野・内田、肯定派原稿は長谷川・小林、否定派原稿は田川・牧野。一人ひとりにそれぞれの仕事があり、その人にしかできない仕事に取り組んだ。それと同時に、ディベート論題など本章で説明してきた多くの事柄について、全員での議論を重ねた。

ところで、近年、高校生には「主体性」が求められているようである。文科省によると、これから訪れる「将来の変化を予測することが困難な時代」に向けて、「主体的･対話的で深い学び」が必要とのことだ。そのため、高校生はボランティア、課外活動、総合的な時間、自主的な活動などに積極的に取り組み、主体性を育むべきだという。そして、2021 年度からの大学入試改革では、各大学の方針のもとで「主体性評価」を行うことが必須となっている。

しかし、そのように用意された場において、本当に生徒は主体的になれているのか。嫌々やる、仕方ないからやる、という状況になっていやしないか。そもそも主体性とは一体どのようなものなのか。何か特別な活動をして

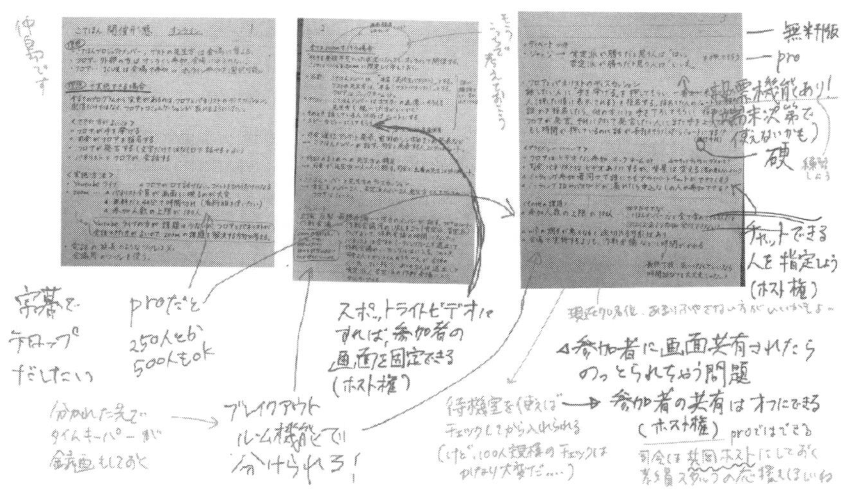

↑外出自粛により直接会うことができなかったため、グーグルのジャムボードを利用。

いる人だけが主体的なのか。何か結果を残した人だけが主体的なのか。「主体性」という言葉には内実が伴っていないように感じる。そんな得体(えたい)の知れない「主体性」を求められ、わたしたちは困惑している。

わたしたちは、「こてほん2020」に向けた8カ月間、自ら考え、対話を重ね、シンポジウム開催までこぎつけた。これこそ、まさに「主体的・対話的で深い学び」だったのではないのか。

11. オンライン開催

当初は3月10日のICU高校で対面する形での実施に向けて準備を進めていたが、新型コロナウイルス感染拡大の影響により校内にフロアを招いての開催は厳しくなった。そこで、校内にて無観客でのライブ配信へと計画を変更し、Twitterでも告知した。

しかし、突如として3月からの休校が決まり、3月10日の開催は不可能となった。年度をまたぐこととなったが、企画メンバーでは、中止せずに延期して実施するという方針で固まった。延期後のスケジュールも決定できない状況であったが、ディベートに向けてのリサーチを進め続けた。

4月以降は登校禁止の中、オンライン授業となったため、シンポジウムもパネリストを含め完全オンラインによる開催を決断した。実施日は6月6日に決まり、そこに向けて再び活動し始めた[*3]。

オンライン開催にしたことのメリットは大きかった。地域の制約がなくなり、申し込みの人数は大幅に増えた。また、チャットでリアルタイムなリアクションを見ることができ、画面共有によりスライドも見やすくなった。

しかしまた一方で問題もあった。本番では学校のWi-Fiの接続が切れるというアクシデントが発生し、復旧に10分ほど時間がかかってしまった。また、休憩時間中や本番終了後に会場内での偶発的な会話が発生しない。本来、会場に足を運んでくださるはずだった方々、特に協力してくださった先生方

*3 その後、6月から対面授業を再開するという発表があったため、当日は生徒と教員は学校から参加することができた。

には直接お会いしたかった。

オンライン開催にあたって念入りに準備はしたが、オフラインで予定していたのと同様の内容を実現するにはかなり苦労があった。

以下に、ここに至るまでに行った準備や可能な工夫などを書き留める。何かの参考にしていただければ幸いである。

● Zoom ミーティングを使用

オンライン授業に伴い学校法人がライセンス契約していたため、ミーティングの上限が 300 名となり、200 名ほどの参加者全員が入室することができた。

●誰が議論しているかをはっきりさせる

- 高校生パネリスト・ゲストパネリストの名前には「司会」「運営」「パネリスト」を付した。ディベート時には「肯定派」「否定派」という役割を明記した。また、それに応じたバーチャル背景を使用した。
- 黒いバーチャル背景を使用したため、パネリストは全員白い服を着用した。
- パネリストのアイコンを統一するといった工夫ができる。
- 話している人以外はミュートにする。話している人のスピーカーが切り替わらないと、発言者を認識しづらい。また、ハウリングしたり、周囲の雑音が入ったりして聞き取りづらくなることを防げる。
- スマホや PC などをマナーモードにし、デバイスからの通知や通知音を出さないようにする。
- 司会やパネリストはビデオをオンにする。ビデオがオフであると、発言者を認識しづらい。
- フロアにスピーカービューにしてもらう。話している人のスピーカーが切り替わらないと、発言者を認識しづらい。
- スポットライトビデオを使用すれば、ホストが参加者の画面に任意のユーザーを固定できる。

●セキュリティー

・ホストが許可をするまで会議に参加できない「待機室」のシステムを使用。入室時には、申込時の名前と照合するため、実名での参加。
・フロアは、ビデオオフ、また入室後のニックネームはOK。
・フロアの画面共有はオフにする。
・チャットの送信先を設定し、フロア同士でチャットを行えないようにする。（「全員」か「ホスト」にのみチャットを送れるようにした。）
・全員がトラブルに対応できるようにするため、司会・パネリスト・運営スタッフなどは全員共同ホスト。
・名前を「詠み人知らず」「スタッフ」にするなど、実名が出ないようにする配慮（本書の中ではわかりやすくするため実名にしている）。
・SNSで利用しているアイコンを使用する場合、身元の特定につながる可能性がある。
・公開動画の編集が大変。特にギャラリービュー。多くの参加者の顔や名前が映ってしまうので取り扱い注意。
・

●円滑な進行のための工夫

・まとめ動画、アンケート動画、コンセプト動画を作成。このように、原稿を読むだけのプレゼンテーションをする場合は事前に動画にまとめることにより、当日の時間管理ができ、負担の軽減にもなる。ただし、主催者だけでなく参加者のインターネット回線の具合により、動画にはラグが発生する可能性がある。
・ディベートのジャッジではzoomの投票機能を利用。ただし、デバイスによって対応していない場合がある。Google formを使うことも考えたが、参加者がそのURLにアクセスする手間を考慮し、zoomの投票機能を使った。
・ディベートの作戦会議ではブレイクアウトルーム機能を利用。二つのルームを作成して肯定派・否定派に分かれ、フロアと司会はメインに残った。
・フロアとパネリストのディスカッションでは、質問したい人は「手を挙げる」機能を使って確認した。
・一人を指名したら、司会がほかの人の手を下ろすようにした。
・時間が限られているため、話が長引きそうであれば強制ミュートを使うことにしていた。
・制限時間などをチャットで知らせた。
・ディベートの際に「肯定派第一立論」といった字幕を常に表示しておきたかったが、zoomの字幕機能では10秒間しか表示されないため、断念した。
・運営側はzoom以外に、Googleハングアウト（チャットアプリ）で随時連絡を取り合った。
・一週間前に本番を想定したリハーサルを行い、前日にも行程の確認を行った。
・本番では、デバイスの操作担当などを細かく記入したタイムスケジュールを各自の手元に用意した。

●記録
・全体とブレイクアウトルームそれぞれの録画をした。録画担当をしっかりと決めておく。
・会議を終了する前に、チャットを保存する。
・ホストの画面とホスト以外の画面では、表示されるものが異なる。そのため、ホストの画面で録画すると、当日のフロアに見えていたにも関わらず録画には残らない場合がある。（たとえば投票結果はポップアップで表示されるが、録画には入らないようなので注意）

12. おわりに

以上が本企画における各プログラムの目的と、開催に至るまでの経緯である。これらを詳細に記した理由は主に二つある。
一つ目は、各プログラムの意図を明確にするためである。わたしたちは、はっきりとした目的のもとで各プログラムとその内容、そして全体の流れを構成した。それらを余すことなく説明したかったのである。特に誤解や指摘の多かったディベートについては、詳細に説明した。当日参加された方々や、本書を手に取ってくださった方々に理解していただければ幸いである。

二つ目は、こてほんプロジェクトのメンバー８人が、本企画を主体となって進めてきたということを伝えるためである。本企画は仲島先生に誘導されたものなのではないかという疑問が寄せられたが、それは違う。確かに、仲島先生は、フロアやゲストパネリストの先生方との連絡といった運営に尽力してくださった。しかし、本企画は完全に発起人・長谷川の飽くなき好奇心から始まり、企画書の作成・ゲストパネリストの選定・プログラムの決定・ディベート論題の決定などは、すべて生徒が行ってきた。仲島先生が主導権を握ることはなかった。握ろうともしていなかった。

これは、わたしたちの思考の軌跡である。ただ、高校生であるわたしたちには学術的な知識が不足している。それゆえ思考が未熟であることは重々承知している。だからこそ、わたしたちの思考には多角的な批判を加え、どうか建設的な議論を広げていってほしい。

シンポジウムのあとには、こてほんプロジェクトのメンバー・ゲストパネリスト全員による zoom での反省会もあった。議論を重ねるにつけても課題は山積していると感じるが、立場を超えて意見を交換することができた。ぜひこのような対話を今後も続けていきたい。

最後に、渡部先生、福田先生、近藤先生、ツベタナ先生、猿倉先生、前田先生、勝又先生、飯倉先生には、本企画への深い理解とともに多くの助言をいただきました。シンポジウム当日のみならず、事前準備や事後の反省会など、いつでもわたしたちからの質問を歓迎してくださったこと、深くお礼を申し上げます。

アンケート協力校の先生方には、アンケート用紙の印刷・郵送から、それを実施し、回収していただくまで、大変な労をおかけしました。協力してくださった高校生の皆さん、率直な思いや考えを教えてくださりありがとうございました。

仲島ひとみ先生をはじめ ICU 高校とその先生方は、200 人規模の入室を管理して生徒のセキュリティーを守り、当日の進行もサポートしてくださいました。生徒の思いを尊重し応援してくれるこの学校で学ぶことができ、幸せです。

何よりも、フロアの皆さまをはじめ、応援してくださったすべての方々。休校となってもなお中止せず、何としても実施しなければならないと思うことができたのは皆さまのおかげです。心からの感謝を申し上げます。

こてほんプロジェクト 一同

第5部

共に社会を作る仲間として後進を育てようとするのなら

（仲島ひとみ）

1. まとめにあたって
2. 「こてほん2019」をどうとらえていたか
3. 今回出た論点の整理
4. 教育学的な観点から
5. 当事者の声をどうとらえるか
6. まとめと展望

1. まとめにあたって

シンポジウムをやりたいと言ってきたのは生徒たちのほうからだった。彼らのねらいは初めから外を向いていて、議論を学校の中にとどめておくつもりはなかった。シンポジウムは一般にも公開したい、Twitterでも発信したいというのだ。学校としてどう生徒たちの安全やプライバシーを守るかという課題はあったが、彼らの望むように、この議論のフィールドに大人たちと対等に立たせてやりたいと思った。それは、提出された企画書に込められた並々ならぬ情熱のためでもあったし、それまでに自主的な勉強会や読書会を自分たちで立ち上げてきた彼らに対する信頼のためでもあった。

これだけの先生方をお招きして大きな催しとなったので、教員が主導したのではないか、あるいは誘導したのではないか、と思われる向きもあったかと思うが、そうではなかったことは第4部を見ればおわかりいただけるだろう。こちらは主導するどころか、生徒たちのパワフルな動きについていくのがやっとだった。筆者は文字通り「顧問」の立場で、彼らの相談に乗り、質問に答え、時には一参加者として意見を交換したが、あくまでもシンポジウムで提示されたのは彼らの作った議論である。当日も筆者個人の意見や考えは表明しなかった。今回、書籍化にあたり、ここで総括する機会をいただいた。高校生からのパスを受け取り、次につなげるべく、個人として考えたことも記していこうと思う。

2.「こてほん2019」をどうとらえていたか

まず、明星大学でのシンポジウム(「こてほん2019」とする)およびその書籍版(『こてほん2019』とする)での議論について、筆者がどうとらえていたかを述べたい。

生徒たちと同様、筆者も「こてほん2019」での議論には不満に感じるところがあった。議論に対する両者の姿勢や論点のかみあわなさについては生徒が第4部で述べた通りであるが、最も気になったのは、あるべき観点が欠けていることについてである。

　ここに示すのは筆者が書籍版を読了したときに作成し、Twitter に投稿したメモである。

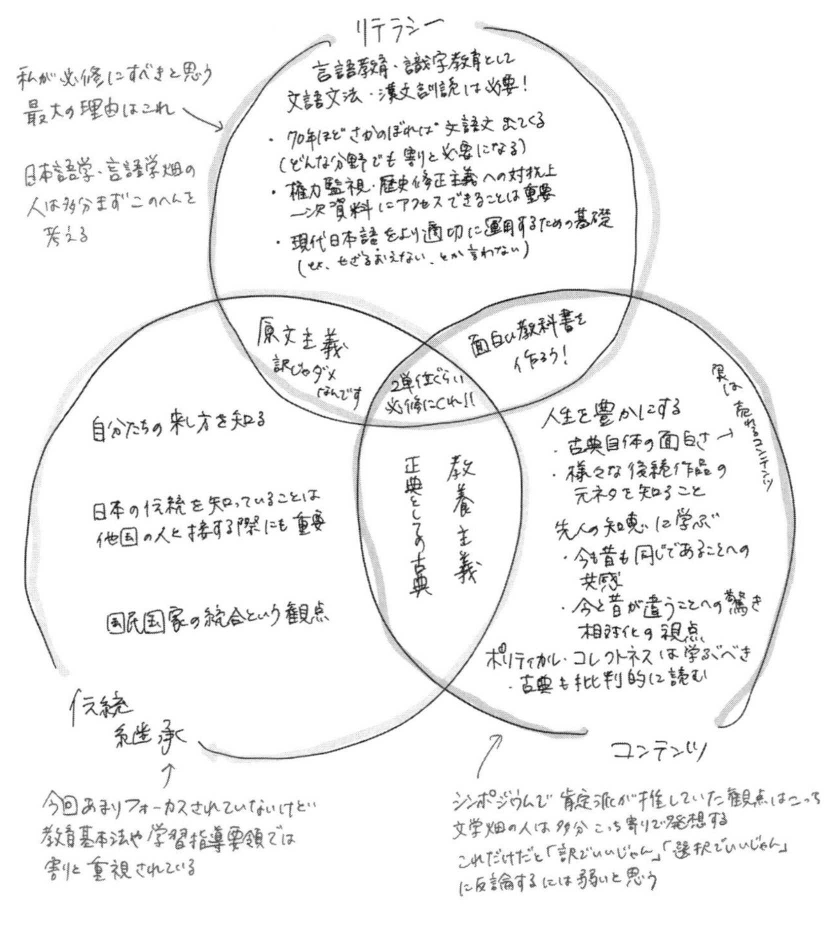

＊図中で「一次資料」と書いてしまったが、ここでは「翻刻された原文」というぐらいのつもり。

この「リテラシー」「伝統継承」「コンテンツ」は、古典を学ぶ意義として最低限挙げられるだろうと筆者が考える三つの領域である。このうち、「こてほん2019」の議論では主に「コンテンツ」をめぐって話がされていたように感じた。勝又基氏の総括(『こてほん2019』)の中では他の観点についても触れられていたが、個人的にはリテラシー(言語教育)の面こそが重要であると思っていたので、シンポジウム全体の中で大きな論点になり得ていなかったのは物足りなく感じた。日本語学の専門家がいればおそらく言語教育の面がもっと取り上げられたのではないだろうか。また、アイデンティティーや伝統継承という観点も極めて弱かった。これはナショナリズムに利用されることへの警戒感がそうさせているのかもしれないが、現行の教育基本法や学習指導要領において大きな比重を占める観点である。回避するわけにはいかない。

これらの観点について生徒たちとも共有し、飯倉洋一氏からの助言もあって、新たなパネリストとして近藤泰弘氏とツベタナ・クリステワ氏をお招きすることとなった。

もう一つ欠けていると思ったのは、学校教育に関わる立場からの発言である。現在の古典の授業の実態についても、教育基本法や学習指導要領などの制度がどのような思想で設計され実践されているのか、どのような歴史的経緯を背景に持つのかということについても、言及がほとんどなかった。現在も過去も知らずに未来を語ることはできないのではないだろうか。ただ、国語科教育の専門家や高校教員をパネリストに入れることは今回の「こてほん2020」でも達成できなかった。せめてこの総括の中で触れつつ、次につなぎたいと考えるものである。

3. 今回出た論点の整理

■高校生アンケートから見えるもの

今回、「高校生の声を議論に載せたい」ということで行われたのが高校生アンケートである。なるべくいろいろな生徒に答えてほしいということで、依頼する学校を選定したが、実際には回答をもらえなかった学校があったり、回答数に著しい偏りがあったりして、統計的な資料としては限界がある。しかしそれでも、設問間の相関や、学年・理文といった属性とのクロス分析の結果は興味深い。なお、これらのアンケートは、「必修・選択を論点にしないで論題を設定する」という方針（第4部参照）が決まる前に行ったものなので、必修か選択かといった設問が含まれている。

「古典が好きか」「古典の授業が好きか」といった設問に対し、ネガティブな回答のほうが多い。これは必ずしも目新しい結果ではなく、平成17年度に国立教育政策研究所が実施した高等学校教育課程実施状況調査[*1]では、古文・漢文は各科目中で最も嫌われていて（次点は化学）、「古文は好きだ」「漢文は好きだ」という設問に対していずれも7割強が「そう思わない」「どちらかといえばそう思わない」を選んでいる[*2]。今回の高校生アンケートでは、国立教育政策研究所の調査よりはポジティブな回答が多いものの、「必修科目にすべき」という答えが26%にとどまるなど、肯定派にとっては厳しい結果である。「古典を読む力」があると感じている人の少なさも気になる。

設問相互の相関については、古典や古典の授業に対する感じ方、問題を解けるかどうかや古典を読む力の自己評価など、相関が見られる項目にさほど驚きはない。興味深いのは学年による推移である。学年が上がると「好き」だと感じる割合が減るが、「読む力がある」と感じる人は増える。高3では「必修科目にすべき」が増え、「必修・選択ともに無くてよい」が減る。これはなぜだろう。読解力はついていくが、それで好きになるよりも必要性を感

---

*1　https://www.nier.go.jp/kaihatsu/katei_h17_h/ （2020年8月24日閲覧）

*2　7割が否定的というのは「勉強が好きだ」という問いに対する答えと同じくらいの割合である。なお、「国語の勉強が好きだ」では肯定的な答えと否定的な答えが拮抗し、「国語の勉強は大切だ」になると肯定的な答えが8割を超える。「好き」より「大切」が上回るのはどの科目にも共通していて、高校生も好き嫌いで勉強の大切さは決まらないということはわかっているのだろう。古文・漢文については「大切だ」の設問がなかったので、大切だと思っている人がどれぐらいいたかはわからない。

じるほうが大きいというのは、受験のプレッシャーを感じて、「やっておけばよかった」と思うことがあるということだろうか。選択分野別の傾向では、文系の生徒のほうが理系の生徒よりも古典に対してポジティブであるというのは予想通りだが、問3の「古典の授業が簡単だと答える人は文系より理系に多いが、難しいと答える人も理系が多い」という結果が面白い。これは筆者の教えている実感とも合う。古典の上位層には意外に理系の生徒が多い。受験科目としての古典は、ルールが明確なので、ロジカルに解くのが得意なタイプの生徒が得点源にしやすいのかもしれない。

記述回答では、授業の好き嫌いについて「先生」を理由にしたものがかなり見られたことが、教員としては気になった。実際に教室で向き合う生身の教員が生徒の古典に対する向き合い方に影響を与えていることを考えると、授業をどのように行っていくかということの責任は重いと感じる。「授業でやってみたいこと」で人気だった「バーチャル体験型」や「鑑賞型」の授業についても考えていかなくてはならない。

■パネリストの論点

否定派・猿倉信彦氏

猿倉氏は、教育の目的を「出資者への還元」とし、国内総生産（GDP）などに現れる経済的効果を重視する。日本の学術的・産業的競争力の低下から、有限の時間の中では古典よりも企画書・発表・議論の方法を優先して学ぶべきとする。また、権威化された教科書が年功序列・男女差別といった社会的弊害を生むとして「古典の有害性」を主張する。さらに、日本古典は世界標準の知識に接続しない点でも西洋古典より優先度が下がる旨、文学的教養がいままで必要となった場面がなかったことなどを述べている。これらの主張をもとに、古典の今後については①哲学的内容は現代社会で、情緒は芸術として選択科目にする、②コスパのよい学問として大学の倒産防止に利用する、③コンテンツビジネスとして海外にディスプレイする、という提案をする。

猿倉氏の主張は徹底した効率主義と現状肯定が特徴である。日本の学術的・産業的競争力の低下は、素朴に考えれば文科省・経団連・与党政治家・

メジャー大学理事ら「実質的政策決定者」の失策であると考えることもできるのであって、その無謬（むびゅう）性を前提にすることはできまい。しかし、彼らに猿倉氏の提示するような価値観が共有されているとは言えそうである。たとえば平成30年度改訂（令和4年度より実施）の学習指導要領で、必履修科目「現代の国語」2単位の中で「実用的な文章」を扱うことが定められているのも、実用性を重んじるという観点は通底するものがある。「企画書・発表・議論の方法」など、社会でいますぐ直接役に立つものを国語で学ぶべきものだという考えからは、文学教育としての古典の優先順位は低く見積もられるし、言語教育の側面も視野には入っていないようである。

猿倉氏の主張は、根拠が具体的でなかったり個人の経験に基づくものであったりするために、説得力を減じている部分がある。しかし、そのような主張の中にも、論点としてはきちんと考えるべきものが少なくない。たとえば「古典の有害性」に関連して、教科書の権威化の問題は肯定派が受け止めて応答すべき論点であろう。

提案に関して、コンテンツビジネスという面で古典のポテンシャルを活（い）かすことは重要であるし、現に実行されてもいる。見落としてならないのは、コンテンツとして固有の文化を活用するには、作り手が育つと同時に受け手もそれなりのボリュームをもち成熟している必要があるということだ。源氏物語を漫画化したロングセラー『あさきゆめみし』や、漫画からアニメ化もされた『超訳百人一首 うた恋い。』、古典から得た着想の多い新海誠監督の『君の名は。』をはじめとするアニメ映画など、作品自体は古典の入り口にもなる（古典を知らない海外ファンにも受容されている）。その一方で、学校の授業で親しまれているからこそ読者層が広がるし、より深く楽しめるという側面もある。また、これは筆者のまったく個人的な体験であるが、最近自作の漫画同人誌を英語に翻訳してもらう機会があった。作中で徒然草の一節や古今和歌集所収の和歌を台詞（せりふ）やモチーフとして引用していたところ、翻訳者は Donald Keene や Laurel Rasplica Rodd の訳を注釈に入れてくれた。翻訳者の的確な対応に驚くとともに、作り手にとって創作のインスピレーションとなる古典作品について、受け手の側にも共有できる土台があることは重要だと感じた。この経験をただちに一般化することはできないが、古典をコンテンツとして国内市場だけでなく海外にも売り出していくのであれば、日本古典文学を外国語で発信・紹介できる人を育てていく必要があるだろう。

否定派・前田賢一氏

前田氏は古典を「過去に表現された立派な内容」、古文を「古典が書かれた言語」と定義し、内容は現代語訳で十分であり、現代語は現代語として学ぶべきとする。また、古典が教養であるならば必修ではなく選択であるべきであるとした。美や感情を対象にする部分は芸術であり、国語の授業ではリテラシー＝読み書き能力の学習を優先すべきだという主張である。

前田氏も猿倉氏と同様、古典の授業で学んでいるものが文学的な内容であるという理解に立ち、古文の言語的な側面が国語に求められるリテラシー学習の範疇に含まれるとは考えていない。だが文学に芸術としての側面があること、教養や芸術は強制になじまず選択にすべきという主張は、賛否はおくとして理解できる。現在、高校の芸術科は必履修だが、科目は音楽Ⅰ・美術Ⅰ・工芸Ⅰ・書道Ⅰからの選択必修である。もし古典が芸術だとするならここに横並びで入れてもいいという話になるし、そうすべきでないとするなら古典は他の芸術科目と同列に扱えないという説明が必要だろう。

前田氏はそもそも古典に限らず高校の科目はすべて選択にすべきだという主張であり、生徒の主体性を重んじる姿勢には共感できる。ただこの主張は、選択科目の幅が広がることで実際に取り得る進路の選択肢が狭まってしまったり、家庭ごとの文化資本格差が拡大される結果につながったりしないかという点で懸念がある。選択・必修は今回のディベートではあえて除外した論点だったが、この点を論じる際には古典だけでなく教育デザイン全体を視野に入れて考える必要がある。その際に、教育格差の問題を無視してはならない。これについては別に論じたい。

肯定派・渡部泰明氏

渡部氏は古典を第二次大戦期までの文学作品のうち「共生を感じさせるも

の」と定義し、それは主体的に幸せに生きる知恵を授けてくれるものだとする。この定義は正直なところ、すぐには理解しにくい。まず第二次大戦前後で分ける線引きは、江戸時代と明治時代の間に線を引く現在の国語教育における「現代文」「古文」の分かれ目よりもかなり新しい。また、「文学作品」かつ「共生を感じさせる」ものが古典だというのは、もしかしたら現状の教材選定の基準としてあるのかもしれないし、「主体的に幸せに生きる知恵」につながるのがそのような作品であるということかもしれないが、必ずしも国語教育現場におけるコンセンサスとはなっていないだろう。

では「主体的に幸せに生きる」とは何か。渡部氏は生活に潤いをもたらすことに加えて、いい仕事を責任ある立場でなすことだとする。そのために必要な指導力と優れた着想を古典が与えてくれるという主張である。確かに、責任ある立場で仕事をする人は、目先の利害だけを考えるよりも、視野を広く持てたほうがよいだろう。ただ、古典がそれを与えてくれることを根拠づけるのはそれほど簡単ではない。また、実用的なものはすぐ使えるわけでなく、能力の内面化が必要で、心を預ける・切り離すという作業が内面化を促すとも言う。これは否定派の主張する「実用的なもの」も、古典の読みを通じて内面化されるという意味だろうか。

前田氏がリテラシーを優先すべきだと言ったのに対し、渡部氏は古典もリテラシー科目であると主張する。言語としても文化としても、ほどよく知っていてほどよく知らないものが古典であるという指摘は面白い。他者・異文化を学ぶ練習になると同時に、自己・自文化を学ぶことにもなるという点は、確かに外国語にも現代語にも代替できない機能になり得る。ここでリテラシーは単なる読み書きにとどまらず、他者理解を可能にする力をも意味することになる。

また渡部氏は、日本語は主体が表現に含まれており、自分との関わりで述べる参加型の表現であり、成長する前と後を融合させて表すことから成長が見込まれている科目だとする。この論点もかなりわかりにくい。解釈を試みるに、主体が含まれる表現というのは、たとえば「星が見える」「トンネルを抜けるとそこは雪国だった」のように、話者の視点が明示されずに組み込まれている表現であろうか。確かにこのような表現は読み手の没入を誘う味わいがあり、英語などには翻訳しにくい。参加型という点については、そもそも和歌や俳諧がその場で参加型の表現として楽しまれていたこと、写本が伝わる過程で多くの人が受け手であると同時に書き手としても関わってきたことを想定できる。最後の「成長」の話はどういうことだろうか。本歌取りや歌枕のようなものを考えると、古典の作品が後世に読まれたり詠み込まれたりすることで成長していくというイメージを持つことはできる。しかしそれが学習者の成長に関わるのかどうかはわからない。

前回のシンポジウムに比べると、否定派の土俵にも乗りつつ古典の意義を説いているように感じたが、実感に基づく平易な表現ながら、最後のところが比喩的で意味をつかみきれないように感じた。

役に立っていることとして「入試」を挙げたことについては、誰の役に立っているという意味か、疑問に思った。選抜する側が「まじめに勉強した人を客観的に評価」しやすいということか。出題している側が「入試で使えるから役に立つでしょ」と言っているのだとすると、やや違和感が残る。

肯定派・福田安典氏

福田氏は「それなりに豊かな国の納税者には自国の文化を知る権利がある」と主張する。文理の分離が近代以前にはなかったことを指摘し、近世の医学書などの文理横断型の学習を現在できるのは文学部であると述べた。高校で古文・漢文が必要な理由として、誰がいつ古典を発信することになるかわからないので、古典を読み解くトレーニングをしておくべきこと、また自国の古典を読み解く能力を得ることは国民の権利であることを挙げた。さらに、フィリピンとの関係改善に日本の伝統芸能が役立った例を紹介し、伝統文化を守る姿勢が海外からの評価につながると述べた。

福田氏が高校で学ぶべき理由として挙げた点は、古典に直接アクセスするためのリテラシー＝読み書き能力という観点だと考えられる。高校生の質問に答えて、江戸の黄表紙のようなサブカルを直接発信できる力であることや、過去災害に向き合った先人の心の動きや努力の跡を直接見ることができるという点を挙げた。もちろん、翻刻されていない資料についてはくずし字を読めるようにする訓練を要するが、それを可能にするためにも高校での学習が基礎として必要だということである。

「こてほん 2019」での福田氏の発表は文学部での文理融合研究という点に重点が置かれ、リテラシー（読み書き能力）という点がさほど強調されなかった印象である。しかし私見では、この観点が「みんなが学ぶべき」と主張する論拠としては最も説得力があるように思う。現代日本語のリテラシー（読み書き能力）が皆に必要であることは論をまたないが、読み書きの対象を言文一致以前の過去にさかのぼるなら、古文・漢文の学習も必要ということになるし、過去にアクセスしようと思う瞬間が誰にいつ訪れるかわからないというのも確かだ。福田氏は医学書の例を出したが、天文学や地震学など、理系分野の古文書利用は近年進んでいる。こういった研究に進んだ人は、おそらく古典＝文学が選択科目であったら取らなかった人たちが相当数含まれるのではないだろうか。

また、学ぶのが「権利」であるという点も重要である。（「それなりに豊かな国の」「納税者」という限定が必要だったのかという点は疑問だが、ここも否定派の経済的な観点を重視する土俵に乗ったように見える）選択科目にするということは、時間割によっては表裏になる科目を履修できないということでもある。たとえば理系の生徒が古典を「強制的に学ばされる」ことが問題視されることが多いが、選択科目にすれば「学ぶ機会を奪われる」という見方もできる。

自国の伝統を尊重する国がそうでない国よりも評価されるというのは一般論としてよく言われることだが、具体的な事例がなかなか出てこないので、フィリピンの事例は興味深い。ただ、戦後賠償に係る反日デモを加害側の国である日本の伝統文化を紹介することで収めたという逸話は、文脈としてかなり危ういものがある。戦時の反省として、古典の政治利用には慎重にならねばならないはずだ。

肯定派・近藤泰弘氏

近藤氏は、公教育の目的を「人間が人間らしく生きていくための基礎的な知識や学力をつける」ことだと規定する。そして、空間の多様性や歴史的変化の構造が人文科学や社会科学に特有の知識構造であり、生きていく上で重要なものだと主張する。古典語の教育は日本語と日本語による文学の歴史を学ぶことを通じて、人類普遍的なものの見方を育てることになるという。現在の古典教育には、さまざまな改善の余地があるが、テキスト分析を通じて過去の人間の心情を研究する古典研究は、今後新しい経済を切り開く可能性があるとした。

人文社会科学の構造が個別の言語・文化と密接に結びついていることの指摘は重要で、そのために自然科学のような国際的な標準化がしにくい反面、それゆえに可能になる人間や社会の洞察はある。ただ、その個別性がいかに普遍的なものの見方につながるかという理路はもう少し説明がほしい。「新しい経済」とは行動経済学のようなものを思い浮かべればよいだろうか。

これに加えて、高校生との質疑応答の中で近藤氏はアストンのJapanese Literatureが世界六大文学の一つとして出版されたことを示し、日本の古典文学が世界的遺産であり、学んで世界に伝えていく義務があると主張した。この主張に対してはフロアとのディスカッションの中で、英国の評価がお墨付きになるのかという点に疑義が呈された。西洋の視点をそのまま客観的な価値の証拠であるかのように言うのはやや不用意だったが、それでも、世界の文化的多様性の中で一定の位置を占めてきたということ、それが人類共有の文化遺産として尊重するに価するということは確かに言えるだろう。

肯定派・ツベタナ・クリステワ氏

クリステワ氏は、社会の文学の役割は文化・時代によって異なると述べ、古代日本では和歌が知的活動の主要メディアであったこと、美意識も認知手段であったことを指摘する。また、現代語訳は出発点であり、文章を自分なりに再解釈することが重要であること、その理由として、完璧な訳というのは存在せず、いままではほとんどが男性の訳であったこと、オリジナルから想像力・創造力が刺激されることを述べた。完璧な翻訳が存在しないというのは異論のないところだろう。「ほとんどが男性の訳」と言っていいかどうかには疑問もあるが[*3]、これまでの古典文学研究や教科書編集が男性中心で行われてきたとは言えるかもしれない[*4]。そうだとすれば、今後の読み直しの可能性は大きい。

クリステワ氏は文化的アイデンティティーの源としての古典の重要性を強調するとともに、「古典は必要か」という問題設定自体に疑問を呈する。文化的アイデンティティーを学ばない国はなく、自文化に対するニヒリズム（虚無主義）がなぜこのように広がっているのかを問う。高木和子氏も『こてほん2019』を評する中で「自国の文化を軽視するのは、敗戦後七十五年の日本が強いられた病なのだ」（『文学年鑑2020』日本文藝家協会編、新潮社）と述べたが、敗戦とともにそれまでの信念が否定されたことで、価値を信じることが難しくなったということなのだろうか。現在の一部排外主義と結びついた愛国主義が、必ずしも古典の学習・尊重と結びついていないのはかねてより疑問であった。

クリステワ氏は掛詞（かけことば）における自然と心の重ね合わせや老子の自然観など、現代の思考法と違う世界認識の方法があることを重視する。これは後述する「論理」をどう考えるかという点とも関わる。

■一致しない点

教育の目的

学校の授業について論じる上で、教育の目的を考えることは重要である。この点、猿倉氏は「出資者への還元」、近藤氏は「人間が人間らしく生きていくための基礎的な知識や学力をつける」などとしていて、各氏の見解は必ずしも一致しない。

教育の目的は、まずは教育基本法に立ち返って考えるべきではないだろうか。平成18年（2006年）に改正された教育基本法第一条では、教育の目的を

---

*3　たとえば「源氏物語」の現代語訳としては、与謝野晶子・円地文子・田辺聖子・瀬戸内寂聴・大塚ひかり・角田光代など、女性による訳が多数想起される。

*4　たとえば東京大学文学部の国文学研究室には2013年まで女性教員がいなかった。各社の教科書編集委員も男性の比率が高い。

次のように定めている。

（教育の目的）

第一条　教育は、人格の完成を目指し、平和で民主的な国家及び社会の形成者として必要な資質を備えた心身ともに健康な国民の育成を期して行われなければならない。

「人格の完成」「平和で民主的な国家及び社会の形成者」「心身ともに健康な国民」を育成することが教育の目的である。経済的な投資を回収できるかどうかや個人の幸福度などは、国家の教育目的として追求されているわけではない。

この目的を実現するために、第二条で掲げられた教育の目標は、以下のようなものである。

（教育の目標）

第二条　教育は、その目的を実現するため、学問の自由を尊重しつつ、次に掲げる目標を達成するよう行われるものとする。

一　幅広い知識と教養を身に付け、真理を求める態度を養い、豊かな情操と道徳心を培うとともに、健やかな身体を養うこと。

二　個人の価値を尊重して、その能力を伸ばし、創造性を培い、自主及び自律の精神を養うとともに、職業及び生活との関連を重視し、勤労を重んずる態度を養うこと。

三　正義と責任、男女の平等、自他の敬愛と協力を重んずるとともに、公共の精神に基づき、主体的に社会の形成に参画し、その発展に寄与する態度を養うこと。

四　生命を尊び、自然を大切にし、環境の保全に寄与する態度を養うこと。

五　伝統と文化を尊重し、それらをはぐくんできた我が国と郷土を愛するとともに、他国を尊重し、国際社会の平和と発展に寄与する態度を養うこと。

第一次安倍政権下での同法改正は、新自由主義と新保守主義の結びついた教育改革の流れの中で行われた[*5]。愛国心や公共の精神を前面に打ち出す改正[*6]に批判はあったが、ひとまずはここが出発点になる。

教育基本法に基づき、学校教育法の第六章で高等学校の教育について規定されている。ここでは、中学校の教育の基礎の上に、発達段階や進路を考慮して、高度な普通教育及び専門教育を施すことが目的であると定められている（第50条）。そのための達成目標（第51条）を見ると、

・人間性・創造性・健やかな身体、国家・社会の形成者としての資質
・社会の使命の自覚・将来の進路・一般的教養・専門的知識技術技能
・個性の確立、社会に対する理解と批判力、社会の発展に寄与する態度

を養うこととされ、これを見る限り実用主義・教養主義はいずれも否定されてはいない。

さて、教育基本法の改正を受けた平成20年度改訂の現行学習指導要領では、「伝統的な言語文化と国語の特質に関する事項」が盛り込まれた。古典の内容に加えて、言語そのものに注目した指導が求められている。その後、平成29・30年度改訂（令和4年度より実施）の新学習指導要領では、「思考力・判断力・表現力」という「学力の三要素」が打ち出されたが、論理的思考や実用的な場面で役立つ力、豊かな人間性や想像力を養うこと、伝統的な言語文化に関する学習は、いずれも求められている。

このように見てくると、現在の学校教育から古典をゼロにすることは考えにくいが、「論理」とか「実用」といったものを扱わなくてよいというものでもない。そして、最終的にそれが人格の完成と平和で民主的な国家・社会を

*5　苫野一徳（2011）『どのような教育が「よい」教育か』講談社選書メチエ
*6　改正前後の比較が文科省公開のリストで確認できる。https://www.mext.go.jp/b_menu/kihon/about/06121913/002.pdf（2020年9月29日閲覧）

構成する国民を育成することにつながっているかどうか[7]、授業者は意識していなければならないということになる。

単位数と優先順位

否定派の主張に対して疑問に感じるのは、すでに古典の必修単位数が少ないことが理解されているのかどうかということだ。猿倉氏・前田氏が高校教育を受けたのは、昭和53年度改訂（57年度施行）の学習指導要領よりも前の、国語の必履修科目が9単位以上（うち古典は2単位または5単位）あった時代だと推察する[8]。

ここで戦後の学習指導要領の変遷を見てみよう[9]。昭和22年度に新制高等学校の教科課程として示された国語の単位数は大学進学準備課程で15単位、職業準備課程で9単位、昭和26年度と31年度の改訂で必履修とされた「国語（甲）」は9ないし10単位である。昭和31年度版ではその割合を現代文3/10ないし4/10、古文2/10ないし3/10、漢文2/10、話し方・作文2/10ないし3/10と定めているので、おおよそ4～5単位分が古典の割り当てということになろう。昭和35年度改訂では「現代国語」7単位と「古典乙Ⅰ」5単位（ただし特別の事情がある場合には「古典甲」2単位）が必履修、昭和45年度改訂では「現代国語」7単位および「古典Ⅰ甲」2単位または「古典Ⅰ乙」5単位が必履修であった。

このように国語科全体で9～12単位、古典分野で2～5単位あったものが、昭和53年度の改訂では「国語Ⅰ」4単位へと単位数を減らし、かつ統合科目の設定によって古典教育が科目としての独立性を失っている。ここから古典教育が「壊滅的な状況」に陥ったとする見方もある[10]。その後も国語の

---

*7　前掲の苫野（2011）の言葉を借りれば、「自由の相互承認」が実質化されているかどうか。

*8　特に前田氏は「倫理・社会」と言っていることからも、基本的には自身の受けた時代の学習指導要領における科目構成を前提にしていると思われる。「倫理・社会」は昭和53年改訂・57年施行の学習指導要領から科目名「倫理」となっている。

*9　学習指導要領データベース（国立教育政策研究所）https://www.nier.go.jp/guideline/を参照した。（2020年9月17日閲覧）

必履修科目は平成11年度改訂で「国語表現Ⅰ」2単位または「国語総合」4単位、平成21年度改訂で「国語総合」4単位、令和4年度から実施される平成30年度改訂では「現代の国語」2単位と「言語文化」2単位となる。昭和53年度の改訂以降、古典は一貫して独立した科目になっておらず、単位数に換算して2単位を上回ることがないのである[*11]。

改訂年度	国語の必修科目	単位数	うち古典	現古
昭和22年	国語	15（9）		統合
昭和26年	国語（甲）	9～10		統合
昭和31年	国語（甲）	9～10	4～5	統合
昭和35年	現代国語＋古典乙Ⅰ（または古典甲）	12（9）	5（2）	分離
昭和45年	現代国語＋古典Ⅰ甲または古典Ⅰ乙	9または12	2または5	分離
昭和53年	国語Ⅰ	4	2	統合
平成元年	国語Ⅰ	4	2	統合
平成11年	国語表現Ⅰまたは国語総合	2または4	0または2	統合
平成21年	国語総合	4	2	統合
平成30年	現代の国語＋言語文化	4	約1.5	統合

このように現状1～2単位にすぎない必修の古典をゼロにして失うものと、それをほかに回して得られるものを天秤（てんびん）にかけたらどうであろうか。事後アンケートの回答にも指摘があったが、古典を削ったからといって他の学力が大幅に伸びることは期待できまい。古典の語学科目としての性格を考えると、多少は自分で読んでみるというところまで行かないとわからないこと

*10　浅川哲也（2018）「高等学校学習指導要領の改訂が国語科古典教育に与えた影響について」『首都大学東京教職課程紀要』2号、pp. 39-49

*11　実際に生徒たちが履修する授業は、学校ごとに必修・選択など設定される。今も昔も、特に進学校では大学入試を見据えた時間割を組むので、卒業までに古典を2単位しか履修しないケースは稀であろう。しかし、高校の時間割や大学入試の出題科目はそれぞれの学校の教育方針を反映したものであり、一律に議論の俎上に載せるのは難しい。

が多いので、1～2単位を導入科目として最低限残しておくことは妥当ではないだろうか。いますぐ必要でない人があとで学び直しをしたいと考えた場合にも、授業で導入されているかいないかの差は決定的で、ここをゼロにしてしまうことの弊害は大きい。

一方で、これだけ少ない単位数で何ができるのか、教える側としては優先順位をしっかり考え、戦略的に取り組むことが必要である。文法の体系をくまなく覚えさせて、端から品詞分解をして読んでいくような時間的余裕は、もはや残されていないかもしれない。

論理・論理的

第1部のディスカッションでは、高校生がパネリストの先生方に同じ質問をぶつけた。一つ目が「論理的思考とは何か」、二つ目が「否定派が芸術・哲学・文学・古典・情緒的をひとくくりにまとめていたかどうかとその基準、それに対する肯定派の考え」である。

「論理」「論理的」という言葉は一種のマジックワードである。言葉の定義の段階で食い違っていると感じられたため、生徒たちはディスカッションで全員に同じ質問を投げかけることにした。また、これに伴って「論理」と二項対立的に語られていた概念についても尋ねることになった。

以下、それぞれの質問に対する各氏の答えをまとめる。

前田氏：

(1) 誰もが反対できない正しい推論。
前提をすべて書き出すことが必要。
古典の中には論理的な記述も論理的でない記述もある
時代ごとの価値観の違いなどは「前提」として考える。

(2) ひとまとめにはしていない。
文学は芸術の一部。情緒は（いまのところ）芸術が対象とする範疇。
哲学は物事の考え方で、新旧ある。古典は古い時代に表現された立派な内容。

猿倉氏：

(1)（討論における）論理的思考

①事実確認と前提の共有

②命題の設定

③命題の検証

④命題の結論の及ぶ範囲

(2) 国語教育の外にあるべきものとしてまとめた。

渡部氏：

(1) 論理と情緒は分けられない。

(2) 論理と文学は深く関わるものと考えるべき。

※通信の障害があり、問答がうまくいっていなかった。

福田氏：

(1) 現代と違う論理・考え方を古典から学ぶ

古典から学べる論理的思考と発展性がある。

他者理解として、自分の理解できない世界の論理も認める。

(2) 発達段階の問題として、義務教育課程の古典と高校の古典は異なる。

義務教育の書写と高校芸術の書道の違いと同様。

同じ古典でもリテラシーの次元のものと芸術の次元のものがある。

近藤氏：

(1) 現代の論理・古典の論理

認知言語学でいう「概念メタファー」を例に、三段論法とは違う論理（ものの見方）があることを示す。比喩を媒介にして論理・哲学・感情も含む。演繹（えんえき）・帰納だけでなく、総合的な考え方や知識の集積を再発見・新しい考え方を生み出す。

(2) 概念メタファーは文学に含まれる論理だが、同時に情緒であり、哲学でもある。

比喩を媒介にしてつながっている。

クリステワ氏：

(1) 論理的なものは100%正しいが、時代によって正しさは変わる。

前提や共通知識の内容が変わる。

形而上学的な議論のメディアが日本では和歌だった。

現在の論理性も絶対ではない。以前の時代の論理性も認めるべき。

(2) 文理の分け方は現代の考え方で、文化・時代によって知識の内容は異なる。

日本では古典文学・和歌が哲学の場になった。

(1)の「論理」「論理的」という言葉については、今回のシンポジウムに限らず、論者によって意味することが異なり、新学習指導要領の議論でも混乱をきたしている。ここでは三つの異なるレベルの「論理」を区別して整理してみたい。

三段論法に代表される演繹的推論を「論理A」としよう。前提を認めたら結論も認めざるを得ない、誰がどう見ても100%正しいと言える一直線の論証である。

複数の事例から一般法則を導き出す帰納的推論や事実を説明する仮説形成を「論理B」とする。演繹のように100%確実な論証とはならないが、学問的な探究で使われる。一般的に論理的推論と呼ばれるのは論理AとBを合わせた範囲である。命題とは何か、否定とは何か、矛盾とは何か…といった概念は論理AとBで共有されていると見てよいだろう。

この外側に、もう少し広い意味で、話の筋道を表す領域がある。これを「論理C」としよう。ここでは何らかに結論を根拠づけるような話の組み立てがあればよい。たとえば、例示・比喩・類比などを用いた論法は、厳密には論証とは言えないだろうが、日常的な議論の中では頻繁に用いられる。これらは説得のためのレトリックとも重なってくる。国語科の「論理的な文章」ではこの領域も扱うことになる。

では各氏の言う「論理」はそれぞれどの領域を指すのだろうか。

前田氏の定義する論理は「100％正しい」としていることから、「論理Ａ」を指す。猿倉氏の提示した論理的思考のプロセスは、おそらく「論理Ｂ」まで含むと考えられる。

一方、肯定派の各氏が「古典には古典の論理がある」というとき、その内実はどのようなものか。

クリステワ氏が「前提や共通知識」と言うように、古典の時代の知識や価値観を指しているとしたら、前田氏の言う「前提条件」として書き込めるようなものもあるだろう。現代と異なる価値観を前提として推論を行うので異なる結論になるが、推論の操作自体は現代と同じとなる場合である。

しかし、近藤氏の示した「概念メタファー」のようなものは、演繹･帰納･仮説形成などとは考え方自体が異なる。どのような概念メタファーを用いるかということは単なるレトリックの問題ではなく、世界をどのように認知するかという様式の違いである。また、クリステワ氏が著書[*12]で述べるように「肯定と否定」を対立させるのではなく共存させるような発想が日本古典の「論理」なのだとすれば、これも論理学が前提とする排中律（はいちゅうりつ）（Ｐか非Ｐかいずれかである）や矛盾律（Ｐかつ非Ｐであることはない）に抵触する[*13]。このような認識・思考の様式は、論理学的な「論理Ａ・Ｂ」とは体系として異なる考え方である。単に前提の違いというのでは済まない。かなり雑多なものを含むことになってしまうが、ここでは「論理Ｃ」としておこう。

新学習指導要領解説を見ると、必履修科目「現代の国語」や選択科目「論理国語」で演繹・帰納・仮説形成といった推論の種類にも注目させることが示されている。筆者も､「論理Ａ」や「論理Ｂ」のような次元をいったん切り分けて明示的に学習することには意味があると思い実践しており、書籍にも

*12 ツベタナ・クリステワ（2011）『心づくしの日本語―和歌でよむ古代の思想』ちくま新書
*13 ただし、これは主に和歌という詩的言語の例なので、詩的言語の論理を別に立てるべきという可能性もある。

まとめた[14]。だが、それは国語の授業の中で「論理C」の領域を学ぶ必要がないということではない。言葉の働きに注目してどのように伝えるかということが「論理C」の重要な点であり、それは言葉を学ぶ科目である国語科でこそ扱うべきものだからだ。

また、「論理A・B」と「論理C」を切り分けたとして、それが「論理」と「文学」の二分法に対応すると考えるのもナンセンスである。「論理A・B・C」の領域は一応区別はできるけれども、実際の表現や読解においては複合的に使うことになる。たとえば小説を読むときに、作中の文言から何が起きたかを読み取るために演繹的な推論をすることもあるし、またある部分では可能な仮説を立てて解釈していくこともある。一方、評論もどこかにレトリカルな表現や飛躍を含んでいる。評論も文学に分類して、論理的な文章として扱うのは論理A・Bの範囲に限定する考え方もあるが、国語の授業としては著しく痩せたものにならざるを得ないだろう。

(2) の「芸術・哲学・文学・古典・情緒」というのはそれぞれ次元の異なる概念であるが、ひとくくりにされているように感じたということで質問され、猿倉氏が「国語教育の外にあるべきもの」としてまとめていたということが明確になった。各概念についての定義だけでなく、国語教育がどのようにあるべきかという議論から必要になる。

■ディベートの論点

論題について

生徒たちが第4部で詳しく述べているように、政策論題ではなく価値論題として、ディベートが成立するようにするにはどうしたらよいか考えた。「古典の授業に意義がある」という命題を論題に立てることになったが、これは必修にすることの必要条件であって十分条件ではない。古典や文学が大切で、学ぶことに意義があるとしても、すぐに必修であるべきという話にはならない（もしそのように主張するとしたら、それは議論のすり替えであり、猿倉

*14　仲島ひとみ（2018）『大人のための学習マンガ　それゆけ！論理さん』筑摩書房

氏の言う「不誠実な命題」である)。だが、そもそも意義がないのに必修にすべきということは難しいのだから、まずそこをはっきりさせようということである。つまり、肯定派側から見ると、前回よりも前線を後退させている(したがって否定派側から見ると相対的に否定しにくい論題になっている)。これも第4部でも述べている通りである。再度、注意を喚起しておきたい。

各論点

(1) 肯定側　第一立論

[要旨]

1. 現代日本語の能力向上(リテラシー)
2. 古典を読む過程で、論理的思考を学べる(リテラシー)
3. 先人の知恵に学ぶ(コンテンツ)
4. 国際社会を生きていくには自国の文化を知るべき(アイデンティティー)

(2) 否定側　第一立論

[要旨]

1. 古典語を言語として使うことはない(リテラシー)
2. 古典文学は現代語訳でも読める(コンテンツ)
3. 古典には高校教育に不適切な内容あり(コンテンツ)
4. ナショナリズムの助長(アイデンティティー)

(3) 肯定側　第二立論

[要旨]

5. 文語文に自らアクセスできる(リテラシー)
6. 現在の価値観の相対化(コンテンツ)
7. 古典は日本人の文化的アイデンティティー(アイデンティティー)
8. 古典を批判的に読む(アイデンティティー)

(4) 否定派　第二立論

［要旨］

5. 現代日本語の向上にはつながらない（リテラシー）

6. 古典で論理的思考は学べない（リテラシー）

7. 貴重な時間はもっと実用的なものに（コンテンツ）

8. 情理は現代語訳でも可（コンテンツ）

9. 規定された自国の範囲（アイデンティティー）

肯定派・否定派それぞれ、第一立論に対して第二立論が反論となるように設定している。リテラシー・コンテンツ・アイデンティティーという三つの要素の対応を考えて論点を整理した。以下では今回のディベートでは避けた必修・選択の議論も念頭に置きながらコメントしていきたい。

リテラシー

リテラシー関連では、

①現代日本語能力向上への貢献

②過去の文字資料へのアクセス

③論理的思考

という三つのポイントがあがった。

「リテラシー」という言葉で指示する内容には、次のようにいくつかの異なるレベルが考えられる。

リテラシーⅠ　文字と文法を理解して読み書きができる

リテラシーⅡ　文章の内容を読み取ったり自分の考えを筋道立てて書き表すことができる

リテラシーⅢ　文章をメディアの特性や背景情報を踏まえて読み書きできる

現代語については、近年「メディアリテラシー」「情報リテラシー」といった形で、リテラシーⅢのレベルまで求められている。「教科書が読めない」といって話題になるのはリテラシーⅡのレベルであろう。リテラシーⅠの意味での識字率は現状非常に高いが、日本語は言文一致に加えて新字体[*15]と現代仮名遣いが過去との断絶を作っており、そのためにある時期より前のものについてはリテラシーⅠのレベルで読めなくなっている。

したがって、リテラシーとして古文・漢文を学ぶ最大の意義はこの断絶を超えること、すなわち②過去の文字資料へのアクセスであろう。この点については田中草大氏の整理[*16]が明確だ。田中氏によれば「古文・漢文の学習＝文語文・漢文訓読の読解能力の獲得＝過去の日本へのアクセス能力の獲得」である。話し言葉と書き言葉の差が比較的小さかった平安時代から、鎌倉時代以降、両者の差異が大きくなって「言文二途」となる時代を経て、明治時代の「言文一致運動」により書き言葉が話し言葉に近づけられた。わたしたちは古文として古典文法で書かれた文章＝文語文、すなわち言文一致以前の書き言葉を学んでいる。また、漢文では日本語訳でも中国語としてでもなく、漢文訓読を学んでいるが、これによって読めるようになるものは中国語文だけでなく日本語を漢文表記で書いたものも含まれる。言文一致以前は文学作品に限らず大方の書き物が文語文によって書かれており、その一定数は漢文によって表記されていたので、古文・漢文を学ぶこと、つまり、文語文・漢文訓読の読解力を得ることが、近代以前の膨大な文字遺産を活用するためには必要なのだと田中氏は述べている。

この「過去の日本へのアクセス能力」が高校進学者全員に必要といえるかどうかが必修を正当化するかどうかの鍵になる。どのような分野でも史的な

*15　戦後、漢字廃止論から定められた当用漢字表・字体表とその後継となった常用漢字表の抱える矛盾については阿辻哲次（2010）『戦後日本漢字史』新潮選書（2020 ちくま学芸文庫）に詳しい。

*16　田中草大（2020）「日本語史の研究と「古文」「漢文」―そもそも、古文・漢文って何？―」『女子大国文』166 号、pp. 3-29

側面を調べようと思ったらその必要は出てくるし、天文学や地震学、災害研究などでは古文書の記述が直接的に貴重な資料となる。しかし、膨大に伝わる歴史資料は、日本史や日本文学の少数の研究者では研究しつくせない[*17]。当該分野の知識がなくては見誤る資料も多いだろう。古い文字資料を読むことを望む、あるいは求められることになる人たちは、古典文学を学びたいと思う人（選択科目であっても積極的に選ぶであろう人）よりもずっと多いはずだ[*18]。事後アンケートでは「製薬会社で漢方薬の開発に関わるなら漢文が読めなくては仕事にならない」という指摘もあった。そのような場面になって初めて必要性を感じたときに、文法・語法の基礎を学習したことがあるかどうかは学び直しの困難度を左右する。この点から、全員が一応の基礎を学んでおくことは相当程度正当化できるのではないだろうか。

さらに、リテラシーには社会的ワクチンとしての機能もあると筆者は考えている。SNSなどで、外国語（時には日本語でも）の情報に対して、誤った翻訳や恣意(しい)的な要約によって差別や混乱をあおるような投稿がなされることは少なくない。そんなときに、その言語を解する人がより適切な訳によって誤解を正してくれることがある。社会が健全であるためには、より多くの人がより多くの言語を理解できることが重要なのだ。しかし誰もが無限に言語を学べるわけではない。とりあえず現代で皆が習得を目指すべきは日本語と英語ということになろうが、これだけ歴史修正主義がはびこり、あるいは歴史認識の齟齬(そご)が問題になっているときに、自国の過去の資料がまったく読めないというのは心もとない。日本語社会で暮らすできるだけ多くの人が古文・漢文を読む力を持っていたほうがいいのではないだろうか。

③の論理的思考については、今回のディベートで用いる定義を「前提から結論を導き出す推論の過程」としたときには、「論理A・B」（つまり、演繹・

---

*17　そこで、多数の人が歴史資料を翻刻（現代の活字に直すこと）してデータとして活用しやすくしようというプロジェクトも行われている。「みんなで翻刻」https://honkoku.org/（2020年9月17日閲覧）

*18　この点からすれば、古典の学習内容が文学に偏っていることには改善の余地もある。文学に関心がない人も、自分の関心分野で古文・漢文の力が使える可能性があると知る機会がほしい。

帰納・仮説形成にあたるもの）を想定していた。肯定派が主張したように、文法規則を演繹的に適用し、文脈から意味用法について仮説を立てつつ読んでいく作業は、論理Ａ・Ｂに該当すると言えるし、文章の内容・展開自体が論理Ａ・Ｂにあたるようなものも（特に漢文には）一定数ある。

①現代日本語能力向上への貢献については、現代語においても文語表現は使用されており、語彙・表現のルーツを理解してより正確に使えるようになるというだけでなく、文法構造や漢字の語義・機能なども対象化して意識的に学ぶ機会にもなることから、プラスの効果があることは間違いないと思われる。

一方、問題は学習コストである。特に日本語を第二言語として学ぶ人たちなどにとって、言語障壁は低いほうがいい。語彙や文法を限定してわかりやすく調整した「やさしい日本語」を用いながら学習言語を確立していくことが必要とされる[*19]中で、古典を学ぶことは単なるバリアーとなってしまうのか、あるいは日本語の運用能力を底上げすることになるのか。日本語教育の現場では、中級以降に文語表現が現れることも踏まえ[*20]、特に日本研究を行う学習者に向けて、古典語教育を行うことがあるようである[*21]。筆者の経験では、国語が苦手な帰国生徒であっても、古典はきちんと学習すれば（現代語よりも早く）どんどん伸びる。多文化共生社会における国語教育の中で、言語教育としての古典がどのような位置づけであるべきか、日本語教育の知見もあわせて考える必要がある。

コンテンツ

コンテンツに関してのポイントは、古典の有益性と有害性という対立する主張と、それぞれに対する反論である。

---

*19　庵功雄（2016）『やさしい日本語―多文化共生社会へ』岩波新書

*20　伊東朱美・松田みゆき（2018）「日本語学習に古典をとり入れる意義と可能性―文法・文字教育の試み―」『東京外国語大学 留学生日本語教育センター論集』44号、pp. 147-162

*21　春口淳一（2010）「日本語学習者のための古典日本語教育再考―学習者・日本語教師・国語教師の視点から―」『長崎外大論叢』14号、pp. 141-152

まず肯定派は「先人の知恵」という言葉で古典の有益性を主張し、古典には現代人も学ぶべきものがあると述べた。実際、方丈記や徒然草、論語や孫子の兵法などが教訓を求める現代人に対して紹介される。しかし、もしその役に立つ知恵が知識的なものであるなら、「現代語訳で十分」という反論を覆すのは難しい。表現に即した物事のとらえ方にまで踏み込むなら、原文に触れることが大切であるし、和歌のように調べを持つ表現は、翻訳で事足れりとするわけにはいかない。では、和歌の発想を先人の知恵と呼ぶのかどうか。言葉によって世界をとらえる方法を知ることにどれだけ意義を感じるかは、個人によって差が出そうである。

一方、否定派は古典で読まれる作品の中に地方に対する差別をはじめとする不適切な内容があることを示し、古典の有害性を主張した。内容が有害であるなら現代語訳で読むことも不適当となるはずだから、こちらはかなり強い主張である。これに対しては「相対化」というキーワードが示された。肯定派は、現在と異なる価値観に触れることを通して、現代の価値観も古典の価値観も相対化することを求めたのである。

価値観は時代とともに移り変わるものである。10年、20年前の作品であっても、いま読むと人種差別や性差別が強烈で、当時と同じように楽しめないということはよくある。新しい作品が作られる際に、価値観がアップデートされていなければ批判にさらされる。

では、古典はどうなのか。教科書に載る古典も、時代を超えてずっと同じであったわけではない。ハルオ・シラネらが指摘するようにカノン＝正典としての古典は時代ごとに組み替えられてきていて、戦前戦中の天皇中心イデオロギーを支えた神皇正統記や、軍記物の中でも義経記・太平記・曽我物語などは、現在ほとんど教室で読むことがない[*22]。教科書教材は教科書編集者が現在の価値観に照らして「よいもの」として残したい・読ませたいと考えるものが選ばれているのだ。

---

*22　ハルオ・シラネ（1999）「カリキュラムの歴史的変遷と競合するカノン」『創造された古典―カノン形成・国民国家・日本文学』ハルオ・シラネ、鈴木登美（編）新曜社、pp. 394-437 所収

しかし、選ばれて掲載されたものであっても、現代と異なる価値観で書かれた作品が手放しでは肯定できない要素を含むのは確かである。教科書に載ればそれは「学ぶべき素晴らしいもの」として権威化されてしまう。古典作品を絶対視するのではなく、相対化できるかどうか。それほど簡単なことではないが、挑戦すべきである。1939年公開の映画「風と共に去りぬ」は、奴隷制の描写などが問題視され、米動画配信サービス「HBO Max」ではいったん配信が中止されたが、解説動画を本編開始前に付け配信を再開した[*23]。古典の教科書についても、このような注釈によって相対化の枠組みを作ることが望ましいのではないだろうか。絵本など幼い子供向けの媒体では問題のある表現は極力取り除いたほうがよいかもしれないが、高校生が教室で教員とともに読むのであれば、この程度の認知的負荷には耐えられると信じたい。過去の問題ある価値観を克服した現在を確認することで、現在の問題を乗り越える希望も見つけてほしいと思う。

アイデンティティー

アイデンティティーに関しては、文化的アイデンティティーが自己を知り他者を知るために大切であるという主張と、国家主義に利用されることや日本古典としてのくくりの排除するものがあることが問題であるという主張が提出された。日本の古典は、日本の学校制度で学ぶ生徒一人ひとりを排除することなく、その文化的アイデンティティーの源となり得るのだろうか。

この観点について考えるとき、そもそも日本人とは何か、国語とは何かが問われなければならないように思う。

イ・ヨンスク氏が指摘するように、「国語」という概念は国家と、歴史的には帝国主義・植民地主義と分かちがたく結びついており、とりわけ地方や植民地に対しては暴力的に作用していたものだ[*24]。すでに見たように、愛国

---

*23　朝日新聞デジタル6月25日付「『風と共に去りぬ』配信再開　奴隷制の問題、冒頭に追加」https://www.asahi.com/articles/ASN6T3JXWN6TUHBI008.html（2020年10月9日閲覧）

*24　イ・ヨンスク（1996）『「国語」という思想』岩波書店

心・伝統文化というのが教育基本法や学習指導要領によって根拠づけられる古典の意義だが、これに無批判に乗ることはできない。しかし「国語とは何か」という問題が、国語教育に携わる者の間でそれほど議論されて来なかったのも確かである。国語学会が日本語学会に改称されたのは2004年のことで、筆者はまだ大学院生だったが、その時期に国語科という教科名が話題にのぼったということでもないようである。現状、国語教育は第二言語としての日本語を教える日本語教育とすみ分けながら、さしたる相互交流もなく併存しているように見える。

外国籍の生徒や海外にルーツを持つ生徒も増えている。今後、包摂する国語・古典を構想できるかが問われているのではないだろうか。この点はすでに益田勝実氏の試みがある。彼はアイヌ・沖縄・キリシタン資料・口承を取り入れた古典文学教育を構想していた[*25]。

また、村上呂里氏[*26]は平成20年度改訂学習指導要領の「伝統的な言語文化」が地域の口承文化を含むかどうかを検討する中で、方言の復権や複言語主義を訴えている。

自分たちの言語のルーツに触れながら、同じ作品を読むことによって形成される言語共同体のつながりは、必ずしも国家の枠に縛られなくてもよいはずである。古典にアイデンティティーのよりどころを求めるときにも、自由でしなやかなとらえ方が求められている。

4. 教育学的な観点から

■いまある古典の授業はいつから？

そもそもいまあるような高校の古典の授業はいつからこのようにしてあるのだろうか。

*25　益田勝実（1967）「古典の文学教育」『益田勝実の仕事5　国語教育論集成』ちくま学芸文庫（2006）所収など

*26　村上呂里（2016）「「地域の言語文化」の観点から展望する」『国語科カリキュラムの再検討』全国大学国語教育学会編、pp. 71-76

前述のように、昭和53年度改訂の学習指導要領以降、必履修科目は現古統合科目となっているが、その科目内での内容、あるいは選択科目においては、古典と現代文（近代以降の文章）が江戸時代までと明治以降を境界として分けられている。このような「古典」の枠組みは戦後の学習指導要領では一貫しているようだが、いつできたものなのだろうか。

八木雄一郎氏によれば、旧制中学校の国語科教育を規定してきた中学校教授要目において、「古典」という言葉の初出は1943年（昭和18年）であり（「古典トシテノ古文及漢文」）[*27]、現代文と古文の時代的な区分が江戸と明治の境目に置かれるのはさらに前、1931年（昭和6年）の中学校教授要目にさかのぼることができる[*28]。

これより以前はというと、中世と中古の間に線引きがあった。鎌倉時代以降の文章が「講読」において教えられ、奈良時代・平安時代は国文学史で扱う内容だったのである。これは、「講読」で読む文章が「文章の模範」、すなわち文語文を書く上でのお手本とする意味合いがあったためである。明治時代までは文語文が書き言葉として流通していたため、鎌倉時代以降の和漢混淆体は直接につながりが見えるものだったのだろう。その後、言文一致がすすみ、口語での書き言葉が明治末から大正期に確立してくる[*29]。これに伴い「現代文」「古文」という概念が形成され、古文は「文章の模範」から「国民性の涵養（かんよう）」へと役割を移していくのである。

このように見ると、古典とは何かという性格自体がその時代の「現在」との関係で決まるのである。いまある古典のあり方が未来永劫（えいごう）このままである必要はない。いつを古典と規定し、何のために学ぶのか、いつでも変わり得

*27　八木雄一郎（2010）「国語科教育史における「古典」概念の成立時期についての一考察―国民科国語における「古典トシテノ国文」からの遡及―」『学校教育学研究紀要』第3号、pp. 97-111

*28　八木雄一郎（2009）「中学校教授要目改正（1931（昭和6）年）における教科内容決定の背景―「現代文」の定着に伴う「古文」概念の形成―」『国語科教育』65巻、pp. 43-50

*29　田中牧郎（2013）『近代書き言葉はこうしてできた』岩波書店で、その様子をコーパスを用いて分析している。

る。たとえば渡部氏が述べたように第二次世界大戦前後に現古の境界線を引き直してもいいし、100年前の新聞を読むことをメインに据えてもかまわない。個人的には、中古を規範とした文語文法と漢文訓読を基本として学ぶ現在のやり方は、千年前も百年前も射程に入れられる、それなりに効率的な方法ではあると思っているが、授業で扱う作品の時代やジャンルにはもっと多様性があっていい。

■教育格差と必修・選択

ディベートでは外した必修・選択の議論だが、教育格差との関係で考えておきたい。松岡亮二氏によれば、日本の教育において、小中学校を通じて「生まれ」が学力の格差に結びつく状態は解消しておらず、高校で学力による選抜を行うことで、「生まれ」によって隔離されることになるという実態がある。「生まれ」の格差は、学力や学習意欲と進学機会、また家の蔵書数や文化的活動を行う機会に見える文化資本の格差と結びついており、学校が格差縮小のための装置として機能するためには、学習指導要領による縛りが大きな役割を果たす*30。

ここから敷衍するに、学習指導要領上の必履修科目を減らし選択科目を増やすことは、学校間での設定科目の違いにつながり、アカデミックな科目を選べないといったかたちで偏差値で下位の高校に通う生徒が進学機会を失うことにもつながり得る。また、「生まれ」の格差が文化資本の格差とも結びついている現実を考えると、文学や芸術といったものに触れる機会の格差は学校教育の中で縮小していくべきである。芸術科目が、複数科目からの選択とはいえ、必履修に設定されていることには大きな意味がある。古典は受験科目として、あるいは一定の学問分野における基礎リテラシーとして、将来の選択肢を増やすことにつながると同時に、芸術的側面を持つ科目として、文化的な娯楽を享受するための土台づくりにもなる。これをすべて選択にしてしまうことによって、学校間、あるいは個人間で、格差を拡大することにつ

*30　松岡亮二（2019）『教育格差―改装・地域・学歴―』ちくま新書

ながらないか危惧されるのである。

5. 当事者の声をどうとらえるか

「高校教育の話なのに当事者である高校生の意見が顧みられていない」というのが、このシンポジウムが開かれた一つの動機であった。パネリストとなった生徒たちに加えて、多数の高校生の声がアンケートの形で届けられた。しかし中には、高校生の意見によって教育のあり方を決めてよいのかという疑念を持つ方もあるのではないかと思う。この点について少し述べておきたい。

まず、高校生はカリキュラムの設計ができる立場にはない、というのが筆者の基本的な考えである。学ぶ前にその科目の意義はわからないし、全体像も見えないはずだからである。加えて、いままでに筆者が教員として接した範囲でいえば、高校時点で自分の進路をはっきりと意識し、そのために必要な勉強が何かわかっている生徒はごく少数である。多くの生徒たちは、自分のしたいこと・できることが何かを模索している最中であり、そのための手がかりとなるような新しい出会いや学びを求めている。新しい出会いや学びを経て、一度決めた進路が途中で変わることも大いにあり得る。理転・文転に伴う履修計画の変更でてんやわんやするのも日常茶飯事である。必修科目には、直接役に立つ知識・技能を学ぶだけでなく、このような分野・考え方があるのだということを知ったり、再学習のための基盤を作ったりする意味もある。なるべく将来の選択肢を狭めないような設計にしておくことが重要であると考える。

一方で、わたしたちは生徒一人ひとりが主体的な学び手であることを求めている。いまや18歳で選挙権も与えられ、一人前の決定主体となる市民である。与えられるものを唯々諾々とこなすのではなく、学びの意義をとらえて生き方に反映させることが望ましい。今回のシンポジウムで生徒たちは、たとえば倫理や数学の授業で学んだ内容や手法を用いながら、自分たちで議論を深めていった。そこに学びの意義を感じ取っていたことだろう。古典に関してもそういったことはあってしかるべきだし、生徒が自ら取り組み声を上げることを妨げるべきではない。

また、単に学習効率ということを考えても、意義を感じ楽しんで学べることは重要だ。『論語』にいわく、「知之者不如好之者，好之者不如樂之者（之を知る者は、之を好む者に如かず。之を好む者は、之を樂しむ者に如かず。）」と[*31]。知る者は好む者にかなわず、好む者は楽しむ者にかなわない。教員としては、生徒が「好きだ」「楽しい」と思えるような授業を目指したい。もし授業に対する不満や不信があるなら、教員は対応するべきである。

古典をどう教えるかということには、学校教育の中で古典が科目として生き残るかどうかだけでなく、伝統文化がどのように未来に継承され享受されていくかがかかっている。過去からの継承は、どこかで断絶があれば、容易に取り戻すことができない。この社会に現在まで伝わった文化を痩せ細らせずに伝えていくためには、古典に対するトラウマやアンチを作るべきではない。その点でいままでの古典教育が失敗しているといえば、（否定派を見る限り）そうなのかもしれない。一方で、ファンもたくさん作ってきたはずなのだが。

高校生の意見は絶対ではない。科目の好き嫌いはたまたま習った教員との相性にも左右される。アンケート結果が制度設計を直接決めるものにはなり得ない。しかし、わたしたちが教育を意義あるものと考え、共に社会を作る仲間として後進を育てようとするのなら、彼らが現状をどのように感じているのか、その言葉に耳を傾けるのは大切なことである。

6. まとめと展望

■分断を超えて

「こてほん 2019」以来、古典をめぐる議論を通じて、さまざまな分断が可視化されてきたように思う。人文系 vs. 理系、基礎研究 vs. 応用研究、教養主義 vs. 実用主義、エリート vs. 非エリート……

---

*31　『論語』雍也第六（『新釈漢文大系』第 1 巻、明治書院、1975 改訂版、p. 140）

肯定派も一枚岩ではない。「否定派の乱暴な議論を土俵に上げること自体が間違いだ」という声は少なからず耳にした。しかし、否定派に同調する人は高校生にも一般社会にも少なくはないのだから、まったく無視することはできないだろう。事実、人文学のおかれた厳しい状況を見れば、政治的に肯定派は負けつつあるとも言える。また、古典を擁護するあまりに、現状の教育のあり方を批判できなくなるのもおかしい。これらは否定派・肯定派というレッテルを貼ることの弊害である。攻撃にさらされ防御しようとするあまりに、何が目指すべき理想なのか立ち止まって考えられなくなってしまうのはまずい。

必修か選択かという論点が設定された前回のシンポジウムを受けて、今回は意義があるかどうかというところから、さらに、まずは授業を改善してみろというところまで議論は差し戻された。発起人・長谷川の感動的なスピーチにのまれて議論が進んだように錯覚した人もいるかもしれないが、誤解である。彼女はそもそも差し戻す気でいたのだ。

ひとまずは新学習指導要領のもと、約十年は古典を必修科目として教えていくことが前提である。この間に、広く支持される古典教育を打ち立てていくことが求められている。

■誰がボールを受け取るか

最後に、今回のシンポジウムでボールが誰に渡ったのかを述べて終わろう。古典教育の授業を改善することにコミットできる人がボールの受け取り手である。すなわち、

①学習指導要領の策定者
②教科書の編纂者
③現場の高校教員
④大学入試の出題者

といったところである。順に見ていこう。

■学習指導要領

学習指導要領には疑問を感じる点も多々あるが、古典の授業を魅力的なものにして生徒に受け入れられるものにしようという意志は感じられる。現行の「国語総合」から改訂後は「言語文化」になり、2単位内に近現代の文学も含むようになるため、割ける時間数は減ることになるが、古典を現在とつながるものとしてとらえる思想はより前面に出ることになった。2020年6月に出た日本学術会議の提言でも、こてほんの議論を踏まえた提案がなされている[*32]。次の改訂の前に、ぜひ今回の改訂の成否を評価する機会を作っていただきたいと思う。

また、何を必修にするべきかというのは、古典だけで考えても意味がない。教育全体のデザインの話も、それはそれで、論じる場があってしかるべきである。これからの社会を構成する市民として求められるものや個々人の進路の可能性、教育格差の問題など、多角的な議論を求めたい。

■教科書編纂

教科書が変わるべきだということはよく言われるが、筆者も教科書や副読本の編集に関わったことがあり、思い切った変更が難しい現実も実感している。あまりに斬新な教科書は採択されにくいというのがその一因である。

そのような現場の保守性に問題がないわけではないが、一方では継続性も重要である。いわゆる「定番教材」は、定番であることによって、他校の教員と実践を共有したり、過去の蓄積を参照したりすることが可能になる。古典であれば、さらに数百年にわたる受容の歴史に連なることにもなる。このように、同じものを読み、読んだことで作られるつながりを軽視すべきではないだろう。

しかし、すでに見たように、古典の価値は現在との関係で位置づけられるものだ。現在から見て面白いもの、意義あるものを発掘すること、あるいは同じ作品に異なる意味づけをすることはできるはずだ。また、相対化の枠組

---

*32 「提言　高校国語教育の改善に向けて」http://www.scj.go.jp/ja/info/kohyo/pdf/kohyo-24-t290-7.pdf（2020年10月9日閲覧）

みの重要性が明らかになった以上、教科書編纂の責任は重い。安易に過去を引き継ぎ権威化するのではなく、常に問い直す姿勢で、既存の枠組みを揺さぶるような豊かな教科書を作っていけたらいい。

■授業の工夫

授業については、筆者も現場の教員として、どんな工夫ができるか試行錯誤の日々である。こてほんを通じて考えるようになった授業の方針と実践例をいくつかご紹介しよう。必ずしも目新しいものではないかもしれないが、何かの参考になれば幸いである。

①暗記よりも活用

古典の学習においてとにかく文法が嫌われる要因は、「暗記の強要」と感じられることではないだろうか。文法事項が身についていなくてはスムーズに読むことができないのは確かなのだが、実際にはテストのときのように手ぶらで古文を読むことはまれであり、表をまるごと暗記することよりは必要に応じて辞書や文法書を調べて活用できることのほうが重要である。

そこで、2020年度に担当した1年生の定期試験では、『こてほん2019』で勝又氏も提案されていたように、用言や助動詞の活用表を問題用紙に入れて出題することをしてみた。これによって、暗記しなくてはという心理的圧力を少しは減らせたかと思う。ちなみに、表があったからといって全員が満点を取れるわけではなく、得点はばらけた。その後回を追って、補助輪を外していくように、徐々に表に載せる事項を減らしていった。

②精読だけでなく多読も

古文を品詞分解して逐語訳していくのは正確に読むための基本ではあるが、このやり方は時間がかかるため、結果として授業内では細切れのほんの一部分しか読めず、作品の面白さを感じられないということが起こり得る。精読が必要なところにはじっくりと時間をかけつつも、多読をして大きく味わうこともしてみたい。

多読を意識した工夫として、本文の横に対訳をつけ、きちんと品詞分解して訳してほしいところだけ空欄にしたプリントを作成することがある。このようにすると短い時間で多く読めるので、授業内での比較読み（たとえば似ている話を含む別作品や、パロディーと元ネタなど）もやりやすくなり、授業展開の可能性が広がる。

また、2020年度は夏休みの宿題として「全文音読チャレンジ」という課題を出してみた。古文の好きな作品を選んで、細かい意味はわからなくてもいいので、とにかく全文を音読してみようという課題である。実際に筆者が自分で音読してみて計った時間を目安として提示した。たとえば方丈記は30分、土佐日記は45分、竹取物語は1時間、伊勢物語や更級日記は1時間40分、雨月物語は3時間（各話は15～20分）、古今和歌集は4時間（仮名序・真名序を含む）…といった具合である。長い作品の場合は一部でもよいとした。読んだ作品と感想を出してもらったところ、1年生クラスであったにもかかわらず、思いのほか内容を把握できている感想が多いことに驚いた。自力で読めたというよりは、注釈や現代語訳を見て理解しているのだと思うが、「授業で勉強した文法形式は意味がわかってうれしかった」という感想もあり、自分の力を確認するのにも役に立つかもしれない。全文の通読は教えている側も案外していないことがあるので、教員にもおすすめである。全体を俯瞰（ふかん）してみると、教科書に載っている部分の印象が少し変わることもある。それに、音読は楽しい。

③創造的な表現の場を

教科書的な現代語訳をゴールにしていると、どうしても「言われたことを覚える」ということから抜けられず、退屈になりがちである。何か創造的な表現の場を作ることで、文法や語彙を主体的に活用する感覚を得てほしいと考えている。

たとえば2019年度と2020年度、「翻訳・翻案チャレンジ」と称して、同じ場面の複数の訳（現代語訳・英語訳を含む）を参照した上で、自分なりの訳をしてみようという課題を出してみた。大胆な意訳・超訳も歓迎、現代風パロディーやイラスト化・マンガ化も可とした。１年生の伊勢物語（芥川）、３年生の源氏物語（若紫の一節）でやってみたが、いずれも個性のある表現が出てきてこちらも楽しかった。

また、筆者の参加する研究会で情報交換をしている他校の先生方からは、和歌集の指定された範囲から自分の好きな歌を選び、それと合う写真を探して上にレイアウトして提示させる授業[*33]、漢文で史伝の一場面をインプロ（即興演劇）で演じさせる授業[*34]など、興味深い実践をご教示いただいている。古典のアクティブラーニングについての研究会もあると聞く[*35]。生徒をわくわくさせるような実践は、意外といろいろなところでなされているのではないかと思う。論文や学会発表で得ることができる情報もあるし、私的な研究会で学ぶことも非常に多い。多くの教員が実践を交換し学び合えるようになることが、古典教育を豊かなものにしていくためには重要だ。そのような余裕が持てない教員も多いとするならば、まずは学校現場の労働環境改善が必要である。

④本物を見る機会を

古典の教科書では、原文とはいっても翻刻され句読点を施して整えられた活字ばかりを読むことになる。これがかえって「古典を勉強すれば昔の文字資料を読めるようになる」という実感から遠ざけているということはないだろうか。実際の資料を見る機会があると、書かれた文字がそのままでは読めなかったとしても、そこにたどり着くための一歩を学んでいることが感じられるかもしれない。

古文書や碑などを直接教室で見せることは難しいかもしれないが、現在はデジタルアーカイブがかなり充実してきている。たとえば、国文学研究資料館のホームページ（https://www.nijl.ac.jp/）では、国語や日本史の授業で使える画像として教科書に載っている作品を中心としたリンク集が作られていて

---

*33　都立国際高等学校の沖奈保子教諭の実践。

*34　筑波大学附属高等学校の畑綾乃教諭の実践。

*35　成蹊大学文学部の平野多恵教授のご教示による。

便利である。また、国立国会図書館がシステムを運用し連携機関の資料を公開するジャパンサーチ（https://jpsearch.go.jp/）では、教育・商用利用可の資料を検索することができる。

今回の高校生アンケートでも、やってみたい授業として「バーチャル体験型」が人気だった（問11）が、画像としてさまざまな資料の「本物」を見せることには意味がある。くずし字を解読する出前授業によって古典への関心・意欲が喚起されたという報告もある[*36]。

筆者も2020年度の授業では、コロナ禍で流行中のアマビエの図[*37]、藤原道長自筆の御堂関白記やポルトガル式ローマ字でつづられた天草版伊曽保物語の影印、教科書で扱った宇治拾遺物語や伊勢物語の写本・版本・絵巻などの画像、くずし字学習アプリ[*38]などを紹介した。4月・5月に感染症の影響でオンライン授業になったこともあり、デジタル資料の紹介をしやすい環境ができたことはありがたかった。

■大学入試

高校の授業のあり方（時間数や内容）は、特に進学校では、良くも悪くも大学入試の影響を受ける。入試が出口か入り口かという話もあったが、入試の文章がよい出会いになることもある。一方で、もし入試での問い方が現在批判される「文法のための文法」学習を招いているのだとしたら、もっと楽しく深く学べるような出題形式を工夫していただきたい。

もちろん、入試が選抜を目的としたものであるという難しさはある。授業ではできるような自由な読み方を入試でもできるわけではない。大学入学共

---

*36　加藤直志・加藤弓枝・三宅宏幸（2016）「くずし字による古典教育の試み：日本近世文学会による出前授業」『名古屋大学教育学部附属中高等学校紀要』61号、pp. 134-142

*37　「肥後国海中の怪（アマビエの図）」は京都大学貴重書資料デジタルアーカイブより https://rmda.kulib.kyoto-u.ac.jp/item/rb00000122/explanation/amabie（2020年10月9日閲覧）

*38　くずし字学習支援アプリ「KuLA」https://kula.honkoku.org/（2020年10月9日閲覧）

通テストの記述式導入が断念された一つの大きな理由は、50万人の受験生に対して公平な採点が不可能だったことだ。「暗記ゲーム」であることを超えて解釈・鑑賞に踏み込むような出題は、受験生の人数が多くなればなるほど、また定員厳格化で当落ラインがシビアになればなるほど、困難になるだろう。しかし、出口だけではなく入り口ともなる入試において、古典の世界の魅力と多様性を見せてほしい。

生徒たちに導かれてここまで来た。学術と教育の未来について、困難を感じることも少なくないが、より豊かな世界を実現するためには、多様な視点と互いを尊重した議論が不可欠である。これから先、そのような議論が続いていくことを心から願っている。

あとがき

「必要」とは何か

長谷川 凜

休校が決まり、3月10日のシンポジウムが延期になったとき。当初は、高3ではシンポジウムの実施は厳しいと思っていた。だが、いざ高2のうちに実施できないとなると、やめるという選択肢はなかった。

それは、高校生のうちに開催することに意味があったからだ。古典教育をいままさに受けている当事者だからこそ、授業で感じる肌の感覚を伝えることができる。また、肩書きを持たない高校生という立場からの発言なら、ギークになっている肯定派や否定派も耳を傾けてくれるかもしれない。

しかし、矛盾するように聞こえるかもしれないが、本来わたしは高校生として発言したかったわけではない。「こてほん2020」に至る最大の動機は、「こてほん2019」を放置してはならないという危機感である。「こてほん2019」の議論は、建設的だとは思えなかった。その内容を整理し、肯定派と否定派が互いに指摘し合う対話が必要不可欠であるはずだ。にもかかわらず、「こてほん2019」以降、そのような対話はなされていなかったのだ。ならばわたしが指摘しなければならないと感じた。しかし、高校生であるわたしには指摘できる場がなかった。そのため、大人の論者と対等に議論できる場を作ったのである。

議論を整理することには、さらなる意味があった。「こてほん2019」のあと、その議論に納得できずにモヤモヤする日々が続いた。そのため、企画書の作成、ゲストの先生方の主張の要約、ディベート論題や前提の決定、立論で論点を対応させること、プログラムの決定、これらを通じてモヤモヤを必死に言語化しようとした。何が問題の本質なのかを知りたかった。

これは、わたしにとって現実を受け止めるということだった。わたしは大学で古典を研究したいと思っている。しかし、古典、さらには人文学が軽視されている現実がある。文学部に行きたいと言えば、「稼げるの？」と言われてしまう。そんな中、自分は古典研究の道を目指してよいのかという不安にさいなまれながら、受験勉強に励むことができるだろうか。それはあまりにも厳しい。ゆえに、大学受験を迎える前に、現実と向き合って心を決めなければならなかったのだ。高3に持ち越してしまっても、必ずシンポジウムを実施しようと決心した。

とはいえ、受験勉強とどう両立させていけばいいのかはわからず、ゲストの先生方の予定が合うかもわからず、そもそもコロナがいつ収束するかもわからない。また、3月のシンポジウムに向けた勢いも大事だったのに、コロナによって世の中がそれどころではなくなってしまった。このまま人々の気持ちが離れてしまったら、わたしがどんなにやりたくても実施できないのではないかと不安で仕方なかった。

そんなとき、仲島先生からメールをいただいた。そこには、仲島先生のご友人で、他校で英語教師をされている方からのメッセージが載っていた。

> 「本当に楽しみにしていました。こちらでも議論を活発にさせようと思って動いていました。私なりに動いていました。心を動かしてくれてありがとう。あなたの生徒さんたちの行動は、離れた学校の、教科違いの教員の心を動かしたよ！」

それに続けて、仲島先生も「何とかして実現させようね」と書いてくださっていた。

読むなり涙があふれた。このプロジェクトはただわたしがやりたいだけではない、必要とされていると確信した。人から必要とされることがこんなにうれしいなんて知らなかった。自信が湧いてきた。それならいよいよやるしかないという責任も感じた。

「こてほん2019」以来、古典研究に突っ走りたい気持ちは山々でも、役に立たないならそれは身勝手なのではないかと考えていた。古典研究で社会に何を還元できるのかと悩んでいた。だからこそ、古典を取り巻く問題を見つめ、現実を受け止めたいと強く思っていた。

その悩みや疑問はいまも抱いているが、このシンポジウム延期によって経験した「やりたい！」という強い欲求、「やるならいましかない」という実感、「必要とされている」という感覚、「人の心を動かした」ということ、「やるべきだ」という責任感、「できる」という自信、これらはきっと大きなヒントになる。

「必要」とは何か。この言葉は、「古典は本当に必要なのか」という命題を不明瞭なものにしている大きな要素だ。「こてほん 2020」でも十分に議論できなかった。

ただ、わたしがこのシンポジウムを心から「必要」だと思えたことは確かである。「必要」とは、わたしが体感したこの感覚のことだと思う。今後、古典を研究していく際、この感覚を大切にしたい。

誰が為の教育か

丹野 健 / Chris Fotos

わたしが「こてほんプロジェクト」に構想段階から携わり支えてきたのは、ひとえに教育に対する問題意識からであった。入試改革に翻弄されていた高校生として、また、新学習指導要領下で行われることになるこれからの教育の一端を担いたい者として、古典教育不要論についても向き合いたいという強い思いである。

2019 年の夏、わたしは日本学術会議主催の「国語教育の将来—新学習指導要領を問う」というシンポジウムがあるとインターネットで知り、足を運んだ。国語教育への関心があったのと、実際に教育を受けている身として何か感じ取れるものがあるのではないかと思ったからである。議論の中身は題の通り高校新学習指導要領の「国語」の科目構成についてであった。そこでは学者や教員などから文科省の視学官に対し古典や文学の軽視への懸念が示され、侃侃諤諤（かんかんがくがく）の議論が巻き起こった。ただ、議論自体は非常に刺激的で学びの多い内容であったものの、実際に教育を受けている生徒の視点や、今後の新しい教育を受けることになる生徒の存在があまり考慮されてないように思えた。わたしはフロアも交えた議論でそれを指摘し、視学官に対し高校生としての意見を述べた。「現場のことを考えない改革や新たな指針により犠牲になり得るのは、学びを享受する高校生である」と。振り返れば、教育の議論に当事者の視点や意見も交えることによって内実性を持たせればそれが現場に根付いたものになるはずだという考えはここから芽生えたのだと思う。

そんな折、長谷川から「こてほん2019」の話を聞いた。そこでも高校生の視点が議論に不在だったことを知り、わたしは上での経験を共有した。互いのそれまでの経緯や抱える意識はまったくと言っていいほど異なっていたが、「高校生として新しく議論に向き合う場を作りたい」という方向性は一致し、準備を進めることになった。

その後の『こてほん2019』の読書会、企画の構想、企画書の提出、声を集めるためのアンケート作成と実施依頼、「こてほん2019」の議論整理、シンポジウムの細かな行程決め、ディベートに向けたリサーチ……。取り組んできたことの仔細は第4章で述べた通りである。それぞれが勉強や部活、学校行事に追われながらも、実施に向け心血を注いできた。準備を進める中で、仲間が増え、視点が増え、アイデアに磨きがかかってくる。おのおのの考えを聞いてその概観を見いだし、全体のアイデアを再構成していく過程。打ち合わせで、リハーサルで、本番で一貫してきた対話の姿勢。ここでの経験は他の何物にも代えがたい。

「こてほん」における一連の議論についてもほんの少しだけ触れておきたい。わたしはいまのところ、古典の必要性や、教育デザインについての議論はその時代の政治的・経済的な潮流により色濃く影響を受けるものだと考えている。「いまの日本には余裕がないため役に立つものから優先的に学んでいかなければならない」という主張が支持されやすいのはそれらと無関係ではないはずだ。

ではその時々の流れに任せて放っておけばいいではないか。そう思われるかもしれない。しかしそれは違う。そのうねりの中でこそ、できるだけ多くのセクターからの実情や意見を可視化し残していく必要があるとわたしは考える。なぜならそのときには注目されていなかったファクトやアイデアが、未来の議論に大きな恩恵をもたらす可能性を秘めているからだ。

そういった意味で、今回の議論を書籍化し形にして残せることには大きな達成感を抱いている。今後の議論の土台になるならば幸甚なことこの上ない。

今回のディベートは価値論題であったが、主に政策論題としての議論は今後も続いていくことであろう。その際にはやはり、広く社会的・政治的・(国語)教育史的な文脈で教科としての「古典」をとらえようとしなければ結局のところ堂々巡りになってしまうと予見されよう。議論へのより深い参画のため、この先それらの分野について幅広く学んでいければと思う。

また、「○○は本当に必要なのか」という挑戦的な問いまではいかずとも、ある既存の教科とそのあり方に対し疑問をぶつけることで現状を概観し、多くのセクターの間で納得がいく形での再構築を目指す議論の場は非常に有意義であると感じた。今後も積極的にそういった機会を作っていきたいと考えている。

わたしは日本学術会議のシンポジウムで「改革や新たな指針で犠牲になり得るのは高校生である」と主張した。教育は一体誰のためにあるのか。そのところから考え直していくべきであるということを政策決定者や学者、そして未来の自分に向けた忠告として言い聞かせたい。

高校生役の高校生

内田 花

日常生活を送る上で、古語で読んだり書いたりすることはない。

古典という、ある意味「面倒くさい」文章を敬遠する人が多くいるのにも納得できる。

字面は同じなのに現代日本語と意味が異なる単語に翻弄されるし、書かれていない主語は前後の文脈から読み取って補わなくてはいけない。当時の時代背景や人物相関も含めて、文章中の歌に込められた意味を推測する必要がある。言ってしまえば同じ日本語なのに、何を伝えたいのかすぐにはわからない。

しょうがないよね、だって現代人だから。古典が読めなくたって生活するのに困らないし。

そういって、理解することを諦めたくなる。

しかし、「同じ日本語のはずなのに理解できない」文章は古語で書かれた文章とは限らない。難解な問題文や独特な表現方法が多い文学作品、堅苦しい文調の契約書。その類いの文章を目にしたときに、一瞬で諦めない気持ちを持つことは大切だ。

ぱっと見て理解できない文章に対して思考を放棄しないこと。

これが、わたしが古典という教科を通して学んだことだ。

高校生活の半分を、この「こてほんプロジェクト」と関わりながら過ごした。プロジェクトに参加する前は、古典の必要性を疑ったことはなかったし、高校で必修の科目になっていることに対して疑問を持っていなかった。

これは、古典が必修科目とされているのが当然かつ妥当だと考えていたわけではない。端的に言えば、古典が高校教育に必要かどうか、考えたこともなかった。

そのため古典否定派の存在も知らず、初めて『こてほん2019』を読んだときは驚いた。

わたしが当たり前のように学んでいた授業が「本当に必要なのか」と問われている状況は、衝撃的ではあったがどこか他人事のようだった。「世の中にはこんなことを考える人もいるんだな」と、さながら舞台を見ている観客のような気持ちで、こてほんを読んでいた。

その舞台のスポットライトを引っ張ってきて、「高校生」に照射したのが凜ちゃん（発起人の長谷川）である。観客ではなく演者となったわたしたちは、最初のほうは和気あいあいとシンポジウムの準備を進めていた。しかし、コロナ禍での休校、オンラインシンポジウムへの変更が決まってからは怒涛（どとう）の日々だった。健康だけが取り柄のわたしが、三魂を飛ばしながら原稿をつくり、七魄（しちはく）を失いながらスライドをつくった。気づいたらシンポジウムは終わっていた。

この企画を進めるうちに、いくつもの根深い問いや論争の種に巡りあった。どれも、こてほんの議論と分かちがたく結びついていたが、今回のシンポジウムはディベートという形式をとったために、切り離して考えなくてはいけないものが多かった。その一つが「高校教育で何を優先するのか」という、教育政策からの視点だ。ディベートの論題を考えるにあたってわたしたちが一番初めに切り捨てたのがこの視点で、理由は「教育を受けている側の高校生に、科目の優先度の判断は難しい」というご指摘を飯倉先生からいただいたことと、「このディベートに、〇〇より古典のほうが重要（だから必修であるべき）という論拠を持ち込みたくない」というものだった。

大学で教育政策について学び、この視点から「古典は本当に必要なのか」を考えてみたい。これがわたしの当面の目標であり、「こてほん2020」の演者の一人としての意気込みである。

こてほん2020に寄せて

田川美桜

・こてほん2020に参加したきっかけとプロジェクトへの関わり

凜ちゃん、クリスと国語科の先生方2名による『こてほん2019』の読書会が、わたしをこてほん2020プロジェクトに引き入れてくれた。これは、珍しく時間に余裕のある放課後に、読書会の開かれる教室の前を通りかかって、偶然出会った凜ちゃんとクリスの、興味深い会話に誘われてのことだった。こてほん2020では、わたしは主に、高校生に対して行ったアンケートの分析や、否定派のパネリストとして携わった。まず、アンケート内容について「第4部　シンポジウムに至るまで」に加えて述べたい。わたしたち、こてほん2020メンバーは、「こてほんアンケート」で、こてほん2019の内容を踏襲しながら、古典や古典の授業に対する高校生の率直な意見を集めることを目的とした。そのため、質問内容がアンケート回答者の高校生に正確に伝わるよう、質問の文言や順序をアンケート実施前に何度も議論し調整した。たとえば、「こてほんアンケート」前半部では「古典」と「古典の授業」という言葉を区別するために、「古典の授業」のみにカギ括弧をつけた。その後、回収されたアンケートの分析は海人くんとわたしで担当した。わたしは、データ分析の方法について興味があって、ICU 高校 3 年次の自由研究講座の授業で学んでいた。それらを生かして、高校生の意見をより多角的にとらえようと、質問同士の関係性や、各問と学年、興味分野の相関関係を明らかにすることを試みた。次にわたしは否定派のパネリストとして、準備段階では、他のメンバーとともに立論やディベート原稿の推敲を行った。わたしは古典に対して授業で習った以外の知識がないという立場から、わたしたちのディベートが古典に詳しくない人にも伝わるよう工夫した。また、他のこてほん 2020 メンバーに比べて、わたしは 1、または 2 学年上だが、3 月生まれという“早生まれアイデンティティー”も手伝って、学年の壁を感じたことは一度もなく、議論の場で発言しにくいということはなかった。

・わたしにとって古典とは

わたしはディベートでは否定派のパネリストだったが、古典の授業が嫌いというわけではない。むしろ好きだ。それは、もともとわたしは、人生に新しい価値観や解釈を与えることで色をつけてくれる、そんな“物語”というものが好きで、ドラマや小説の“物語”を楽しむのと同じ感覚で、授業で扱う古典作品を楽しんでいたからだ。だから、わたしはこのシンポジウムにも興味を持った。一番はじめに「古典は高校の必修科目であるべきか？」と問われたとき、わたしの答えは No だった。「こてほんアンケート」でも多くの高校生が答えていたように、わたしも古典に興味のある生徒が選択して学べばいいと思っていた。なぜなら、古典は高校生が将来生きていくために、現代文や数学、英語ほど必要ではない、つまり、他の科目と比較して古典の優先度は低いと感じていたからだ。しかし、シンポジウムを通して、否定派、肯定派両方の主張に触れ、考えを深めるうちに、わたしは古典は必修科目として教えられるべきなのではないかと考えるようになった。特に「日本人のアイデンティティーを支える古典」という主張がわたしの考えを変えるきっかけになった。まず、わたしは、“主体”的に学び、生きることを重要視する、ICU高校やICUでの学びの中で、“主体”とは何か、自分自身とは何かという問いを常に自身に問い続けてきた（問い続けるように後押しされてきたと表現したほうが正しいかもしれない）。なぜなら、その“主体”が確立されてはじめて、自分なりの社会への関わり方を知り、能動的に社会で活躍することができるからである。実際、わたしは高校での生活や学習を通して自分“らしさ”を知り、大学での学びやアルバイト、ボランティア活動など、その“らしさ”を生かして活動できていると感じている。したがって、わたしは、高校生にとって、アイデンティティー、”主体”の確立は重要であると考える。だから、古典の授業での学びが、日本の高校生のアイデンティティーを発見する、確立するのを助けることができるのであれば、それは非常に重要な学習なのではないかと思う。また、この主張はわたしの興味も広げてくれた。近年、Global citizens, human securityのように、国境にとらわれず、地球人、human beingsの一員としてのアイデンティティーを持ち、Covid-19 pandemicなど国境をまたぐ問題に立ち向かおうという考え方が登場している。このような流れの中で“○○人”というアイデンティティーはいまも必要な概念なのだろうか。これから人間のアイデンティティーのあり方はどのように変化していくのだろうか。と、疑問が湧いてきた。

・わたしにとってのこてほんプロジェクト

こてほん2020は、わたしが初めて企画側として参加したプロジェクトだった。発起人の凜ちゃんをはじめとするこてほんメンバーたちや先生方と「古典は本当に必要なのか」という一つの問いを追いかけ続けることはとても刺激的だった。この問いに対する暫定の答えや、新たな興味を見つけただけではなく、仲間同士で助けあってプロジェクトを進めることや公に向かって発信していくことなど、高校3年間の教室での授業では知り得なかったことをたくさん学ぶことができた。わたしはこてほん2020のメンバーとしてプロジェクトに参加できたことはこれからの社会での活動の大きな原動力になってくれることを確信している。

試験という絶対的存在

中村海人

古典を習ったところで将来には役に立たない。この「○○を習ったところで将来には役に立たない」構文は多くの人が一回は口にしたことがあるのではないかと僕は勝手に思っています。僕自身、英語を習ったところで将来には役に立たない、文系志望の僕には理科系の科目を習ったところで将来には役に立たない、のようなことを言ったことがあります。今回、長谷川先輩からお話を聞いて参加させていただいたこてほんプロジェクトはそういった僕が日頃言っていたような事柄への新たなアクションだったのだと、いま振り返ってみて思います。

僕にとって古典といえば、奥の細道など著名な作品の暗唱課題が毎年課され、毎回締め切り最終日に駆け込みで先生の前で暗唱していたことを思い出します。高校生になって、文法事項も集中的に学ぶ中で多様な作品と触れ合いましたが、どれも定期試験への対策としてとらえることばかりでした。学ぶ側の立場に居続けていた僕にとって、古典の存在はどこまでもたくさんある中の一つの試験科目であるという認識が僕の頭の中を占めていました。

ですが、このこてほんプロジェクトでの古典の存在は、いままでの僕の学ぶ側から見た古典であった試験だけではありませんでした。古典を学ぶ意味であったり、社会での実用性を問われたり、試験という学生にとって絶対的な存在から一変、ふんわりとした抽象的なものへと古典のイメージが変わり、自分の中で古典そのものが揺らぐ貴重な時間でした。

このプロジェクト以降、僕が大きく変化した点としては前述した、「○○を習ったところで将来には役に立たない」構文を使わないようになったことが挙げられます。このシンポジウムを通して、古典の意義、または古典には現代社会での実用性がないといった主張を賛成派と反対派から聞いてきた中で、シンポジウムの準備段階ではまだ高校１年生だった僕は、必修で古典を学べたことは良い経験であったと感じました。古典という科目の試験成績が古典の本質ではなく、古典という世界に触れたという経験が、僕を一層このプロジェクトに引きつけ、考えさせてくれました。

僕は歴史などの社会科が昔から好きで、文献を図書室でよくあさっていました。それこそ最初は、戦国時代の武将に憧れて小学生の頃の自由研究では真田家について調べ、まとめあげたことが記憶に新しいです。そして社会科以外に古典も、このプロジェクトを通していまでは愛着のある科目の一つです。けれど、歴史も古典も、学校で習うことがなければほんの少しの教養も得られていない、すなわち歴史も古典も知らないまま今を迎えてしまう可能性が高かったということに気が付きました。楽しいからこの科目が好き、という自分主体な理由も、その科目と向き合った時間があったからこそ成立したのだと思います。必修科目として少しでも古典の世界に触れたことによって、古典への見方を変える鍵になってくれたと僕は感じています。

しかし、古典には現代社会における実用性がないと唱えられています。もし、古典を必修科目から除外すると決定したあとは、この見方が変わっていく体験も味わえないのでしょうか。高校生という限りある時間の中で、この僕が味わった経験の価値は、果たしてどこまでの価値があって、意味をもつのでしょうか。でもよくよく考えれば、このプロジェクトと出会わなかったら僕にとって古典はたくさんあるうちの一つの試験科目でしかなかったのですから、古典はやはり現代には必修科目としては不要で、あまり意味をもつことはないのでしょうか。僕には、依然として意見がまとまっていないことが身近にもたくさん存在していることに気づかされました。それでも、学ぶ側の当事者である高校生という短い間に、こうしてたくさんの先輩方や先生方の取り組みに参加できたことをとてもうれしく感じています。

古典物語

神山結衣

こてほん2020に参加したきっかけは、古語でジョークを言う凜（長谷川）と出会い、こてほんに参加しないかと誘われたこと。これまでは古典が必要かどうか、考えたことはなかった。

わたしにとって古典とは何かを考えたとき、それは物語の一つで、読みもの（本）だと思った。わたしは本が好きだ。読書による異世界への傾倒、共感、つながり、出会い。本はなくてはならない存在であり、わたしの一部であり、自身の幅を広げてくれる。

ではなぜそう考えるのか、物語を読んでいて気づいたことが二つ。一つは共有感、もう一つは異分野とのつながりだ。

一つ目の共有感について。

主人公に感情移入し、その感覚が共有され、物語の登場人物になる……まるで自分がその世界の住民であるかのように、行ったことも見たこともない場所や誰かの人生を体験する。こうして、本の中の他者の物語をいったん自分のものとして受け入れたとき、ふと、心が洗われる様に感じることがある。それは、自身が登場人物として、本のすさんだ世界の中で優しさを持って接しようとする行為を想像しているからではないか。現実社会で利己的、自暴自棄、独善的になるとき。そんなとき、本の中の登場人物となって、笑って、涙して、自分自身とまったく考えが異なる人や、いがみ合っている人と手と手を取り合い、他人を異なるものとして認め合うことができれば、現実社会でも誰かに対して思いやりを持ることがわずかでもあるように思う。

物語の世界では、登場人物に対して優しくあることはたやすいが、現実世界ではそううまくはいかない。しかし、読書をしているときのそのわずかな感情の変化が、確かにわたしの心を動かし、「こうでありたい」「優しくありたい」と思う現実社会に生きる自分を鼓舞する。たとえその変化が微々たるものだとしても、理想の自分を追い求めることは、アイデンティティーの礎を築いているようにさえ感じる。

二つ目の異分野とのつながりについて。

本の中で、実在した古代中国の官僚機構、実際に信仰されていた神々とどこか似通った主人公……物語の要素がさまざまな分野とつながっていることがある。たとえば物語の中で「シュウケンセイ」という言葉と出会ったとき。世界史の知識があれば、「ああ、州-県の二段階で地方を統治する『州県制』か！」と、より一層物語の世界観が深みを増し、本の持つ知識の広さ、深さを痛感する。古典や文学の一教科枠を越えて得るもの、その関連性が奥深く、物語は、他者と、他国と、別世界へと、そして何千年前から現在、未来へと、自分をつなげてくれる架け橋の様な、さらには、古くさかのぼって古代文明の成り立ちや誕生の解明にまでつながるような……そんな壮大な広がりを読書をしていて感じることがある。

古典そのものには物質的利益がない、今もそう思う。しかし、古典にも物語のように、異分野とのつながり、芸術的価値、ユーモア等が加わったとき、新しい何かの誕生を感じる。たとえば掛詞。数える程の単語を掛け合わせ、より深い意味や情景を導き出す芸術性。細かな要素が一つに組み合わさり、美しい絵画へと変貌を遂げる。

さらに、まったく分野が異なる考古学、天文学や科学といった学問の目的の一つが、起源を知るための研究、生命の誕生を探究することならば、古典も当時を知る手だての一つであり、深く学ぶことで言葉の起源や、さらには生命の誕生すら解明する可能性をも秘めているかもしれない。そのわずかなつながりを感じることで、心に豊かさが芽生える。古典に精通していないわたしにとって、これが古典に触れる幸せだと感じている。

最後に、何かに一生懸命な人を見ていると、圧倒されると同時に、何もできていない自分が小さく感じることがある。しかし、もしこの世の中が一人ひとりの得意分野で成り立っているならば、自分が選んだこの道が「これで大丈夫」「このやり方で進んでよい」そう感じられるときがいつかきっと来るはず。わたしにとって物語（古典）は、他者の世界観を経験でき、異なる考え方を受け止める手助けをしてくれるという点でとても特別で、異分野とのつながりやアイデンティティーの確立は、物語を読むことでしか獲得できないものではないが、古典も含めて高校での学びが、それぞれの専門分野に飛び立っていく前の礎や、アイデンティティーを築くための手助けとなり、あるとき「あ、これはわたしの分野だ」と気づかせてくれるためのものであるように、と願う。

Identifying 古典

小林未來

なぜ古典文学が大切なのか。今回のシンポジウムはわたしにとってこのような根本的な概念を問いただす良い機会となった。

わたしが古典文学に興味を持ったきっかけは、アメリカで暮らしていたとき、日本語補習校で借りた青い鳥文庫『あさきゆめみし』だ。国をまたいだ引っ越しを繰り返していた当時のわたしは一種のアイデンティティークライシスの真っただ中にいて、自分は何者なのかと考えては混乱する負のスパイラルの中にいた。日本語に自信が持てないのに国籍上は日本人であり、英語で考えているのにアメリカ人ではない。日本にもアメリカにも愛着と呼べる確かなものはなく、社会から自分という存在が否定されているように感じた。そんなわたしであったが借りたこの本を手放せなくなり、シーツに潜って懐中電灯を照らしながら何度もページを繰り、借りるのでは物足りず日本から取り寄せ自分の本にしたいとねだるほどハマった。日常の不安を忘れ物語に没頭する幸せな時間であった。これをきっかけに他の日本の古典文学も読み始め、日本文化に対して関心を深め否定するのではなく知る努力をしようと決心したのだった。

古典文学はわたしにとって一種の自分調べのようなものになった。昔の人と対話しつながることができるもの、または自分の存在の確かさを手繰り寄せるもの、それがわたしにとっての古典文学なのだ。

日本に帰国して程なく同級生の間で古典は楽しむものというより受験のための一科目と軽視されていることにショックを受けた。このシンポジウムでも繰り返し取り上げたが、受験のため文法をことのほか強調して教える古典の授業を改善しなければならないということは多くの先生方も賛成されている紛れもない課題である。今回のシンポジウムを新たな出発点とし、わたしたちは問題意識を持った当事者の一人として学習指導要領改訂後の変化を注意深く観察し、うまくいっている点と再改訂すべき点とを別の機会に報告するその責務があると感じている。時代の変化に寄り添いながら文学の本質をしっかり伝え、古典の授業が豊かな感性を育み自分の存在に自信を持つきっかけを作る、そのような空間であり続けてほしいと心から願う。

さて、在原業平ゆかりの地である京都の大原野神社の茶屋でよもぎ団子をいただいたときである。茶屋のおばさんから面白い話を聞いた。この団子は農家で代々大切にレシピを継承してきたもので、めでたいことがあると家同士よもぎ団子を交換してきた。おばさんはそういって自信あふれる満面の笑みを浮かべた。いまわたしの住む東京の街では次々と新しいビルへと建て替えが進み、人々は最新の技術をもって社会を発展させようとしている。その代償として過去を捨て置き、忘れ、いずれは切り離す。継承の重みが失われつながりを顧みない社会がある。「高校に古典は本当に必要か」という問いはまさに現実から必要以上に「古典」と呼ぶ世界を切り離すと同時に、自分は何者かという根本的な視点を忘れ去ろうとしている。

わたしが尊敬する小説家はファンレターの返信で次のように言ってくれた。

「昔は今みたいに紙や筆が貴重品でなかなか手に入る物ではありませんでした。ましてや最新のコピー機などの便利な機械は存在せず、気に入った文章や物語があればすべて手書きで書き写し、大切に読んでいたのです。数千年の間数多くの人に大切にされて来た物語が面白くないはずないのです。確かに現在の高等教育で勉強する古典という科目は文法ばかりで受験するためだけの科目になってしまっています。すごくもったいないと思います。真の古典ではないのです」と。

最後にこてほんメンバーと仲島先生に感謝したい。この素晴らしいプロジェクトができたのはメンバー一人ひとりの熱意のおかげだ。わたしは古典の将来を悲観していない。素晴らしい感性を持っている彼らと共に活動できたことを誇りに思い、将来の新しい展開が実に楽しみなのである。仲島先生は意見のまとめやシンポジウムの運営そして出版まで愛情を込めて面倒を見てくださった。授業の枠を超えて先生に出会えたことに心から感謝したい。

わたしの身勝手な「意義」

牧野かれん

こてほんを終えて数週間、高校１年生の弟の三者面談を終えた両親が家に帰るなり嘆いていた。どうやら古典の成績が悪いがために、留年の危機にさらされているらしい。「古典なんて将来何の役にも立たないのに」「勉強する意味がない」「古典ができなくても生きていけるよね」。そう語っていた。

何よりも、反論できなかった自分に一番驚いた。これだけこてほんで考えてきたのに、それでも彼らの意見が間違っていると、古典は必要だと言えなかった。当日は否定派で参加したけど、実を言うとわたしは古典が大好き。古典が楽しいと思うから、３年間学び続けた。けれど、楽しいだけで「役に立つか」「必要か」と言われると途端にわからなくなる。わたしの３年間の知識を受験以外に役立たせる場所が思いつかない。楽しいので意義はあるが役には立たない、というのがわたしにとっての古典なのかもしれない。わたしに古典は必要でも、すべての高校生には必要がないのかもしれない。

話は変わるが、こてほんプロジェクトには始めは補欠として参加した。すでにプロジェクトの枠組みが出来上がっているときだったので、一番大変な本質観取の山場をわたしは味わっていない。だからみんなほどこてほんへの思い入れがなかったし、真剣に古典がどうこうを日常的に考え続けていたわけではない。でも、やるからにはみんなの熱意に負けじとこたえたくて、精一杯こてほんと向き合った。一瞬、高校に古典は本当に必要なのかもしれないとすら思った。

けど、「必要ない」と言う親に反論できなかったように、わたしの本質的なところにはまだ、自分さえ古典を楽しく学んで卒業できればそれでいい、というある種の楽観と、自己中心的な慢心が、まとわりついたままだった。わたしは弱い人間だから、古典が高校からなくなろうが、どうしても「わたしには関係がない」という気持ちに舞台裏へと引っ張られてしまう。きっとこう思うのはわたしだけじゃないはず。

実際には、関係があるんだろう。なければこてほんプロジェクトなんて生まれたりしない。けど、その関係に責任を持とうとするほど、わたしたち「関係のない」人間には、古典の必要性がわからない。古典を学んだ人生と、そうでない人生を想像してみても、違いを見受けることができない。

それがわかれば、わたしももっとほかのメンバーみたいに、古典が縮小される現状に危機感をもてるのかもしれない。

そんなことを考えてる中で、最近ふと思ったことがあった。「必要か不要か」「役に立つか立たないか」。こういう問題は、何も古典に限ったことではなく、教育全般に言えることだ。同じようなふるいにかければ、どの教科だって同じ問題へとたどり着くはず。だからこそ、古典をなくすということは、古典がなくなるということだけを意味しているわけではないと思う。一つなくせばドミノ倒しのように、次々と「役に立たない」ものはなくなり、大人の社会で「役に立つ」ものだけに「意義がある」とされるようになる。

それもそれで理屈は通っている。けど、もったいないなぁとは思う。必要とか、役に立つとか以前に、学ぶということは楽しい。その楽しさを「人それぞれ」で片づけてしまうのはもったいない。確かに、わたしたち高校生には時間が限られており、だからこそ学ぶべきもの、学ばなくてもよいものを常に取捨選択しなければいけない。けど、それを選ぶ基準がすべて社会に還元できるものでなければならないなんてことは、思わない。社会で生きていくための「術」や、社会で「役に立つ」ものは、すべて大人の都合だ。わたしはもっと、自分の視野を広げてくれる「学び」を求める。身勝手なのかもしれない。けど、言ってみたい。身勝手で何が悪い、と。教育は社会のためであると同時に、わたしたち自身のためにもある。

そういう学びが、確かに古典にあると思う。古典を必要だということは、それらを必要だということと同じなのではないだろうか。それともやはりこう思うのは、わたしが古典を好きだからだろうか。ほかの高校生はどう思っているのだろう。

すべて選択科目にすれば片づけられるものでもない。「ピーマンは嫌いでも身体に良いから食べなさい」と言うように、そこに意義があるのなら「古典は嫌いでも学ぶべき」ではないのか。これは選択科目や、1、2週間程度の仮履修では到底達成できない。わたしは古典が好きだけれど、そう思えるようになったのは、必修の2年間、嫌でも古典を学ばせられたからである。

「古典は必要ない」と言った両親に、世間に、反論できるほど、わたしにはまだ語る知識もなければ、語るほどの言葉も編めない。自分の意見すらはっきりと把握できていない。偏見まみれの考えしかできない。それでも、高校生であるわたしたちだけにしか考えられないこと、伝えられないことはあるはず。まだまだあるはず。ほんと、こてほんに参加できてよかった。「高校に古典は本当に必要なのか」考えることがいっぱいだなぁ。

未来へのささやかな一歩

仲島ひとみ

6月のシンポジウムが無事に終わったところで、書籍化のお話をいただいた。当初は秋に出る予定だったものが、諸々の事情により春を過ぎ夏を迎えようとしているけれども、とにもかくにも、このように形にすることができて安堵(あんど)している。

この間、相変わらず同じような論点を繰り返す古典要不要論争もあったが、『古典の未来学』(荒木浩編、文学通信)をはじめ、古典教育・古典研究のこれからを見据えた論考も複数出版されている。本書の中でそれらに触れられなかったことに悔いは残るが、「こてほん2019」「こてほん2020」とあわせてぜひ参照していただきたい。議論は少しずつ、しかし着実に前に進んでいる。

「高校に古典は本当に必要なのか」という問いに、教員としてまだ十全に答え切れてはいないと思う。これから大いに戦っていかねばならないとも思う。でも、このシンポジウムをやれてよかった。本にまとめることができてよかった。生徒たちのあとがきを読んで、あらためてそう感じた。

シンポジウムを支えてくださったゲストの渡部先生、福田先生、前田先生、猿倉先生、ツベタナ先生、近藤先生、ご助言くださった勝又先生、飯倉先生、当日参加してくださった皆さま、勤務校の同僚たち、大切な教え子たちとの共著書出版を実現させてくださった文学通信の岡田さん、そしてこの本を手に取ってくださった皆さまに、心からの感謝を申し上げます。ありがとうございました。この本がよりよい未来へのささやかな一歩となることを祈ります。

【付録】

資料集

1. こてほんプロジェクト企画書
2. こてほん 校外アンケート 依頼文書
3. 協力してくださった先生方の主張

1. こてほんプロジェクト企画書

こてほんプロジェクト

−「高校に古典は本当に必要なのか」を考えるシンポジウム−

企画書

こてほんプロジェクトチーム

まえがき

2019年1月14日、明星大学で「古典は本当に必要なのか」というシンポジウムが開催された。そこでは、文系・理系の研究者が、高校教育における古典について熱い義論を交わした。しかし、高校生の意見は全く取り入れられていなかった。
議論をされていたお偉いさん方へ。その教育を実際に受けるのは、私たち高校生だ。学者や専門家だけで話し合うのではなく、高校生の声も聞いてほしい。高校生の意見を、教育に反映させたい。
高校生のみんなへ。教育に受け身になるのではなく、能動的に参加した方がいい。もし、自分の大好きな科目が、お偉いさん方の話し合いだけで無くなったらどう思う？私にとって、その大好きな科目が古典なんだ。だからみんなに、古典が縮小されている現状にもっと興味を持ってほしい。古典の授業がどうあるべきか、考えよう。そして私たちの声を伝えるべきだ。
古典教育について、教育を決める側と受ける側の相互的な作用によって、今後の古典の授業をより良いものにしたい。
そこで、私たちは高校生がパネリストとして意見を発信し、高校の古典教育について専門家と共に議論を交わすシンポジウムを企画する。
また、シンポジウム「古典は本当に必要なのか」では多くの論点が混在しており、建設的な議論になっていなかった。そのため、私たちのシンポジウムでは「高校に古典は本当に必要なのか」と論題を設定し、議論をより深める。

背景

ここ数年間で、文部科学省はこれからの時代に向けた指導要領の改訂と実行に向けた準備をしている。新指導要領は、これから訪れる予測困難な時代に向けて、社会で使えるより実用的なものを重視する傾向にある。
国語科においては、必履修科目として、従来の「国語総合」に振り分けられていた4単位が、「実社会における国語による諸活動に必要な資質・能力を育成する科目」だという新科目「現代の国語（標準単位数:２。以下数字のみを表記する。）」、「上代から近現代にかけて受け継がれてきた我が国の言語文化への理解を深める科目」としての「言語文化（２）」とに分けられる。選択科目には、「国語表現（４）」「古典探求（４）」に加え、「論理国語（４）」「文学国語（４）」という科目が作られる。
ここで着目したいことは、必修で学ぶ内容において、現在の「古典」の内容に触れるのは「言語文化（２）」だけだということだ。加えて、その科目では「古典」のみを扱うわけにはいかず、「古典」を必修で学ぶことになる実質的な単位数は「１」となるのではないかということが現職の国語教員からも指摘されている。これは「古典」の縮小である。
こうした「古典」縮小の流れの中で、シンポジウム「古典は本当に必要なのか」が開催された。そこで否定派パネリストは「実用主義」の主張をした。シンポジウムに寄せれられた反応から見ても、否定派が優勢であった。古典に対する考えがリアルな声となってそこに現れる形となった。
今一度、古典のあり方、殊に高校での古典のあり方について見直す機会が求められている。

目的

このシンポジウムを開催する目的は、以下の四つである。

①高校生の声を議論の場に届ける
シンポジウム「古典は本当に必要なのか」では、高校生の意見が取り入れられていなかった。そのため、新たにシンポジウムを開催し、高校生として意見を発信したい。当事者である高校生の意見を伝えることで、古典教育は現場に受け入れられ、より有用なものとなると私たちは考える。

②高校生に古典教育について興味を持ってもらう
高校生は、古典の授業に受け身になりがちである。また、高校生には古典の授業が縮小されようとしている現状があまり認知されていない。そのため、私たちはシンポジウムを開催し、論題を高校生に身近な「高校教育」とすることで、高校の古典教育について高校生が考える機会を設ける。それにより、少しでも多くの高校生に古典教育の現状を知ってもらい、古典の授業に関心を持ってもらう。

③肯定派・否定派がともに社会における古典の現状を把握する
シンポジウム「古典は本当に必要なのか」では、否定派が古典縮小の現状を把握しているのか不明瞭な点があった。議論をするにあたり、古典という科目の現状を互いに認識しておく必要がある。よって、私たちはこのシンポジウムを、パネリスト・フロアの様々な立場の人が古典の現状を知る場とする。

④シンポジウム「古典は本当に必要なのか」での問題点を指摘する
上記のシンポジウムでは、「古典」の定義が定まっていなかったり、論点が「高校教育における古典」「古典文学そのもの」などと人によって異なっていたりした。また、肯定派・否定派どちらの意見も、論理的でない部分があった。そのため、私たちのシンポジウムでは「古典」を「日本で古くから継承されてきた書物」、論題を「高校教育において古典を必修にするべきか」と定める。そして、シンポジウム「古典は本当に必要なのか」の問題点をパネリスト同士で指摘し合い、今後の古典教育のより良いあり方を見出すことを目指す。

メンバー

企画を担当する組織名は「こてほんプロジェクト」とする。
メンバー：2104 長谷川凜/2108 神山結衣/2235 丹野健 /2315小林未來/2341 内田 花
3428 田川美桜/1119 中村海人
担当教員：国語科 仲島ひとみ教諭。

シンポジウムの概要

実施日時	3月10日（火）13:00〜16:00
場所	国際基督教大学高等学校（ICU高校） 多目的室
所要時間	3時間
内容	・ICUHS生によるアンケート結果の公表と分析*1 ・パネリストによるプレゼン ・パネリスト同士でのディスカッション ・フロアを含めてのディスカッション ・総括
規模	・司会 ICUHS生 2人 ・肯定派パネリスト ICUHS生 2人/専門家*2 1人以上 ・否定派パネリスト ICUHS生 2人/専門家*2 1人以上 ・フロア ICUHS生20人以上/ICUHSの先生方/外部の方*3

*1 より多くの高校生の意見を知るため、アンケートを実施する。ICUHS生へのアンケートは12/7-12/21に実施。ICUHS生のほか、都内近辺のいくつかの高校にアンケートを実施予定。

*2 シンポジウム「古典は本当に必要なのか」のパネリストであった福田安典先生、猿倉信彦先生、前田賢一先生に加えて、近藤泰弘先生（青山学院大学）、ツベタナ・クリステワ先生（国際基督教大学）。また渡部泰明先生（東京大学）、飯倉洋一先生（大阪大学）は紙上参加の可能性あり。勝又基先生（明星大学）は、ビデオ通話で参加の可能性あり。

*3 事前エントリー制で、外部から参加者を100名程度募集をする。また、当日参加できない方のために後日、インターネットで動画を公開する予定。

大まかな実施スケジュール

12/21	校内アンケート締め切り
12月中	校内パネリストの確定, 校内アンケートの分析, 校外アンケート実施の判断・依頼
1月中旬前	専門家にパネリストとしての登壇依頼
2月上旬	全パネリストの事前準備、司会原稿の作成、パネリスト全体での事前共有（前提や論題、行程の最終確認など）と、集客用の宣伝を開始（ポスター作成・校内での呼びかけ、SNS*1での呼びかけ）
3/10(火)	実施
3月下旬	編集した動画の公開, 文字起こし・資料公開

*1 Twitterの専用アカウントを作成予定。そこで参加者を募るための情報を発信していく。

想定課題

<ゲストについて>
・勝又教授が現在、在米中であること。（ビデオ参加での可否を調整中）

＜外部について＞
・校内パネリストのプライバシーの公開範囲をどうするのかということ。

＜集客＞
・ICUHS生がどれくらい来るのかということ。

あとがき

これがシンポジウムの企画案です。最後まで読んで下さりありがとうございました。本企画へのご理解とご協力を頂けると幸いです。こちらも企画の実現のために全力を尽くして参ります。何卒宜しくお願い致します。

ご不明な点などがありましたら以下のメンバーまでご連絡ください。

こてほんプロジェクト
2104 長谷川凜　2108 神山結衣 2235 丹野健　2315小林未來
2341 内田花　3428 田川美桜 1119 中村海人

以上

2. こてほん 校外アンケート 依頼文書

こてほんプロジェクト
―「高校に古典は本当に必要なのか」を考えるシンポジウム―
アンケートご協力へのお願い

拝啓

厳寒の候、ますますご健勝のこととお慶び申し上げます。

さて、2019年1月14日、明星大学で「古典は本当に必要なのか」というシンポジウムが開催されました。そこでは、高校教育における古典の必要性について議論がなされましたが、当事者である高校生の意見は議論に取り入れられていませんでした。そこで、私たちは高校生が意見を発信する場として、シンポジウムを開催しようと企画しています。

そのために、高校生が実際に古典のことをどう感じているのかについて下記のようにアンケートを実施しています。ご協力をよろしくお願いします。

敬具

記

<目的>
高校生の古典への意識を調査する。

<実施方法>
①,②のいずれかの方法で実施します。
① google formでの回答
教室にQR コードを添付した紙を掲示していただき、個人での回答をお願いします。
②アンケート用紙での回答
こちらが必要分印刷して郵送するか、メールに添付したPDFを印刷していただき、
各ホームルームでの回答をお願いします。

<実施期間>
2020年1月中

<公開範囲>
シンポジウムで使用します。
学校名は公開せず、都立・共学などの属性だけ公開します。
個人が特定されることはありません。

<フィードバック>
シンポジウム終了後、アンケート集計結果を送付します。
また、そのURLを一般公開します。

こてほんプロジェクトチーム
長谷川 凜 / 丹野 健 / 内田 花 / 田川 美桜 / 中村 海人 / 神山 結衣 / 小林 未來

お問い合わせ
電話 : ████ (ICU高校事務室)
メール : ████ (国語科 仲島ひとみ教諭)

以上

3. 協力してくださった先生方の主張

協力してくださった先生方の主張

●シンポジウム「古典は本当に必要なのか」における主張

否定派
○猿倉信彦先生(某指定国立大学教授)　・・・p.2~3
○前田賢一先生(メーカーOB・コンサルタント)　・・・p.3~4

肯定派
○渡部泰明先生(東京大学教授)　・・・p.4~5
○福田安典先生(日本女子大学教授)　・・・p.5~6

司会
○勝又基先生(明星大学教授)　・・・p.6~8
○飯倉洋一先生(大阪大学教授)　・・・p.8

●「高校に古典は本当に必要なのか」において新たに加わる主張

肯定派
○近藤泰弘先生(青山学院大学教授)　・・・p.9~10
○ツベタナ・クリステワ先生(国際基督教大学名誉教授)・・・p.10~12

○猿倉信彦先生(某指定国立大学教授)

猿倉氏は議論の前提として、教育が高校、大学でどうあるべきかを「出資者」に還元されるべきものだとした。ここで言う「出資者」というのは国と家族である。そして国への還元はGDPや競争力、個人への還元は収入と自己実現とした。教育は税金によってなされているから、基本的に国の生産性や競争力、個人の収入によって「幸福度」は図られるべきであるという。

そして、高校で古典を必修にするべきではない理由として、次の三つを挙げた。
①高校生にはもっと他に学ぶべきことがある
②日本の社会発展の弊害になっている要素がある
③国際競争に必要な世界標準の知識への接続が少ない

■①高校生にはもっと他に学ぶべきことがある

人口減少や少子化に伴い大学の経営は深刻化し、日本の学術的・産業的競争力は低下している。文科省の鈴木寛氏の文章で述べられるように「国立大学は理系重視、私立大学は文系にシフト、日本の大学は競争力がない。」というのが現状である。今の日本には、GAFAのような新しい産業を立ち上げられる人材が必要だ。そのためには教育の能率化が重要である。よって高校生はより優先度の高いものを学ぶべきであり、古典は不要だ。

肯定派の渡部氏は議論などの実用的な能力は古びてしまうというが、議論する際のユニバーサルなスキルは古くならない。日本の学生が議論下手だと言われるのは、議論やプレゼンをする文化が欠けている環境で育ったことが根本にある。このスキルを養う授業こそ今の国語教育の中での優先度を最も高くするべきであり、そうすると古典の優先度は相対的に下がる。

■②日本の社会発展の弊害になっている要素がある

古典教育は年功序列や男女差別の固定化を刷り込むツールになっている。日本の古典は、SDGsに示されるジェンダー平等・個人や国家間での不平等の是正と逆行するものである。また、日本では未だに年下、女性、または外国人などの上司ができたら凹む日本人男性が多く、それこそが日本の古典教育（或いは儒学的マインド）の影響なのではないか。ポリコレ的センスで古典のコンテンツの考えは偏っているため、古典は有害である。肯定派は古典を教えると優しさが発生する（渡部氏の「情理」を指していると思われる）と言うが、それは生徒の受け取り方次第であり、教科書は権威化されてしまう。

■大学の倒産防止のための国文学

古典を学びたい人もいる。また、国文学は設備なしで学生を集めることが可能で世界との比較も不要であるので、教育サービス提供側の視点ではコスパのいい学問である。

■コンテンツビジネスとしての古典

古典は芸術であるため、存在させなくてはならないが強制すべきではない。古典教育の必要性について、言葉とナショナリズム・愛国心の観点から説明されることがあるが、それらは言葉の文化ではなくとも芸術教育によって作ることができる。

西欧諸国は自国の文化のディスプレーが巧みである。一方、日本は長い歴史の中で培われた文化があるにも関わらず、ディスプレーが苦手である。古典教育についても同様であり、今の古典教育はフォロワーよりも反発者を多く作ってしまっている。

本当に古典を愛する人だけで学べば、古典はコンテンツビジネスとして日本の魅力を伝えるものになるのではないか。

■ユーザー目線の人文学を
現在では、高校以前または大学の教養相当の人文学全般が「微妙になっている」。結局人文学をする人のための人文学になっていて、その他の人たちにとって活用可能なものになっていない。しかし、哲学や宗教といった人文学を学んでいなければ、カルトなどにはまってしまう人も出てくる。また、理系の人にとって人文学の知識は海外とのインターフェースとして重要である。そのため、例えば理系の学部生が用いるための社会学や国際関係論なども含めた人文学教育、といったユーザー目線に立った人文学が必要とされる。
古典には良い観点もあるが、それは哲学へと移行して、西洋哲学などとあわせて現代語訳で学んだ方がいい。
海外とのつながりという点を考えると、これから外国人を受け入れていく日本においては、ビジネスなどの場面での日本語を簡単にする必要がある。

■教育の最適化のアルゴリズムを開発せよ
現状、日本の教育は縦割りになっている。しかし、高校3年間という限られた時間の中で、何を教えるのが最適か。これについて議論するためには、教科ごとの垣根を超え、何を教えれば高校生は幸せになれるのかを判断するアルゴリズムを作る必要がある。そのアルゴリズムを使って教育を最適化すべきである。
そして「納税者は古典を読みたいとは望んでいない」ため、肯定派福田氏の考え(後述)は否定派および世間の考えからずれている。
このように人それぞれの価値観が違う中、どのように合意を形成し教育を設計するかは古典教育において特に難しい点である。

なお、③については具体的な説明はなかったが、日本の若者の競争力を強化するための教育が必要であるという①の説明や、国際標準の知識である西洋哲学の話などから、③の主張は常に念頭に置いていたと思われる。

○前田賢一先生(メーカーOB・コンサルタント)

前田氏は、古典を「過去に表現された立派な内容」、古文を「古典が書かれた言語」と定義した。そして、古典は内容で評価すべきでありそれは現代語訳で理解が可能であること、また、高校以降の古文・漢文は選択制にすべきであることを主張した。

■古典を現代語訳で学ぶべき理由
本当に原文で古典を読まなければならない人は少数である。また、現代語を正しく使うことが目的ならば、古典文法を教えるより「正しい現代語」を教えた方が効率がよい。
古典を原文で学ぶということは、ニュートンの著書『プリンキピア』をラテン語で学ぶのと同じことであるが、どちらも現代語訳で読めば十分である。
次に、古文でないと伝わらない部分があると古典ファンは言うが、物事を理解するために個人が作り出す対象のモデルは人によって多くの差異があり、いちいち追求していてはキリがない。また、古文を勉強したからといって、古文だけにある微妙なニュアンスがわかるわけではない上に、それを理解する必要のある人は誰なのかを問うべきである。
プレゼンの中で用いた「〜すべし」といった表現の原型は古文にある、という話がある。しかしそれは国語辞典に載っているため現代語であり、古文を学ぶべき理由にはならない。

また、古語と現代語のように異なる言語間での翻訳ではニュアンスが変わってしまうという話については、翻訳すると変わるのはあくまで立ち位置であり、本来その文が持つ意味は同じである。ただし、誤解が起こらないよう、意味をしっかりと説明して翻訳すべきである。

■古文・漢文は芸術科目として選択制であるべき
古文・漢文の多くは文学作品なので、芸術科目として選択制であるべきだ。世の中には役に立たないが、役に立たなくても必要なものは沢山ある。その中でも特に古文・漢文を必修科目として取り立てる必要はあるのか。
また、「自由度」こそ大切である。大学に入ると必修は少ないが高校では必修が多すぎるため、もう少し高校での科目選択に「自由度」を持たせて、当人がもっと深く勉強したいことを学ばせるべきだ。

■教養は強制すべきではない
古文・漢文を教養としては認めるが、教養だからこそ強制すべきではない。猿倉氏と同じように、高校生の限られた時間の中で、古文・漢文を必修として時間を割いて習うことには疑問が残る。さらに、国語にはリテラシーの面と芸術の面があるにも関わらず、学習内容は古文や漢文といった芸術の分野に偏っている。誤解のない文章の書き方といったリテラシー分野の学習をより積極的に行うべきである。

■教科間の関係
例えば、社会学者は『21世紀の資本』に述べられた社会法則を社会学だけの法則だと思っているが、それは実は物理法則である。このように社会学には社会学の法則があると思ってみてしまうのは、誤りである。

○渡部泰明先生(東京大学教授)

渡部氏は、新学習指導要領に定められる「言語文化」に基づき、古典を「第二次世界大戦くらいまでの小説も含めた文学作品」とした。

■古典の意義は主体的に幸せに生きるための智恵を授けること
古典の意義は、主体的に幸せに生きるための智恵を授けることである。ここで言う「主体的に幸せに生きる」とは生活に潤いをもたらすことだけではなく、良い仕事を責任ある立場で成すことだ。つまり、古典は個人を満足させるだけではなく、個人が社会に働きかける力を与えるのである。良い仕事を責任ある立場で為すためには、指導力と優れた着想が必要となる。徒然草から読み取れるように、古典は情理を尽くして人を教え導く指導力を与え、さらに自由で優れた着想や発想をもたらす。

■古典は共生を感じさせるもの
古典の「典」が表すように、古典とは古い文書すべてではなく、特に素晴らしい内容のものを言う。その素晴らしい内容というのは、「共生」を感じさせるものである。

■実用的な能力よりも、能力を内面化することまた、現実は刻一刻と変化していくので、高校では実用性を重視しすぎた教育は避け、より広い教養を学ぶべきである。議論する能力やプレゼンテーション能力は確かに重要だが、そうした実用的なものの目的は非常に限定されているため、変化していく現実に対応できず古びていってしまう。

さらに、議論やプレゼンテーションの能力は、教えてもすぐに役立つものではない。役立てるためにはそれらの能力を内面化する必要がある。古典を通じて、「心を預ける／切り離す」という内面化の作業を学ぶことができる。これこそ、議論やプレゼンテーションの能力以上に重要なのだ。

■授業について

教室というのは、生徒に生徒として演じることを強要する場である。その教室で何か問題を考える際、生徒を萎縮させないために必要なのは、議論やディベートの技能よりも「参加感」である。

そこで氏は、生徒が和歌を詠むことで「心をいったん自分から切り離す」という技術を学べる参加型授業を提案した。

■現代語訳・文法

現代語訳は授業で大いに使うべきだが、言葉に即して物事は考えられているので、原文を知る必要もある。また、和歌のように言葉の調べに触れる機会は持ってほしい。

文法については、言葉にきれいな規則があることを知る喜びは教えてほしいが、「文法のための文法」は止めるべきである。

■他分野との協働

例えば「死生学」という学問では、医学者と文学者が共に研究している。このように、分野を超えて協働的に考えるべきことは多い。

以上のほか、理系の人には自国の文化を語って国際的に活躍できる人になってほしいことや、古典は信仰であるため日本人の心の救いに関わっていることを述べ、古典は必要だと主張した。

○福田安典先生(日本女子大学教授)

福田氏は「それなりに豊かな国の納税者」には自国の文化を識る権利があると規定した。

■高校教育に古文・漢文は必要

江戸時代には医学書のパロディの文学書が存在していた。そこからわかる事実は、近代以前には文系·理系という対立概念がそもそもなかったということである。また、くずし字や漢文で書かれた近世の医学書や農学書を読むといった知の世界に分け入ることができるのは、現在では文学部だけであり、文学部でそれらを読むためには高い技能とトレーニングが必要である。

さらに、自国の文化である古典を読み解く能力を得ることは国民の権利に含まれる。

以上の2つより、高校教育に古文や漢文は必要である。

古典や古文の授業が減らされている今、新学習指導要領への提言という形で生産的な議論を重ねていくことが重要だ。

■文系・理系への疑問
高校で文系/理系を分けることは子どもの幸せのためではなく、単に入試のための枠組みになっているだけではないか。猿倉氏は理系用の人文学が必要だと述べたが、文系理系で国語教育を分けた上で、理系用の古文を設置するのはどうだろうか。

■国際関係を繋いだ日本の古典
古典がフィリピンと日本の国交回復に一役買ったことから、「伝統芸能を守る」という日本の姿勢は諸外国に影響を与え、海外からの評価も高いと言える。

氏は文学部の教員として古典を教えるにあたり、古典が「好き」という人を少しでも増やすことを目指すべきか、抜本的に日本の古典教育を変えていくべきかという問いを今まで教員志望の学生に問うてきたという。今回のシンポジウムを通して自身もこの問いに向き合うことができたと、この機会に感謝の意を表した。

○勝又基先生(明星大学教授)

近年、古典の危機について論じる会合は少なからず開催されてきたが、それらは反対派と対峙しないまま必要論だけを振りかざすものだった。このままでは、不要派の前で主観的な肯定論は無効化され、面白さだけで盛り上がっている肯定派は教育や研究の場から追い出されてしまう。そこで、勝又氏はこのシンポジウムを、肯定派が反論のための反論をするような場として設定した。そして、本著においてパネリストの主張を以下に挙げるように指摘し、肯定派に対して「でもそのことは、古典（古文）じゃなくても教えられ（学べ）るんじゃないですか？」「でもそれは、原文じゃなきゃいけないんですか？」「だからといって、必修じゃないといけないんですか？」という３つの問いに答えられなくてはならないと警告した。

■人文学軽視の背景
否定派は大学の世界ランキングなどの客観指標にこだわるが、そのように目的に対して性急でありすぎるとかえって非効率的になる。
だが、確かに客観指標も意識しなくてはならない。日本の人文学部のランキングが世界的に低い理由は、その成果が英語で書かれていないことや「日本について学ぶのは日本の大学が一番」だと思われているからだが、世界では言語の壁を超えての研究が盛んである。日本はその点で置き去りにされており、変わらなくてはならないにも関わらず、日本文学系の大学院はフットワークが非常に重いのが現状である。

■教育が与えられる「幸せ」は何か/日本を経済奴隷の工場にしたいのか
猿倉氏が定義する幸せは、ステレオタイプな理系の意見だ。
第一に、ある学問を学べば生涯年収が上がるかどうかは、どの学問においても人によって異なる。
第二に、科学技術や経済界にこそ人文知が必要とされている。猿倉氏が現在の日本に必要であるとしたGAFAのようなアイデアは、文理融合によるものである。アイデアの多くは他者を受け入れるところから生まれるものであり、古典の知こそ最も受け入れが容易な他者である。
第三に、数学やプレゼンの知識だけでは社会で通用しない。

第四に、GDPなどを幸せとする前提は経済目線や科学目線である。しかしそれだけでは、目先の利益だけを考えて批判的な視点を持たなくなってしまう。自分の頭で判断することができるような良き市民となるための教育には、人文学が役に立つ。

■「役立つから必要」なのか、「役立たないけれど必要」なのか/プレゼンに役立たない古文・漢文

論理という学習目標のためには文学教材では不十分と考えている人がいる。そのため、肯定派はそれに対し、論理のための授業など不要と斥けるか、文学教材でも論理を十分に教えうると訴えるべきである。古典に携わる人は、「限られた高校必修の時間の中で、なぜ古典を学ぶことが必要なのか」という社会からの問いや、「なぜこんなものをやらなければならないのか」という生徒からの問いに明確に答えなければならない。その際、「役立つから必要だ」または「役に立たないけれど必要だ」というどちらの説明をするか、さらに「どう役立つのか」「どう必要なのか」というところまで説明が求められる。

これからの国語教育において文学が果たしうる役割を真剣に考える必要がある。

■高等学校での学びを低く見積もりすぎなのでは？

前田氏が示した「自由度」については賛同できない。必修を減らし、最初から好きなものだけを自由に学ばせれば、高校生の視野は狭まる。それでは早々に文理の分断が生まれてしまうかもしれない。義務教育を終えた高校生は、浅くも広い知識を持っている。だからこそ、国が必修科目としてバランスのとれた学びを提供し、その視野をさらに広げることが必要なのである。

■何度も習う同じ古典作品

現在の古典の教科書では同じ作品が何度も取り上げられ、それらの作品は特に平安文学に偏っている。その理由としては、学校文法が当てはまるため試験で問いやすいことや、学習指導要領の方針に合致することなどが考えられる。古典の存在意義が問われている今、慣習にとらわれない古典の作品選びがなされなければならない。

■古典は「我が国の一員としての意識を高める？」/古文は現代文化の発展にも役立つ/このまま、というわけには行かない

先人が築き上げてきた伝統を尊重というのは古典を学ぶ理由として聞こえが良いが、ナショナリズム的な思考停止をしてはならない。古典は古い価値観を刷り込むツールではなく、現代的な課題を解決する手がかりになるはずだ。

また、古文は現代文化の発展にも役立つものである。

ただし、今求められている教育は、現代を生きる若者にとって必要だと感じられる教育である。そのために、古典教育は文法と文学史を離れるべきである。

■ポリティカル・コレクトネスと古典

社会における偏見が古典教育のせいだというのは、乱暴な結論に思える。もし猿倉氏が源氏物語に見られるような現代にそぐわない価値観を想定し、古典は有害であるとしているならば、文学表現の理解として初歩的な誤りである。

■豊かな語彙は必要ないのか/古い言葉は現代語の豊かさを育むのか/今こそ現代語訳だけでは不十分

語彙は政策的に減らすのではなく、自然に任せるのが良い。
また、現代語訳だけで済ませることには賛成ではない。日本ではわずか70年前まで文語が使われていた。文語が読めなくなれば、昔の日本と繋がるチャネルを自ら断ち切ることになってしまう。不確かな情報が飛び交う現代においては、文語文に自らアクセスできることが大事なリテラシーである。

○飯倉洋一先生(大阪大学教授)

議論を終えて。ディベートとしては否定派の「勝ち」ではあったが、アンケート結果などからみても古典が人生に必要という感覚は揺るがなかった人が多かった。ただ、その中で、古典教育の効果の可視化・数値化という問題が浮き彫りになったと主張。否定派に優位な数値になりうることを意識してこの問題の解決策を探すべきだとした。

■古典の縮小は決まっている
現在、古典は高1では必修だが、2・3年次では選択であり、センター試験のために選択せざるを得ない生徒が多いという状況である。
つまり、古典教育はすでに、否定派の求める「古典は選択制の芸術科目であるべき」「ごく一部を必修とするか現代語で教えた方がよい」という流れになっているのである。古典を芸術科目に組み込むのは、古典教育の縮小の次のステップだろう。

■古典の持つ論理的な面
否定派の「古典は論理的ではなく情緒的な表現芸術であるため、芸術のコンテンツとして現代語訳で与えればよい」という解釈は一面的である。古典には現代的思考に資する論理のテキストがあり、現代的思考を相対化する論理のテキストもある。現代語訳では現代的思考の枠組みに収まりかねないので、やはり古語での解釈が必要である。

■古典を批判的に読む
否定派は、古典に含まれる身分社会の肯定や男尊女卑的な思想などは有害であるため排除すべきだとしたが、それらを意識して読むことはむしろバランスのよい思想形成を促すため意義がある。古典をただ素晴らしいと読むのではなく、批判的に読む視点を育てることが重要である。

■古典は国語力向上に役立つ
「国語力」の大切さは否定派でも肯定派でも共有されていた。古典が国語力の向上に役立ち、かつ優先順位も高いということをエビデンスとともに主張できれば、否定派も納得するだろう。また、古典がディベート力やプレゼン力、英語理解能力の向上にも有用だと示せれば理想だ。そのためにはまず、古典教育における教材や文法の扱いを再考すべきである。さらに、古典は芸術科目でなく国語科だと証明せねばならない。
ただし、国際交流のコンテンツとして古典を芸術と捉え、継承しディスプレーする観点も同時に必要である。

○近藤泰弘先生(青山学院大学教授)

■古典を必修から外せという主張は少数派

高校教育において古典を縮小する動きがあるのは確かだが、必修から外すという話は目にしたことも聞いたこともない。あるとしても非常に少数派の考えだと言える。
よって古典を必修にすべきか否かという話には意味がない。

■公教育の目的

公教育の目的は産業の発展ではなく、人間が人間らしく生きていくための基礎的な知識や学力をつけることにある。

■自然科学と人文科学

自然科学は、(宇宙が始まってから今まで存在していて、同じ法則で動いていることを前提とした上で)全世界共通かつ宇宙が始まってから終わるまで変わらない、普遍的な法則を相手にしている。
対して人文科学や社会科学は、地球上の様々な空間(民族や国)における差異や特異性、また歴史上の変化の実際について研究する学問である。

このことから、人文科学や社会科学にあって自然科学にない知識構造は空間の多様性や歴史的変化の構造であると言える。

生きていく上で世界の広がりや歴史の流れについての洞察をすることはとても重要であり、「古典」語の教育は日本語及びそれによる文学の歴史を学ぶために欠かせない。

このような人間としての根幹を作る基礎的な教育は、人類普遍的なものの見方を育てることにつながる。

■日本における古典学習の必要性

英語とラテン語は別系統の言語であるが、日本語と古典語は同じ系統の言語である。よって、英語圏でラテン語を必修にしないことは、日本で古典を必修にしないことの理由にはならない。

また、中国語と古典中国語の関係は日本語と古典語の関係と似ているが、中国では中学・高校において、古典中国語の学習が日本以上に重要視されている。これは、古典語から現代語まで通じる文化の流れを学ぶことができるからである。日本でも同様に、日本文化の理解には古典語への理解が欠かせない。日本に移住してきた外国人への教育などを考えても、古典の学習は必要である。

■今の古典文学の教育は変えるべき

今の古典文学の教育には、改善できるところがある。教科書を工夫して、現代語と対照し、重要単語を文法説明を加えるなど、わかりやすく示す方法があるはずだ。同時に、入試で問うべき内容についても再考の余地はあるだろう。漢文の取り扱い方についても、日本漢文をより多く入れるなど工夫の余地はある。

■より良い研究をするためには

テキストを分析するのに、コンピュータほど適したものはない。文学部でも、コンピューターを積極的に用いた応用研究が進められるのが望ましい。

■古典の持つ可能性

人間の感情や心情をさぐることは、今後、経済活動の非常に重要なテーマになるはずだ。古典語研究は、テキストを分析して過去の人間の心情の在り方を研究するものなので、21世紀型の新しい経済を切り開いていく可能性がある。そうした中で、長い歴史を持つ日本は、世界に発信できるものがたくさんある有利な立場にある。日本からそのように発信していくための基礎として、高校生が古典を学ぶことは非常に重要である。

○ツベタナ・クリステワ先生(国際基督教大学名誉教授)

ツベタナ氏は、古典文学の知識は、日本文化にルーツを持つ現代の国際社会に生きていて、人類の発展に貢献できるために必要であると主張する。

▪古典を知ることは、日本の重要な知的遺産を知ること

「今日私たちの用いる知的能力の量は過去よりも少ないとも多いとも言えます。それに、昔とまったく同種の機能を用いているわけでもありません。たとえば、感覚的知覚の利用は明らかに少なくなっています。(中略)植物や動物についての私たちの知識についてもまったく同じです。無文字民族は自分たちの環境と資源のすべてについて、途方もなく正確な知識を持っています。こうしたものすべてを私たちは失ってしまったのですが、その代償として何も得なかったわけではありません。たとえば、どの瞬間にも押し潰される危険性があるのに、そういうこともなく自動車を運転できるし、夕方にはテレビやラジオをつけることもできます。それには知的能力の訓練が必要ですが、「未開」民族は必要がないためそういう能力をもちません。潜在能力としては精神の性質を変えることもできたはずですが、この人たちの生活様式と自然との関係から見ると、その必要がないのでしょう。**人間のもつ多様な知的能力をすべて同時に開発することはできません。ごく小さな一部分を使用しうるのみで、どの部分を用いるかは文化によって異なります。それだけのことです」**
(『神話と意味』C. レヴィ=ストロース、大橋保夫訳、みすず書房、1999(1996)、”未開”思想と”文明”心性、pp.24-26)。

前回の「否定派」は、社会における文学の役割をあくまで現代の理解に絞っている。確かに文学は芸術だ。しかし、レヴィ=ストロースが述べているように、社会における文学の役割は文化や時代によって異なる。古代日本においては、歴史的背景から話し言葉(いわゆる「やまと言葉」)の特徴まで、文学、とりわけ和歌がもっとも活発的な知的活動であった。言い換えれば、和歌が主要なメディアであり、知の形態として働いていた。よって、古典を知ることは、日本の重要な知的遺産を知ることになる。

▪古代日本の美意識は世の中を見る「視線」

「美しい」と思うことは人によって違う、という前田先生の意見に間違いはないが、「美しい」と「美」と「美意識」を区別する必要がある。

その美意識もまた、文化や時代によって異なる。古代日本においては、『竹取物語』などが証明しているように、美意識は世の中を見る「視線」であり、主要な認知手段だったと言

える。未知の世界と接触した古代ギリシャ人は「ロゴス」といった合理的な概念によってその世界を整理し説明しようとしたのに対して、古代日本人は「美しきこと限りなし」すなわち最大の「美」を通してそれを解釈しようとしたのだ。
　日本古代文学における「美」と「美意識」の働きは、その最も大きな特徴の一つであり、アジア人として世界初のノーベル文学賞を受賞したラビンドラナート・タゴールは、日本にしかない、しかし全世界の人々にとって大事であるものとして次のように賞賛している。

「すべての民族は、その民族自身を世界にあらわす義務を持っています。(中略)民族は彼らのなかにある最上のものを提出しなければなりません。(中略)日本は一つの完全な形式をもった文化を生んできたのであり、その美のなかに真理を、真理のなかに美を見抜く視覚を発展させてきました。(中略)日本は正しく明確で、完全な何物かを樹立してきたのであります。それは何であるかは、あなたがたご自身よりも外国人にとって、もっと容易に知ることができるのであります。それは紛れもなく、全人類にとって貴重なものなのです。それは多くの民族のなかで日本だけが単なる適応性の力ではなく、その内面の魂の底から生み出してきたものなのです」(ラビンドラナート・タゴール、「日本の精神」、『迷える小鳥2』、アポロン社、1960)。

■古典は日本人の文化的アイデンティティの源
　前回のシンポジウムで、日本人の文化的アイデンティの問題がほとんど強調されなかったことには驚いた。古典文学は日本人の文化的アイデンティティの源だ、と明確にいうべきだ。
　古代日本語、とりわけ「やまと言葉、仮名文字の言葉」は現代日本語の原型であり、その言葉は文学を通して発展していった。そのため、その文学を知ることは、現代日本語を知ることにつながる。現代日本語には英語などに比べてマイナス点が目立つが、原点に戻って再考察すれば、大きなプラス点も見えてきて、それが文化的な自信につながる。

■「オリジナル」を読む必要性
　古典文学は現代語訳で読んでも良いだろうが、それは到着点ではなく出発点にすぎない。源氏物語のようにとても長い作品の場合やむを得ないが、しかし、読みの過程とは、内容を把握した上、そこからさらに気になったところを、丁寧に読み、注釈を参考にしながらも、自分なりに読んで、解釈していくことだ。
　何しろ、どの現代語訳も「完璧」ではない。そのほとんどが男性によって行われたことを考えれば、なおさら現代人が自分の視点から「再解釈する」必要性は明確である。
　日本の重要な知的遺産である古典文学を「オリジナル」を通して知っていく過程は、読者の想像力と創造力を刺激する結果にもつながる。
　人文科学の分野のみならず、自然科学の分野においても、こうした能力は極めて重要だ。よって、現代語訳だけでなく「オリジナル」を読むべきである。

■漢文もまた、日本の重要な知的遺産
　前田先生は、ラテン語を例にして漢文を習う必要がないと言っていたが、それも前提が違う。
　西洋では、ラテン語は長い間「教養の言語」であり、「権威ある言語」として使われていた。イタリア語・フランス語・イギリス語などの文学は、その上に、その続きとして、またそれとの対照として成立していったのだ。

日本においても、漢文は「真名」としてのステータスを担う教養の言語であり、「ハレの場」において専用言語だった。しかし、古代日本人が特有の「仮名文字」作成に成功した結果、漢文と和文は共存し、こうした共存は和文の発展のための刺激となった。
一方、漢詩や江戸時代の荻生徂徠などの漢学者の研究に明確にみられるように、日本の「漢文」は古代中国語とは違って、その日本的な解釈により「和語化された古代中国語文」となっている。
つまり、漢文もまた、日本の重要な知的遺産である。その知識は、異なる文化の受容のモデルとして、現代もとても参考になりえる。

■現代の古典教育の問題

現代教育の形式、「受験」という”偽目的”、モティベーションの無さなどには、とても大きな問題がある。それらを再検討して変更しない限り、「古典嫌い」の若者たちは増え続け、やがて古典教育の危機に繋がるだろう。
考えてみれば、受験に利用されるなど、主として「実用的な」役割を押し付けられた古典教育が「本当に実用性があるか」と問い詰められることには、あまり無理はないのかもしれない。

こてほんプロジェクトチーム一同

編　者

長谷川凜（はせがわ・りん）

丹野　健（たんの・けん）

内田　花（うちだ・はな）

田川美桜（たがわ・みお）

中村海人（なかむら・かいと）

神山結衣（かみやま・ゆい）

小林未來（こばやし・みらい）

牧野かれん（まきの・かれん）

仲島ひとみ（なかじま・ひとみ）

プロフィールはP10参照のこと

高校に古典は本当に必要なのか

高校生が高校生のために考えたシンポジウムのまとめ

2021（令和3年）年5月25日　第1版第1刷発行

ISBN978-4-909658-36-4　C0095

発行所　株式会社 **文学通信**

〒114-0001　東京都北区東十条1-18-1　東十条ビル1-101

電話 03-5939-9027　Fax 03-5939-9094

メール info@bungaku-report.com ウェブ https://bungaku-report.com

発行人　岡田圭介

印刷・製本　モリモト印刷

ご意見・ご感想はこちらからも送れます。上記のQRコードを読み取ってください。